SINCRONIZANDO
TEMPO E ETERNIDADE

Murray Stein

SINCRONIZANDO
TEMPO E ETERNIDADE

Ensaios sobre Psicologia Junguiana

Tradução
Marta Rosas

Editora
Cultrix
SÃO PAULO

Título do original: *Outside, Inside and All Aroung and Other Essays in Jungian Psychology.*
Copyright © 2017 Chiron Publications.
Publicado mediante acordo com Chiron Publications LLC, Asheville, NC.
Copyright da edição brasileira © 2021 Editora Pensamento-Cultrix Ltda.
1ª edição 2021.

Todos os direitos reservados. Nenhuma parte desta obra pode ser reproduzida ou usada de qualquer forma ou por qualquer meio, eletrônico ou mecânico, inclusive fotocópias, gravações ou sistema de armazenamento em banco de dados, sem permissão por escrito, exceto nos casos de trechos curtos citados em resenhas críticas ou artigos de revistas.

A Editora Cultrix não se responsabiliza por eventuais mudanças ocorridas nos endereços convencionais ou eletrônicos citados neste livro.

Editor: Adilson Silva Ramachandra
Gerente editorial: Roseli de S. Ferraz
Preparação de originais: Alessandra Miranda de Sá
Gerente de produção editorial: Indiara Faria Kayo
Editoração eletrônica: S2 Books
Revisão: Erika Alonso

Dados Internacionais de Catalogação na Publicação (CIP)
(Câmara Brasileira do Livro, SP, Brasil)

Stein, Murray

    Sincronizando tempo e eternidade : ensaios sobre psicologia junguiana / Murray Stein ; tradução Marta Rosas. -- 1. ed. -- São Paulo : Editora Pensamento Cultrix, 2021.

    Título original: Outside, Inside and All Aroung and Other Essays in Jungian Psychology.
    ISBN 978-65-5736-074-3

    1. Psicologia 2. Psicologia junguiana I. Título.

21-54369   CDD-150.1954

Índices para catálogo sistemático:
1. Psicologia junguiana 150.1954

Maria Alice Ferreira - Bibliotecária - CRB-8/7964

Direitos de tradução para a língua portuguesa adquiridos com exclusividade pela
EDITORA PENSAMENTO-CULTRIX LTDA., que se reserva a
propriedade literária desta tradução.
Rua Dr. Mário Vicente, 368 — 04270-000 — São Paulo, SP
Fone: (11) 2066-9000
http://www.editoracultrix.com.br
E-mail: atendimento@editoracultrix.com.br
Foi feito o depósito legal.

Créditos de Direitos Autorais

Nossos agradecimentos pelas seguintes permissões de reimpressão de material de outros autores neste livro:

"On Synchronizing Time and Eternity". In *The International Journal of Jungian Studies* 8/1, (2016): 1-14. Reimpresso com permissão.

"A Lecture for the End of Time – 'Concerning Rebirth'". In *How and Why We Still Read Jung*, orgs. J. Kirsch e M. Stein, Londres: Routledge, 2013, pp. 26-45. Reimpresso com permissão.

"C. G. Jung e Erich Neumann em 'The Problem of Evil'". In *Turbulent Times, Creative Minds: Erich Neumann and C.G. Jung in Relationship (1933-1960)*, orgs. E. Shalit e M. Stein, Asheville, NC: Chiron Publications, 2016, pp. 185-96. Reimpresso com permissão.

"Of Creative Powers and Personalities: Erich Neumann's of the Origins of Psyche's Creativity". In *The Unconscious Roots of Creativity*, org. K. Madden, Asheville, NC: Chiron Publications, 2016, pp. 29-48. Reimpresso com permissão.

"On the Brink: Stepping Into the Unforeseen". In *Quadrant* XLV:2 (2015): 11-22. Reimpresso com permissão.

"On the Role of Failure in the Individuation Process". In *The Crucible of Failure*, orgs. U. Wirtz, S. Wirth, D. Egger, K. Remark, Nova Orleans, LA: Spring Journal Books, 2015, pp. 105-20. Reimpresso com permissão.

"*Imago Dei* on the Psychological Plane". In *The Jung Journal*, 2017. Reimpresso com permissão.

"Jungian Psychology and the Spirit of Protestantism". In *The International Journal of Jungian Studies*, 3:2 (2011), pp. 125-43. Reimpresso com permissão.

"Archetypes Across Cultural Divides". In *From Tradition to Innovation*, orgs. J. Wiener e C. Crowther, Nova Orleans, LA: Spring Journal Books, 2015, pp. 1-18. Reimpresso com permissão.

"Where East Meets West: The House of Individuation". In *The Journal of Analytical Psychology* (2017). Reimpresso com permissão.

"From Symbol to Science: Following a Process of Transformation". In *The Jung Journal* 9/1 (2015): 7-17. Reimpresso com permissão.

"Hope in a World of Terrorism – An Interview with Rob Henderson". In *The Jung Journal* (2017). Reimpresso com permissão.

"When Symptom is Symbol: Some Comments on Rosemary Gordon's 'Masochism: the Shadow Side of the Archetypal Need to Venerate and Worship'". *The Journal of Analytical Psychology* 60/4 (2015): 507-19. Reimpresso com permissão.

*Para minha mulher, Jan,
que esteve comigo todo o tempo:
interiormente, externamente e em toda parte.*

Sumário

Prefácio 11

Capítulo Um
Interiormente, Externamente e em Toda Parte 15

Capítulo Dois
Sincronizar Tempo e Eternidade: Uma Questão de Prática 41

Capítulo Três
Música para Eras Vindouras: "A Lição de Piano", de Wolfgang Pauli 63

Capítulo Quatro
Uma Palestra para o Fim dos Tempos 79

Capítulo Cinco
"O Problema do Mal" 109

Capítulo Seis
Sobre a Criatividade da Psique 123

Capítulo Sete
À Beira da Transformação 143

Capítulo Oito
Fracasso na Encruzilhada da Individuação 159

Capítulo Nove
A *Imago Dei* no Plano Psicológico 181

Capítulo Dez
Os Arquétipos e as Divisões Culturais... 195

Capítulo Onze
Onde o Oriente Encontra o Ocidente: Na Casa da Individuação................... 217

Capítulo Doze
Do Símbolo à Ciência 247

Capítulo Treze
Trauma Cultural, Violência e Tratamento 267

Capítulo Quatorze
Quando o Sintoma é Símbolo 281

Referências 297

Prefácio

No meu discurso de posse na Associação Internacional de Psicologia Analítica (International Association for Analytical Psychology – IAAP), em 2004, alertei que em um ano a associação celebraria seu 50º aniversário. Isso implicava que ela agora enfrentaria a "segunda metade da vida". Na expectativa dessa próxima era na vida da IAAP, eu disse então: "Estende-se à nossa frente um período que exige plenitude e prospecção das profundezas da psique, conscientização da imensa complexidade e riqueza do Self. [...] Faz-se sentir [...] com mais premência a fome do espiritual e do cósmico, o desejo de transcendência e de uma sensação de sentido nas ações cotidianas. Já não precisamos provar quem somos nos termos do ego, mas também não podemos repousar sobre os louros de vitórias e realizações passadas. O momento é de expansão e aprofundamento, de reflexão e diálogo íntimo, de evitamento de cisões e atuações. Estamos amadurecendo. Agora, precisamos buscar o Self".[1] Esse foi o desafio que propus à IAAP e também o que me propus, ao fazer 61 anos de idade naquele ano.

    Todos os ensaios do presente volume foram escritos desde então. Na verdade, a maioria deles nos três últimos anos. Chamo-os de "ensaios da maturidade" porque, agora, preparo-me para minha oitava década de vida. Em retrospectiva, posso dizer que todos eles foram guiados, consciente ou inconscientemente, pelo propósito explicitado naquele discurso

---

[1] Stein, 2004/2006, p. 233.

que fiz na IAAP. O fio básico que os une é o que Erich Neumann chamou e "eixo ego-*self*". Em outras palavras, o principal problema abordado de um modo ou de outro em todos esses ensaios é a relação entre os aspectos da existência humana que são limitados por tempo e espaço e aquilo que é eterno. O título desta coletânea de ensaios fala diretamente a esse esforço de escancarar as portas de nossa percepção para osplanos existenciais, do mundano ao transcendente, que nos cercam e nos habitam em nosso interior, sincronizando tempo e eternidade

Para explorar as questões levantadas pelo desafio de conectar o mundo interior e espaços exteriores e ligar o tempo e a eternidade, busquei orientação sobretudo nos escritos do próprio C. G. Jung e, em segundo lugar, nos de seus discípulos mais dotados, entre os quais Erich Neumann, Wolfgang Pauli, Marie-Louise von Franz e Hayao Kawai. Eles foram meus pontos de referência mais constantes. Contudo, recorri também às obras de inúmeros outros estudiosos junguianos, bem como às de pensadores de variadas disciplinas, para descrever algumas características daquilo que vejo como a emergência de um tipo de consciência que pode nos sustentar. Quando os tempos se tornam mais sombrios, algumas luzes estelares brilham ainda mais forte. Meu maior objetivo como psicanalista junguiano, professor e escritor é promover o máximo que puder o desenvolvimento da consciência nas pessoas e na cultura.

Na cena política, econômica e cultural que hoje vemos desenrolar-se no palco de todo o planeta, a luz está bastante fraca, se é que não se extinguiu totalmente. Nestes tempos sombrios, vejo-me trabalhando para o futuro. Escrevo este prefácio logo após a eleição que consagrou Donald Trump como o próximo presidente dos Estados Unidos. É como se uma mortalha tivesse coberto os restos mortais de uma nação decaída após a chegada desse cisne negro. Porém, enquanto a América se vê lamentavelmente envergonhada por essa seleção de seu representante para o mundo e seu mandatário executivo supremo, o que essa escolha do povo sinaliza não é apenas uma sinistra virada nos acontecimentos de uma nação.

Esse movimento é compatível com a direção da cultura e da política em uma escala global. A humanidade ruma para um futuro que começa a afigurar-se uma repetição do descenso da Europa na Idade das Trevas. A eleição norte-americana de 2016 certamente não é o clímax final desta história; sem dúvida, as coisas vão piorar antes que haja uma reviravolta e que uma nova consciência consiga, mais uma vez, acender-se e ressurgir das cinzas como a fênix.

Santo Agostinho (354-430 d.C.) testemunhou o início do declínio da cultura clássica para a barbárie na Europa: a desintegração do Império Romano, os estertores do consenso cultural estabelecido e a derrubada dos portões da Cidade Eterna por hordas de bárbaros. Encerrando-se no próprio íntimo em suas *Confissões*, Agostinho acendeu uma luz que continua a brilhar de maneira intensa ao longo das eras. O que nelas adoro e continuo a achar profundamente inspirador é a sua sempre revigorante meditação sobre o tempo e a eternidade. Muitos de nós ainda usamos suas reflexões para orientar-nos no presente, neste bruxuleante crepúsculo da consciência coletiva da humanidade.

C. G. Jung tomou rumo semelhante, em direção ao que chamou de "espírito das profundezas" em dias de obscurantismo mais recentes no seu *O Livro Vermelho* (*The Red Book*) e nas suas próprias "confissões", *Memórias, Sonhos, Reflexões*. Individualmente, temos que tomar esse rumo também. As luzes que eles acenderam nas trevas de suas épocas podem, como estrelas, servir-nos de pontos de referência para orientar-nos na nossa — e nossas reflexões podem, quem sabe, brilhar igualmente para gerações futuras.

Cada um desses ensaios germinou e emergiu individualmente como resposta a convites e desafios específicos que vieram ao meu encontro por meio de diversas organizações, instituições e analistas junguianos. Em todos os casos, senti-me honrado. Mundo afora, fui recebido com a maior hospitalidade por pessoas e grupos e, por isso, terei sempre a mais profunda gratidão. Gostaria de agradecer especialmente a Chiara Tozzi e Antonella Adorisio pelos amáveis convites para fazer palestras na Associazione Italiana per lo Studio della Psicologia Analitica (Capítulo Um) e no Centro Italiano di Psicologia Analitica (Capítulo Três), em Roma. Sou grato à IAAP pelas oportunidades de ensinar na Universidade Yale (Capítulo Dois), nos Estados Unidos, e em Quioto, no Japão (Capítulo Onze). William Meredith-Owen, editor do *Journal of Analytical Psychology*, Katherine Olivetti, editora do *Jung Journal*, Nancy Cater, editora da SpringJournal Books, Kathryn Madden, editora do *Quadrant*, assim como Len Cruz e Steve Buser, coeditores da Chiron Publications, foram todos mais que generosos em seu apoio. Poderia citar ainda muitos mais que contribuíram para os ensaios aqui reunidos com suas críticas e percepções. A eles, devo todo o valor e toda a riqueza que o leitor possa encontrar nestas páginas.

Murray Stein
Goldiwil (Thun), Suíça, novembro de 2016

Capítulo Um
Interiomente, Externamente e em Toda Parte

Quando a questão do que é "interior" e do que é "exterior" me foi atribuída pela primeira vez por um colega, pensei que seria muito fácil respondê-la falando do trabalho de Jung sobre imagens e textos alquímicos. Porém, quanto mais eu adentrava o assunto, mais difícil e também mais intrigante do que imaginei inicialmente a questão se tornava. O que queremos dizer com esses termos, afinal? O que é "interior"? O que é "exterior"? E assim começou a jornada.

Em geral, sabemos que a distinção interior/exterior é uma distinção artificial, criada por nossa consciência por diversas razões, entre as quais algumas defensivas. Ela é um efeito secundário do desenvolvimento do ego, como mostrou Neumann[2] (com base em Jung). Essa distinção serve a finalidades práticas e adaptativas. Ela é um artefato necessário da própria consciência, que é preparada para fazer distinções como essa. É por isso que a distinção existe. Ela tem valor de sobrevivência para a espécie. Sem ela, ficaríamos extremamente confusos quanto aos limites entre nosso corpo/psique e outros objetos do ambiente.

Entretanto, nós também reconhecemos que há imensas diferenças culturais no modo como essa distinção é construída e usada. Algumas

---
[2] Neumann, 1949/1964.

culturas têm o que poderíamos chamar de ego comunitário ("ego-nós"); outras têm um ego individual ("ego-eu"). Essa é uma diferença entre o Oriente e o Ocidente e entre a consciência arcaica/tradicional e a consciência moderna. Como psicoterapeutas ocidentais, incentivamos os pacientes a separar-se internamente de confusões psíquicas com o outro e com os ambientes circundantes (família, amigos, cultura etc.) para "encontrar-se" como indivíduos. A separação e a singularidade psicológicas são vistas como virtudes e valores positivos na cultura ocidental, mas não necessariamente em outras partes. A criação de uma separação tão radical entre o eu e os outros é uma parte importante do processo de individuação, como descrevem os junguianos o desenvolvimento psicológico, mas isso tem sido questionado à medida que a psicologia analítica se torna global.

Ao mesmo tempo, e um tanto paradoxalmente, também sabemos que essa simples e dura distinção entre o eu e o outro, o interior e o exterior, você e eu, é uma ficção, e que a realidade psicológica é bem mais complexa. Além disso, reconhecemos que, em seus estágios avançados, o processo de individuação leva a um profundo reconhecimento da unidade entre o mundo e o *self* (*unus mundus*), mesmo que a consciência do ego continue mantendo diferenças e limites claros.

Neste capítulo, quero considerar três aspectos dessa distinção entre interior e exterior:

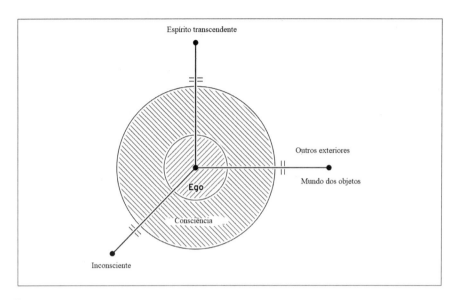

Diagrama 1

1) Consciência do ego (subjetividade) *vs* o outro (pessoas, sociedade, objetos e mundo em geral) "lá fora", 2) consciência do ego *vs* inconsciente (complexos, instintos e arquétipos) "lá dentro" e 3) consciência do ego *vs* espírito transcendente "lá no alto". São essas as três dimensões da "cisão" criada pela consciência do ego conforme a vivem as sociedades modernas. Cada separação tem sua própria história, em cujos detalhes não entrarei aqui, e minha reflexão se baseará principalmente na psicologia profunda e não na filosofia, que também tem labutado com essas questões. O que vou sugerir é que, em diversos tipos de transgressividade, ocorre uma percepção da unidade que aproxima esses três pares da distinção interior/exterior: a) na imaginação ou devaneio, b) nos sonhos e c) na sincronicidade. Espero que isso esteja claro até o fim do capítulo.

Uma pista da alquimia

As análises psicológicas da longa e complexa história da alquimia e das imagens do trabalho alquímico feitas por Jung propiciam-nos um maravilhoso ponto de entrada nessa discussão sobre separação e união, dentro e fora.

Para começar, vejamos esta simples história: minha mulher estava limpando os armários, em uma espécie de "limpeza de primavera", necessária não só nessa estação, é claro, e de repente me disse: "Eu me sinto tão mais organizada, mentalmente e em mim mesma, quando arrumo o que me cerca". Isso pareceu-me um exemplo perfeito da percepção de que o exterior e o interior estão profundamente ligados, mesmo em atividades tão banais quanto limpar armários. Trabalhar em coisas exteriores afeta os estados interiores. Aquilo me veio como uma espécie de experiência do tipo "eureca!"; pode ser um *insight* simples, mas tem consequências se você se aprofundar nele. Pois é exatamente isso que os alquimistas sentiam enquanto criavam o *lapis philosophorum*, a pedra filosofal, em seus laboratórios. Trabalhando os materiais de que dispunham (externamente), eles trabalhavam a psique (internamente), e o ouro que produziam era o "ouro filosófico" e tudo o mais que possa ter sido.

O trabalho alquímico se baseia em uma verdade singular: mente e matéria estão estreitamente associadas. A psique se entrelaça à matéria de tal modo que o *opus* exterior é também o trabalho interior e vice-versa. Como veremos nos comentários de Jung sobre a *imaginatio* (imaginação), o trabalho interior também afeta o mundo exterior. Na gravura *Tripus Aureus* (1677), de Michael Meier (1568-1622), veem-se duas oficinas em que o trabalho alquímico se processa: a mental (uma biblioteca), à esquerda, e a material (um laboratório), à direita.

Tripus Aureus ("o tripé de ouro"), de Michael Meier.

Mercurius está em um receptáculo exatamente entre os dois ambientes. Vemos aqui os dois aspectos da alquimia: obra filosófica e de laboratório. Marie-Louise von Franz afirma: "Quando o espírito especulativo da filosofia da natureza dos gregos encontrou o conhecimento mágico-experimental do Oriente Próximo, houve uma frutificação recíproca da qual nasceu a alquimia".[3] Os aspectos psíquicos e materiais do mundo entrelaçaram-se profundamente uns aos outros na época das obras alquímicas clássicas.

Então, mais ou menos na época em que Michael Meier estava trabalhando na alquimia, esse entrelaçamento foi interrompido. Na Europa, o Iluminismo começou a separar ativamente os aspectos mentais (interiores) e os fenomênicos (exteriores) daquilo que já fora uma representação mais unificada do mundo. A famosa cisão cartesiana (René Descartes, 1596-1650) separava o mundo interior, definido pelo raciocínio abstrato, como o da matemática e o da filosofia, do mundo exterior da matéria. A natureza, por sua vez, foi esvaziada de todo significado mitológico e

---

[3] Von Franz, 1988, p. 185.

simbólico e tornada puramente "objetiva", material a ser investigado com instrumentos de medição e experimentação. Deixou de haver uma relação essencial entre mente e matéria, e a alquimia passou a ser um tipo de filosofia, enquanto a química, libertada da "bagagem psíquica", emergiu como ciência empírica. O trabalho no laboratório de química já não parecia afetar a psique do químico. O trabalho no laboratório tornou-se simplesmente a tarefa de medir e observar as relações dos objetos entre si e de examinar sua composição material.

O relato mental e científico da realidade, agora abstrato e matemático, correspondia de algum modo aos resultados experimentais do laboratório ("lá fora"), mas as projeções da psique eram deixadas de fora de ambos o máximo possível, além de vistas como distrações que deveriam ser eliminadas. O mundo mental tornou-se abstrato e o mundo exterior, concreto e objetivo. A ciência separou os aspectos mentais (a biblioteca) dos experimentais (o laboratório), identificando, com o matemático Descartes, mente com raciocínio lógico, e explorando, com o empirista Roger Bacon, o mundo material como investigador experimental. Mercurius saiu do quadro, e o vínculo entre as duas salas foi abolido. Coube à psicologia profunda levar a psique (Mercurius) de volta ao quadro. Essa foi a grande obra de Jung porque, recorrendo à alquimia, ele de novo encontrou um meio de dizer que os estreitos vínculos entre mente (mundo interior) e matéria (mundo exterior) estão unidos na psique. E é precisamente sobre esse ponto que escreve Jung:

> Tudo o que sabemos a respeito do mundo e tudo aquilo de que temos consciência imediata são os conteúdos conscientes que fluem de fontes remotas e obscuras. Não tenho a pretensão de contestar nem a validez relativa do ponto de vista, a do *esse in re* (do ser real), nem a do ponto de vista idealista, a do *esse in intellectu solo* (do ser apenas no intelecto); gostaria apenas de unir esses opostos

extremos através do *esse in anima* (do ser na alma), que é justamente o ponto de vista psicológico. Vivemos imediatamente apenas no mundo das imagens.[4]

Então, a pergunta é: como se pode atingir essa união? Jung identificou na alquimia um princípio de unidade cujo nome é "*imaginatio*": "O conceito de *imaginatio* (imaginação) talvez seja a chave mais importante para a compreensão do *opus* (obra)".[5] A imaginação seria a chave para a abertura das janelas da percepção ao *unus mundus* (mundo unitário), à criação de um estado da consciência que, em vez de dividir, une o que está dividido e separado, interior e exterior, acima e abaixo. Para Jung, a alquimia mostra como se pode desenvolver esse tipo de consciência psicológica.

A *imaginatio* como transgressão

Segundo Jung, o que é a *imaginatio* conforme a entendiam os alquimistas? É outro modo de perceber. Jung cita Ruland: "A imaginação é o astro no homem, o corpo celeste ou supraceleste".[6] Na estrutura de compreensão de Jung, isso significaria que a imaginação pertence ao *self*, não à consciência do ego, e é um modo de perceber que sai dos limites estreitos do ego e vê algo verdadeiro, porém sutil e invisível. *Imaginatio* é o modo como o *self* percebe o mundo, como *unus mundus*, que por vezes pode ser vislumbrado pelo ego, mas é muito mais abrangente e completo do que aquilo que a aculturada consciência do ego normalmente entende como realidade.

Em geral, quando pensamos na imaginação, ela é algo puramente mental, ou seja, fantasias, ideias e imagens mentais que têm pouca relação com a "realidade exterior" de algum modo substancial. Jung a chama

---

[4] Jung, 1926/1969, par. 624.
[5] Jung, 1952/1970, par. 396.
[6] Jung, 1944/1968, par. 394.

de "pensamento-fantasia", em oposição ao "pensamento dirigido", no capítulo em que aborda os dois tipos de pensamento em seu *Símbolos da Transormação*.[7] A imaginação se torna um modo de pensar semelhante ao pensamento matemático no sentido de restringir-se ao "mundo interior", com talvez algumas relações acidentais com o "mundo exterior", ainda que seja diferente em seu funcionamento. Isto é cartesiano: pensar é um processo estritamente interior. Jung reconhece mais tarde que, para os alquimistas, a *imaginatio* era algo inteiramente distinto:

> [...] não devemos de forma alguma encará-los como fantasmas insubstanciais a modo de imagens da fantasia, mas como algo corpóreo dotado de um "corpo sutil" de natureza semiespiritual [...]. Tratava-se de um fenômeno híbrido [...], meio espiritual, meio físico [...]. Assim sendo, a *imaginatio* ou ato de imaginar também é uma atividade física que pode ser encaixada no ciclo das mutações materiais, pode ser causa das mesmas ou então pode ser por elas causada. Desse modo, o alquimista estava numa relação não só com o inconsciente, mas diretamente com a matéria que ele esperava transformar mediante a imaginação.[8]

Podemos nos pergunta o que são esses "corpos sutis". Sem dúvida, eles aliam interior (objetos mentais) e exterior (objetos materiais) de uma forma singular. Quando tenta explicar este estranho tipo de objeto, o "corpo sutil", Jung me faz lembrar Winnicott escrevendo sobre objetos transicionais em *Playing and Reality*. Segundo Jung:

> [...] não se pode dizer ao certo se as transformações decisivas no processo alquímico devem ser procuradas

---

[7] Jung, 1952/1970, pars. 4-46.
[8] Jung, 1944/1968, par. 394, tradução ligeiramente alterada pelo autor.

no âmbito material ou no espiritual. Na realidade, esta questão está mal formulada. Naquela época não havia a alternativa "ou/ou", mas um reino intermediário entre a matéria e a mente, isto é, um domínio anímico de corpos sutis, cuja característica era manifestar-se tanto sob a forma espiritual como sob a forma material. [...] a existência desse reino intermediário cessa no momento em que se busca examinar a matéria em si mesma, independentemente de qualquer projeção [...].[9]

O reino intermediário no qual o interior e o exterior são um só e no qual opera a *imaginatio* pode ser frágil e vulnerável à análise racional, mas também é real, no sentido de poder ser vivenciado, e efetivo, no sentido de induzir transformações na consciência.

Na psicologia profunda, temos vários modos de pensar sobre o reino intermediário e seus "corpos sutis", e isso nos permite preservar sua integridade e possibilita que eles falem a nós e nós, a eles. A imaginação ativa constitui um dos métodos que usamos para esse propósito. De certo modo, isso é um retorno, só que em outro nível da consciência: ao *unus mundus* alquímico.

A contribuição de Erich Neumann para a consciência do *unus mundus*

No magistral ensaio "The Psyche and the Transformation of the Reality Planes", apresentado ao Círculo de Eranos em 1952, Erich Neumann propõe um diagrama como forma de pensar a união das divisões da realidade que a consciência do ego do homem moderno cria.[10]

---

[9] Ibid.
[10] Neumann, E., 1952/1989, p. 19.

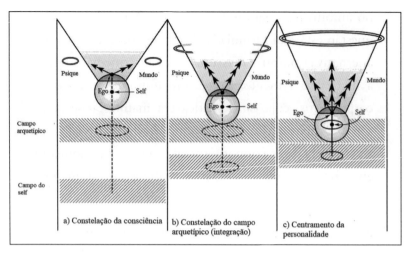

Diagrama 2: Baseado em "The Psyche and the Transformation of the Reality Planes", de Neumann.

O diagrama representa três campos de conhecimento: o campo do ego, o campo arquetípico e o campo do *self*. Há também três estágios (ou estados) da consciência, que vão da esquerda para a direita no diagrama: a) Constelação da Consciência, b) Constelação do Campo Arquetípico (Integração) e c) Centramento da Personalidade. Os três estágios mostram diferentes níveis de relação entre os campos abaixo do nível do ego e graus variáveis de separação entre psique e mundo acima do campo do ego. À medida que os estágios se sucedem da esquerda para a direita, os três campos se aproximam: você vê os níveis inferiores em sua trajetória ascendente. No alto, há três graus de separação entre psique e mundo e, indo da esquerda para a direita, vemos essa distância se fechando. Indo da esquerda para a direita, a parte inferior ascende e a superior se fecha, à medida que o estado da consciência atinge o que Neumann chama de "centramento da personalidade". Nosso interesse recai no movimento em direção à percepção do *unus mundus*, superando as três divisões de que já falamos.

O estágio representado na extrema-esquerda é o que apresenta o maior percentual de separação tanto no eixo vertical quanto no horizontal, ao passo que o estágio representado na extrema-direita tem o menor percentual de separação; na verdade, ele demonstra unificação e indica percepção do *unus mundus*. O estágio da esquerda representa a consciência moderna, que divide a percepção em espaços interiores subjetivos e espaços exteriores objetivos, assim como em consciente e inconsciente, no reino interior. O estágio de consciência representado na direita mostra a percepção do "reino intermediário" da *imaginatio* alquímica, recuperado em um nível mais elevado da consciência do que aquele que precede a chegada ao primeiro estágio. No plano cotidiano, a maioria de nós vive no estado de consciência da esquerda. O bom senso, a educação formal e as atitudes seculares modernas reforçam essa divisão entre mundo e psique, e isso é um feito do desenvolvimento psicológico. Ocasionalmente, podemos nos sentir no estágio do meio, quando o material do campo arquetípico se impõe à nossa percepção. E, talvez de vez em quando, vemo-nos no estado de consciência unificada representado à direita.

Ele é a consciência do *unus mundus*. Darei alguns exemplos desses dois últimos estados de consciência, quando interior e exterior se aproximam e o reino intermediário torna-se palpável na consciência para o ego.

Transgressividade: Alguns exemplos

Neumann fornece um breve exemplo daquilo que chama de "conhecimento do campo". Trata-se de um tipo de conhecimento que não está contido no mundo mental consciente do indivíduo nem no de quem quer que seja. É um conhecimento que pertence ao campo e está à espera de uma apresentação à consciência. Esse conhecimento torna-se disponível no "reino intermediário", quando a percepção está aberta à sua apresentação. Isso requer duas condições: que você esteja no "campo" e que você esteja aberto a ele. Assim, o conhecimento do campo se apresentará.

Segundo Neumann, "quando o homem primitivo diz obter seu conhecimento de um pássaro, chamamos a isso projeção".[11] Nesse caso, nossa interpretação psicológica divide interior e exterior: acreditamos que o conhecimento realmente seja interior, no sentido de que ele pertença à psique de cada ser humano e só possa residir no pássaro em decorrência de uma projeção psicológica. Essa compreensão é contestada por Neumann com seu conceito de "conhecimento do campo": "A correta descrição dos fatos seria dizer que o conhecimento dado ao primitivo por meio do pássaro é o conhecimento do campo, conhecimento extrínseco, presente ou emergente no campo vivo, que abarca tanto o pássaro quanto o homem".[12] O "conhecimento do campo", argumenta ele, não pertence nem ao homem nem ao pássaro, mas sim ao "campo vivo" que os abarca. O estado da consciência no qual alguém poderia participar desse tipo de conhecimento do campo seria o que está no meio ou no lado direito do diagrama de Neumann (integração ou centramento). A distinção entre interior e exterior é abolida, e um fluxo de informações não familiares assoma à consciência humana de alguma fonte invisível, mas sem dúvida infalível, "do campo". A fronteira entre a consciência do ego e o "campo" exterior é transgredida e estabelece-se um fluxo entre interior e exterior. Como isso ocorre?

Estados de *imaginatio* e devaneio propícios à transgressividade

Citarei um exemplo mais amplo desse tipo de consciência aberto ao conhecimento extrínseco retirado de um ensaio mais recente (1998), escrito pelo antropólogo norte-americano David Smith. Smith descreve uma experiência que teve quando acompanhava Honoré, seu "*setsene* (ou parceiro) chipewyan", em uma caçada. Honoré, "um caçador que conhecia muito bem a região e a técnica de mudar o final dos maus sonhos (ou

---

[11] Ibid., p. 14.
[12] Ibid., p. 15.

power dreaming) e que fora chamado às raízes",[13] isto é, iniciado na tradição xamânica de sua tribo, havia montado algumas armadilhas previamente. No frio cortante do extremo norte do Canadá, os dois saíram em um trenó puxado por cães para verificá-las. E descobriram que um coiote havia caído em uma delas, mas conseguira fugir, o que não era nada comum. Aparentemente, ele estava arrastando a armadilha pelo bosque. Honoré segue o rastro pelo bosque enquanto Smith prossegue por outra rota no trenó. É muito raro que um animal consiga safar-se de uma armadilha, e isso deixa Honoré em estado de alerta. Qualquer coisa que fuja ao normal chama muito a atenção nesse tipo de ambiente. Quando finalmente avistam o animal, sobrevém uma cena extraordinária. Smith assim a descreve:

> Enquanto nos aproximávamos do ponto em que nossa "aventura" começara, tive uma forte impressão de que algo importante estava prestes a acontecer. A luz fraca daquela tarde de dezembro dava às sombras um ar assustador. [...] Eu sentia também que o local em que estávamos era uma presença animada, à nossa espreita. Honoré tinha um sentimento ainda mais forte pelo fato de saber, por sua herança cultural, que "nada acontece sem razão", que éramos participantes ou atores de *um mundo de eventos*. [...] Quando afinal chegou ao local em que o coiote parara, Honoré [...] sabia que não o mataria. Ficou parado esperando, observando seu amigo coiote e deixando que todos os seus sentidos, inclusive os sentimentos e as histórias que seu pai e outros mais velhos lhe contaram, o ajudassem a entender a mensagem que o animal estava transmitindo. Foi [...] uma cena mágica [...]; se não fosse tão burro, eu teria feito o mesmo que

---

[13] Smith., p. 85.

Honoré e me abriria tão plenamente quanto pudesse [...].¹⁴

Aqui, vemos os dois tipos de consciência do ego, um mais aberto ao conhecimento extrínseco que o outro. O coiote então foge, livre e ileso, e Smith fica perplexo com o que Honoré faz em seguida:

> Quando lhe perguntei por que estava montando a armadilha no lugar em que o coiote parara, ele ficou [...] exasperado. Pois eu, sem dúvida, deveria ter imaginado que o coiote levara a armadilha até ali porque queria ajudar Honoré [...]. O coiote provavelmente viera a Honoré em sonhos durante todo aquele ano, ajudando-o a caçar no bosque. É por isso que era ele quem melhor caçava com armadilhas na cidade [...]. O incidente que eu presenciara com Honoré e o coiote pode, sem dúvida, ser explicado (ou minimizado) em termos racionalistas [...]. Mas, pessoalmente, eu creio ter recebido, junto com Honoré, uma dádiva: uma experiência com *inkonze* que incorpora, mas extrapola em muito, os limites da razão.¹⁵

Nesse trecho, vemos a nítida diferença entre o estado de espírito de Honoré e o de Smith. Smith é um observador, cientista formado que, embora possa em grande medida entregar-se à experiência de Honoré e até participar dela empaticamente por reconhecer "um mundo de eventos" (ou seja, um "campo" em que reside o "conhecimento do campo"), não compartilha nem pode compartilhar desse mundo de maneira plena. Honoré está em um estado da consciência que Neumann chamaria de "mundo unificado", conhecido como *inkonze* na ontologia do povo chipewyan e como um "reino intermediário" formado pela *imaginatio*,

---

[14] Ibid., pp. 84-5 (ênfase minha).
[15] Ibid., pp. 85-6.

como descobriu Jung entre os alquimistas. Nesse estado de percepção aberta, Honoré consegue comunicar-se diretamente com o espírito do coiote e receber do campo conhecimento extrínseco. Smith pode observar isso e respeitá-lo, mas como afirma ele próprio: isso "pode, sem dúvida, ser explicado (ou minimizado) em termos racionalistas". O racionalismo "minimiza" o mundo unificado, devolvendo a consciência à sua condição cindida.

O devaneio e os sonhos como transgressão

Mudando de contexto cultural, Angela Connolly aborda um grupo de questões semelhantes em um artigo recente, "Bridging the reductive and the synthetic: some reflections on the clinical implications of synchronicity". Nele, ela defende a plausibilidade e a estabilidade de sua representação de um campo de conhecimento compartilhado com alguns pacientes enquanto está em estado de devaneio analítico. E apresenta diversos exemplos clínicos nos quais material profundamente inconsciente é transmitido ao terapeuta no campo analítico e considerado útil para trazer à consciência questões relevantes, tornando-as passíveis de análise e integração. Nosso interesse aqui é pensar sobre a redução da distância entre o eu e o outro e sobre o início de uma experiência de conhecimento compartilhado que provenha de um campo não associado ao ego, seja pessoal ou arquetípico. Essa transmissão se dá em um espaço compartilhado quando o destinatário do conteúdo transmitido está em estado de devaneio analítico, que é semelhante ao estado de consciência de Honoré quando se comunicava em um campo compartilhado com o espírito do coiote.

Connolly recorre à terminologia emprestada de Atmanspacher e Fach para pensar sobre esse fenômeno: "Segundo Atmanspacher e Fach, nesses estados superiores de consciência, a categoria ego não se debilita nem dissolve; ela se mantém. Mas, ao mesmo tempo, a consciência já não está no ego, e sim na região fronteiriça entre ego e não ego, entre o *self* e o mundo".[16] Ou seja, o indivíduo está consciente enquanto isso se processa.

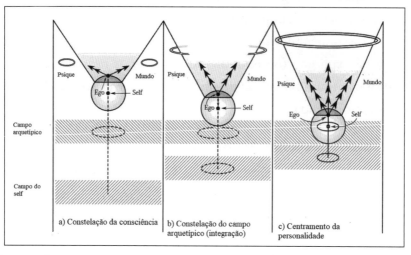

Diagrama 3

Em um de seus exemplos clínicos, Connolly descreve um nível de conexão entre ela e o inconsciente de uma paciente que elimina de maneira espantosa as fronteiras usuais que separam o eu do outro. A paciente sonhou com o quarto do pai de Connolly, que estava prestes a morrer, e o descreveu em detalhes. Connolly de fato reconheceu o quarto como uma descrição precisa daquele em que seu antigo analista morrera. A confluência de experiências de pai (o pai de Connolly, o pai da paciente e o analista de Connolly) ensejou em Connolly a percepção da existência entre elas de um campo de "conhecimento extrínseco" compartilhado tão profundo a ponto de levá-la a escrever: "Fui tomada por um sentimento de invasão e pela sensação de ter um duplo, pois parecia que não havia limites entre nós e que ela tinha total acesso ao meu inconsciente".[17] Esse tipo de fusão é descrito por Jung em seu ensaio sobre a psicologia da

---

[16] Connolly, p. 169.
[17] Ibid., p. 171.

transferência, no qual as duas figuras do inconsciente (Rei e Rainha) se tornam uma e a tudo compartilham, inclusive a identidade.[18]

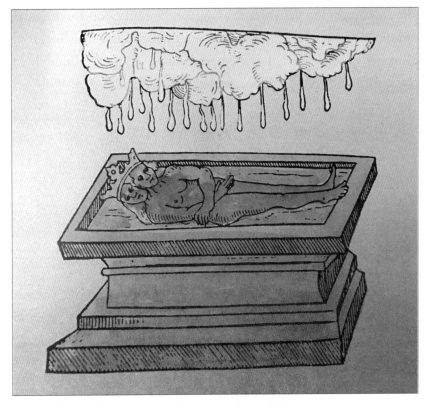

Rosarium Philosophorum, ilustração nº 8, de Adam McLean.

Isso é, no mínimo, insólito (Connolly usa a palavra "perturbador") e certamente provocou-lhe ansiedade, como revela em seu ensaio. Experiências como essa são familiares aos analistas, como Connolly bem admite, e confirmam a ideia de que a construção da realidade que normalmente aceitamos é de fato incompleta e deixa de lado muita coisa. Nesse exemplo, vemos como um sonho cruza a fronteira entre o eu e o outro e revela um espaço comum de conhecimento compartilhado que, no entanto, é alheio à consciência do ego de ambas as pessoas envolvidas.

---

[18] Imagem de McLean, p. 51.

Os sonhos como transgressão

O fenômeno da transmissão de "conhecimento extrínseco" por meio de sonhos foi observado pelo próprio Jung[19] e por muitos outros, o que deu credibilidade à ideia de que nossa mente total é muito mais inclusiva e abrangente do que normalmente percebemos, de que a psique de fato inclui muitas informações e *insights* "extramarginais".[20]

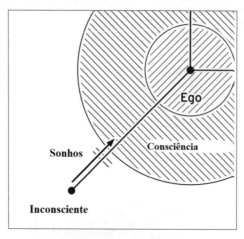

Diagrama 4

Um exemplo desse cruzamento de fronteiras durante o sonhar ocorreu quando eu estava preparando esta palestra e pensava na gravura alquímica das duas oficinas, com os filósofos em sua biblioteca, de um lado, e um especialista diante da fornalha, do outro, reunidos por Mercurius, ao centro, e minha mulher, que ignorava por completo minha preocupação específica com essa imagem, teve o seguinte sonho:

> Estou em uma grande banheira pensando em um modelo de maiô para mim mesma.
> Um vidro me separa de uma loja. A loja vende artigos variados: comida, produtos farmacêuticos e outras coisas.

---

[19] Jung, 1987, p. 14.
[20] Frase de William James, citada por Connolly, p. 168.

Um senhor idoso, o dono da loja, está lá. Eu o vejo; não sei se ele consegue me ver. A única coisa importante é que esses espaços estão ligados, mas se separam por um vidro que pode ou não ter as duas faces transparentes.
Agora vejo o idoso, de preto, em sua grande biblioteca. Sou uma observadora nessa sala. Ele está prestes a se casar. Nos preparativos, está arrumando os livros da biblioteca. Ele tem um assistente, um jovem vestido de verde, competente e muito cheio de energia, rápido e animado. Ambos estão trepados em escadas, guardando livros no alto de uma estante colocada no meio da sala. O senhor de preto empurra os livros para a esquerda, enquanto o jovem de verde os vai arrumando na prateleira. Isso faz parte dos preparativos para o casamento.

Esse é um exemplo de transmissão entre fronteiras psíquicas, do meu lado (preocupação com uma imagem e uma palestra) para o dela (que sonha à noite ao meu lado) e dela para o meu no dia seguinte quando me relata seu sonho. A isso sucedeu-se, um dia depois, uma sincronicidade: minha mulher estava lendo um livro e, de repente, deparou-se com um trecho sobre "o homem verde" na mitologia e na literatura mundiais. O autor, William Dalrymple, conhecido por seus livros de viagens, afirma: "Quando se começa a desbastar a selva de mitos que surgiram onde quer que Khwaja Khizr [o 'homem verde'] tenha posto os pés, chega-se inevitavelmente ao Alcorão. Jalal-ud-Din Rumi e a maioria dos demais comentaristas acredita que Khizr foi o mestre anônimo da Sura XVIII, que atua como guia para Moisés e tenta ensinar-lhe a paciência".[21] Ao ouvir esse trecho, lembrei-me imediatamente de que esse incidente do Alcorão foi tema da palestra de Jung para o Círculo de Eranos em 1939, sobre a qual eu escrevera um ensaio para o livro *How and Why We Still*

---

[21] Dalrymple,1993, p. 300.

Read Jung.[22] E mais sincronicidades multiplicaram-se nos dias seguintes a esse sonho. Elas tornaram-se uma rede de sentido que nos cercou durante nosso 40º aniversário de casamento em Veneza. Oportunidade é algo essencial à sincronicidade, que, afinal, contém a palavra que significa tempo, cronos. Sentíamos nitidamente que o Homem Verde estava conosco, como se tivéssemos entrado no terceiro estágio da consciência de Neumann, no qual se unem os campos do ego, dos arquétipos e do *self*. Isso provoca uma sensação muito especial de ancoramento no *unus mundus*. Penso no Homem Verde como equivalente a Mercurius. Conforme a interpretação dada por Jung à figura de Mercurius na alquimia, ele é o espírito do inconsciente, responsável por transformações e orientação para a travessia de fronteiras e a entrada em novos territórios.

A transgressividade da sincronicidade

A esta altura, já está claro que as fronteiras entre o eu e o outro são extremamente permeáveis e que, em alguns níveis, há no mundo invisível do inconsciente (a região não categorial) um terreno comum que dá lugar ao conhecimento extrínseco mutuamente acessível. As transmissões por passagens situadas abaixo da superfície da consciência do ego se processam regularmente, em especial durante os estados de devaneio, como mostra Connolly, citando o impressionante trabalho de Cambray sobre o tema,[23] e podem ser usadas de modo produtivo no trabalho analítico. Às vezes, essas transmissões envolvem sincronicidade. Prefiro deixar separadas estas duas categorias de transgressividade: a transmissão (e a telepatia) e a sincronicidade, ainda que elas possam sobrepor-se devido ao sincronismo e ao sentido, como argumenta Connolly. Como em geral se define, o evento sincronístico é uma coincidência na qual estados físicos e mentais habitualmente desconexos são tomados como conexos de um modo que sugere um sentido. O sentido é uma característica essencial da

---

[22] Stein, 2013.
[23] Connolly, p. 164.

sincronicidade, conforme a definição dada por Jung ao termo. Ele é uma constatação que aponta para algo transcendente, espiritual, proveniente de uma fonte que está além de qualquer das figuras que participam do evento. Com a sincronicidade, deparamos com conhecimento extrínseco: o da transcendência.

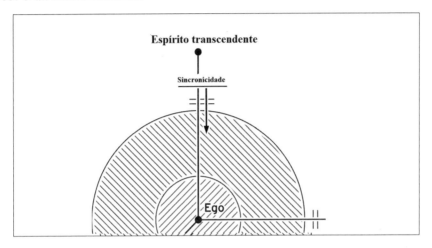

Diagrama 5

O evento sincronístico é um *flash* de conexão entre o mundano e o eterno, o natural e o sobrenatural. A atitude racionalista da modernidade ergueu um muro intransponível nessa fronteira; os eventos sincronísticos o derrubam.

Um incidente: estávamos no carro, voltando para casa do funeral de uma amiga querida, falecida alguns anos após a morte do marido, com quem vivera por muitos anos. Nós conhecíamos bem o casal que, na vida, era inseparável. Nunca víamos um longe do outro. Haviam-se conhecido na adolescência, casado aos vinte e poucos anos, tiveram quatro filhos e trabalharam na mesma área, como professores e analistas junguianos. Fomos ao funeral dele e, anos depois, ao dela. Para nós, essas ocasiões não tinham sido especialmente tristes, pois ambos tinham vivido a vida em sua plenitude e morrido em paz. No caminho de volta para casa após o funeral dela, falávamos dos dois, lembrando muitas das ocasiões em que nos reuníramos para compartilhar comida e ideias, e entramos em uma espécie de devaneio sobre esses amigos que havíamos perdido. De repente, quando chegamos à curva da estrada que serpenteia por uma floresta até chegar à nossa casa no alto da montanha, vimos à nossa frente uma mulher que saltara de um carro e acenava para nos fazer parar. Não fazíamos ideia do motivo nem do que estava acontecendo. Isso nunca tinha acontecido antes e jamais aconteceu desde então. Parei o carro imediatamente. Ficamos ali sentados um instante, olhando para a mulher e pensando em qual seria a razão para ela nos ter feito parar. Então vimos um par de patos selvagens ziguezagueando pela estrada com seu andar característico. Eles atravessaram devagar, de modo solene, e desapareceram no bosque do outro lado. Não tivemos dúvida que aquilo fora um sinal do outro lado: um casal inseparável na vida e um casal inseparável na morte. A *imaginatio* nos disse imediatamente quem eram eles, e vimo-nos em um reino intermediário em que psique e matéria se reúnem em um momento de sentido transcendente. O muro ruíra e estávamos presentes em outro mundo. Sentíamo-nos parte deste mundo e do próximo.

Já escrevi sobre esse tipo de experiência em que o mundo do ego, secular e preso ao tempo, e o mundo atemporal da transcendência se unem em um momento de sincronicidade.[24] Aqui, o sentido não é filosófico nem científico; é espiritual e religioso, até místico. A sincronicidade liga o tempo e a eternidade, reunindo-os no momento presente. De certo modo, não há mais nada que possamos fazer com essa sensação de unidade (*unus mundus*), a não ser guardá-la como uma dádiva preciosa. O sentido é, nada mais, nada menos, que nossa vida é vivida tanto no tempo quanto na eternidade. E uma forte experiência desse tipo deixa uma marca indelével na consciência, até mesmo a transforma.

---

[24] Stein, M. 2014a.

Porém, poderíamos levar experiências como essa um passo adiante na filosofia e na *Weltanschauung*, ou visão de mundo, pessoal como fizeram Jung e Pauli, Neumann e von Franz e, mais em tempos mais recentes, Atmanspacher e Fach. O físico e filósofo alemão Thomas Arzt esboçou a possibilidade de uma nova representação da filosofia da natureza, cujas raízes estão na filosofia grega pré-socrática e que, na cultura ocidental, encontra expressão no Renascimento e no Romantismo e, agora, na psicologia analítica. Atmanspacher também tomou a teoria junguiana da sincronicidade como base da expressão moderna da filosofia da natureza, o que daria uma fundamentação teórica e filosófica para correlações como a acima descrita, entre psique e matéria e entre interior e exterior. Aqui, não me deterei mais nessas frutíferas possibilidades. Apenas confirmarei que esse trabalho vem sendo realizado por diversas pessoas e em um sofisticado nível intelectual. As aplicações clínicas dessa teoria de correlações foram discutidas por Joseph Cambray e Angela Connolly, como vimos, e recentemente por Yvonne Smith Klitsner.

Para resumir: começamos afirmando que a distinção "interior"/"exterior" comumente se faz entre a) a consciência do ego e os outros (pessoas, animais e objetos no mundo que nos cerca), b) a consciência do ego e o inconsciente e c) a consciência do ego e o transcendente. Cada uma dessas divisões tem sua própria história e justificação. Em seguida, perguntamos onde poderíamos encontrar brechas nesses muros. Consideramos três criadores de brechas (os devaneios, os sonhos e as sincronicidades) e citamos exemplos da prática clínica (Connolly), de relatos antropológicos (Smith), de sonhos e da experiência pessoal, vivida. Eles indicam (persuasivamente, creio eu) que, como indivíduos, estamos muito mais conectados ao mundo e ao cosmos do que normalmente percebemos enquanto cuidamos de nossa vida e de nosso cotidiano. Se estivéssemos continuamente abertos a essa rede de inter-relações, talvez o fardo fosse excessivo; portanto, temos defesas que nos encerram e nos excluem.

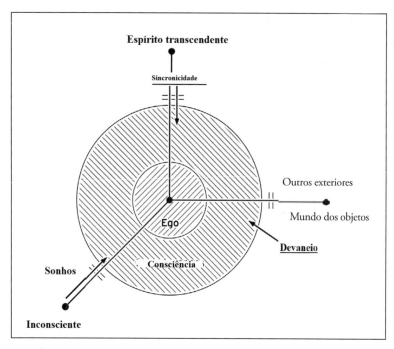

Diagrama 6

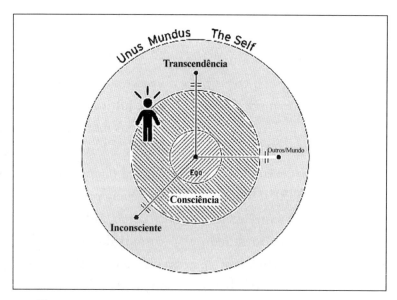

Diagrama 7

Entretanto, quando temos uma experiência forte e convincente do *unus mundus*, a consciência do ego se altera para sempre. Jamais devemos esquecer que esses vínculos e relações existem e, de vez em quando, nos informam que podemos ser qualquer coisa, menos isolados e sozinhos no cosmos.

Capítulo Dois
Sincronizar Tempo e Eternidade: Uma Questão de Prática

Em 1937, Jung proferiu suas Conferências de Terry em Yale sob o título "Psychology and Religion". Na época, iniciava seu estudo da alquimia e estava totalmente imerso em sua interpretação da série de sonhos e visões de Wolfgang Pauli (1900-1958), a qual vinculou a imagens e temas dos antigos textos alquímicos. Nas Conferências de Terry, Jung argumentou que os seres humanos são naturalmente religiosos e que a psicologia pode observar um processo simbólico que segue seu próprio curso de forma autônoma no inconsciente, mesmo que o consciente permaneça alheio à sua existência. Em Pauli, ele descobriu um homem rigorosamente moderno, destituído de qualquer formação ou interesse explicitamente religioso que, apesar disso, produziu, em uma longa série de imagens do inconsciente, um conjunto de símbolos que refletia esse processo religioso/simbólico.

Jung iniciou as Conferências de Terry com a seguinte afirmação: "Encaro a religião como uma atitude do espírito humano, atitude que, de acordo com o emprego originário do termo 'religio', poderíamos qualificar a modo de uma *consideração e observação cuidadosas* de certos fatores dinâmicos concebidos como 'potências': espíritos, demônios, deuses, leis, ideias, ideais ou qualquer outra denominação dada pelo homem a tais fatores; dentro de seu mundo próprio a experiência ter-lhe-ia mostrado suficientemente poderosos, perigosos ou mesmo úteis para merecerem respeitosa consideração ou suficientemente grandes, belos e significativos para serem adorados e amados com devoção".[25] Ele estava falando, é claro, de imagens e energias arquetípicas e dizia que 'religio' implica o ato de prestar-lhes atenção, seja por medo ou por adoração, em oração solitária ou ritual comunitário, individual ou coletivamente.

Pauli relatou uma imagem memorável, "o relógio do mundo", que causou profunda impressão a Jung. Ele a compartilhou com o público presente à sua quarta e última conferência em Yale. Essa imagem é a culminação da série que Jung discutiria mais detalhadamente no livro *Psicologia e Alquimia*, publicado alguns anos depois. Para Jung, essa visão era um exemplo do que chamou de "símbolo natural", o qual contrastou com os símbolos dogmáticos da religião. E argumentou que ele era um símbolo do *self*, que indicava o local do encontro entre o tempo e a eternidade no *self*.

É quando levamos a sério a consideração do "inconsciente" e de seus efeitos sobre nós ao longo de toda uma vida que deparamos com a grande pergunta que desejo discutir neste capítulo: como se coordenam tempo e eternidade no desenrolar do processo de individuação? A pergunta que desejo considerar tem que ver com o sincronismo de grandes sonhos e importantes produções imaginais e sincronicidades que nos reclamam a atenção, nos desafiam e, não raro, nos desconcertam.

Falo aqui da ideia de sincronicidade, a percepção de que os símbolos de transcendência surgem de maneira espontânea e sem causa evidente no tempo, embora tenham uma relação com a temporalidade cronológica.

Se o "relógio do mundo" de Pauli simboliza, como afirma Jung, o local do encontro do tempo e da eternidade no *self*, precisamos parar um instante para considerar cada um desses termos.

---

[25] Jung, 1938/1969, par. 8.

O que é o tempo?

Comecemos tomando o tempo como normalmente o entendemos e vivemos de modo consciente. Temos muitas expressões e imagens que transmitem nossa experiência subjetiva do tempo: o Pai Tempo, ceifeiro severo e primevo; o tempo como uma corrente que liga os eventos do passado ao presente e ao futuro; o tempo como um rio no qual flutuamos, desde o córrego até o oceano, à medida que os anos passam e nós envelhecemos; o tempo que voa ou para se a correnteza do rio se acelerar ou se tornar mais lenta; o tempo que está do nosso lado ou se coloca como um inimigo implacável. Imaginamos que o tempo passa, de maneira mais ou menos contínua e estável, um minuto após o outro, uma hora após a outra, e assim os dias, meses, anos, séculos e milênios. Medimos nossa idade e a idade de nossas culturas, do nosso planeta e do universo em unidades de tempo. Nossa experiência subjetiva do tempo reflete nossas diversas atitudes e estados de espírito momentâneos. Vivemos profundamente no tempo e somos criaturas da história. Temos biografias e anotamos em calendários datas importantes como aniversários, férias e compromissos. Nosso corpo e seu envelhecimento nos mostram de modo incessante que o tempo é bem real. Basta olhar as fotos de vinte ou trinta anos atrás! Mas o que é, de fato, o tempo?

Joseph Campbell cita um comentário revelador de Santo Agostinho: "O que é o tempo? Quando não me perguntas, eu sei; mas quando me perguntas, não sei mais".[26] Fugidio, ele nos escorrega por entre os dedos. Uma definição diz que o tempo é aquilo que impede que tudo aconteça de uma só vez.

Na verdade, ele nada mais é senão um meio de mensuração. Medimos em termos de tempo: jovem, de meia-idade, velho etc. Na realidade, o que o tempo mede é o movimento dos objetos no espaço, o intervalo entre a saída de um objeto de um local no espaço e sua chegada a outro,

---

[26] Campbell, 1973, p. xi.

como um trem, ou o movimento dos ponteiros de um relógio de uma posição a outra, ou a viagem de um fóton à "velocidade da luz" (um absoluto) ao deixar uma estrela a bilhões de quilômetros da Terra e incidir em nossas retinas aqui em um determinado momento, ou o constante movimento das moléculas e átomos de nossos corpos físicos, que os faz mudar "com o tempo". O tempo do relógio é um construto intelectual, muito útil para medir o movimento dos corpos de um local para outro e, por isso mesmo, uma importante função daquilo que chamamos de realidade.

No reino da mente e da imaginação, onde os objetos são ideias ou imagens, o tempo só existe se o inserirmos no contexto, como dizemos quando uma ideia ou um símbolo está desgastado ou antiquado. Porém em si mesmos e por si mesmos, ideias e símbolos são atemporais, como nos mostra a filosofia de Platão. Como os números, eles são eternos. Na imaginação, até a "reversão do tempo" é possível.

A ideia do tempo não tem nenhum valor especial na ausência de objetos em movimento no espaço. Ela é opcional. Sem corpos, não estaríamos, de modo algum, "no tempo'. Seríamos livres do tempo. Porém, onde há objetos no espaço e em movimento, o tempo do relógio é uma ideia poderosa e extremamente útil. Sem ela, não conseguiríamos chegar ao lugar certo para pegar um trem, por exemplo (especialmente na Suíça). Como corpos no espaço, sofremos um profundo impacto da noção do tempo e sua poderosa realidade. Vivemos no tempo porque vivemos em corpos físicos que têm existência à parte no espaço. À medida que envelhecemos, vamos passando pelo tempo. E, é claro, pelo fato de termos memória, principalmente a memória episódica,[27] que nos relembra contextos passados e sua tonalidade emocional, a experiência do tempo é crucial para nosso senso de identidade como seres humanos individuais, com localização e história físicos e culturais específicos. Em sua relação

---

[27] Hinton, 2015, pp. 353-70.

com a biografia pessoal, o senso de identidade é essencialmente vinculado ao tempo. Nossas narrativas pessoais são histórias da nossa existência no tempo.

Não sabemos de nenhum universo sem objetos e, portanto, sem tempo. O único universo de que de fato sabemos alguma coisa é o nosso próprio, embora possamos imaginar outros. O nosso é repleto de objetos, todos os quais em movimento em relação uns aos outros e, por isso, eles têm uma história no tempo. E o que dizer da ideia do tempo antes da ocorrência do "Big Bang", quando supostamente não havia matéria de que falar, mas apenas uma partícula energizável microscópica? Stephen Hawking nos conscientiza do "tempo imaginário", conceito útil à discussão da situação anterior ao Big Bang, antes que o "tempo real" entrasse em jogo.[28] Hawking e outros usam o "tempo imaginário" para eliminar a ideia de que o Big Bang seja uma "singularidade", isto é, um acontecimento isolado. Com essa ideia de tempo imaginário, o Big Bang é visto como um acontecimento periódico regular dentro de um contexto mais amplo. Desse modo, a ideia de tempo, que é, em si, uma abstração, expande-se para dar lugar à noção de uma cosmologia que é eficiente e autônoma.

O tempo imaginário é uma ideia que também implica mensuração, só que está em um eixo diferente do eixo passado-presente-futuro. Esse conceito poderia ser útil para pensarmos sobre a questão do "sincronismo" das sincronicidades. Talvez as sincronicidades possam ser "aplainadas" em sequências organizadas no processo de individuação, não instigadas de maneira causal por eventos do "tempo real", como a idade cronológica, mas sim por sequências do "tempo imaginário" cujo sentido depende de outros parâmetros e requisitos. Jung levaria algo assim em consideração em seu seminário sobre os sonhos infantis, quando fala de

---

[28] Hawking.

um processo de individuação acelerado no nível simbólico no caso das pessoas que morrem ainda crianças.

O que é a eternidade ou o atemporal?

Se o tempo é fugidio, o que podemos dizer da eternidade? Ela difere do conceito de tempo no sentido de não envolver a mensuração de intervalos de viagem entre objetos no espaço. Pode ser comparada ao que Hawking e outros denominaram "tempo imaginário", pelo fato de ter uma relação com o "tempo real", mas funciona de modo distinto e em outro eixo.

Em teologia e filosofia, há basicamente duas ideias de eternidade: 1) Deus (o eterno, o atemporal) existe fora do tempo real e não tem com o tempo, de qualquer espécie que seja, nenhuma conexão inerente (Neoplatonismo) ou 2) Deus está na mesma relação com o passado, o presente e o futuro, a todos eles podendo ver de uma só vez: toda a história é igualmente presente ao ponto imóvel da eternidade, que se chama Deus ou o Supremo ou o Ser em Si (Tomás de Aquino). Para ambas as definições, Deus não é afetado por mudanças no tempo real, pelo movimento de objetos no espaço nem por relógios; Deus não está sujeito às restrições do tempo, como as leis da causalidade. Mas, para a segunda, Deus se envolve com o tempo, sim, como mostram a Bíblia e muitas outras mitologias. No relato bíblico, Deus cria o mundo e, assim, o "tempo real" entra em jogo quando os objetos surgem do nada e começam a ocupar o espaço. Antes disso, podemos afirmar que o "tempo imaginário" existiria como a consciência onisciente de Deus, da qual afinal fluiria o tempo real quando Ele criasse os objetos com a força de Sua imaginação. (Jung escreve a respeito em seus estudos alquímicos.[29])

Quando afirma que o inconsciente não se prende às noções de espaço e tempo do ego, Jung quer dizer que os sonhos e as imagens espontâneas

---

[29] Jung, 1944/1968, par. 399.

que nos vêm por meio da função da intuição podem falar igualmente do passado, do presente ou do futuro, como se houvesse no inconsciente um centro do consciente, isto é, o *self*, que está igualmente presente em todas as três dimensões do tempo. Isso se assemelha à noção teológica da onisciência de Deus: ontem, hoje e amanhã são igualmente presentes para Ele. Daí a equação entre Deus e o inconsciente no pensamento de Jung. A consciência do ego, por sua vez, está total e exclusivamente encerrada no "tempo real" e, em última análise, no presente. Com memória, documentos, ferramentas racionais e imaginação, pode-se criar uma narrativa do passado que, entretanto, esteja sempre aberta à revisão e não seja uma questão de conhecimento absoluto. Com imaginação e raciocínio, podemos também projetar futuras possibilidades. Porém, em nossa pele, vivemos total e estritamente no presente. Do futuro real, ou seja, de como se processarão no tempo os movimentos de todos os possíveis objetos no espaço, nada podemos saber ao certo; é algo que está inteiramente além de nosso alcance por ser demasiado complexo. Está além de nosso alcance também devido a eventos sincronísticos que, em princípio, são totalmente imprevisíveis ("atos de criação no tempo",[30] como os chamou Jung), pois não pertencem ao *continuum* tempo-espaço nem atuam conforme suas leis, e não podemos descobrir com certeza as leis transcendentes a que eles podem estar sujeitos, ou seja, a mente de Deus. Em termos teológicos, Deus é livre e imprevisível aos humanos.

Os seres humanos anseiam por escapar ao tempo, ou seja, ao momento presente, e por viver, ainda que só por um instante, a verdadeira atemporalidade, na qual tudo acontece de uma só vez e de cuja perspectiva poderíamos a tudo ver e de tudo saber: como Deus, seríamos oniscientes. E, o que é mais importante, poderíamos discernir o *sentido* de tudo de uma perspectiva transcendente. Encarcerados no tempo e com visão tão estreita quanto a nossa, somos cegos a essa perspectiva. Esse

---

[30] Jung, 1952/1969a, par. 965.

desejo premente é um forte atrativo para a vida religiosa em todas as suas formas. Basta imaginarmos os monges da Idade Média, que viviam, não com base no relógio do mundo, mas segundo os ritmos da eternidade inscritos no calendário anual da igreja, em suas orações diárias, em seus sublimes cânticos – era uma vida dedicada ao atemporal, à eternidade, porém, sem dúvida, muitas vezes tragicamente presa ao tempo e à história por causa dos corpos físicos em movimento no espaço. Esse elemento de atração pelo eterno, pelo que chamamos de "a vida religiosa", é análogo a um "instinto" da humanidade: um forte anseio pelo atemporal. Somos criaturas sujeitas ao pó e ao tempo, mas dotadas de uma paixão pela eternidade. A eternidade também tem uma paixão por nós, criaturas sujeitas ao pó e ao tempo que somos? Há reciprocidade, como sugere o QBism[*] entre observador e observado? Que tipo de vínculo podemos pensar existir entre eles?

Pauli e a visão do relógio do mundo

Gostaria de discutir agora a visão relatada por Pauli de um "relógio do mundo", a qual constituiu o núcleo da quarta e última conferência de Jung em Yale em 1937, e foi por este interpretada como um símbolo da interseção de tempo e eternidade, ou "tempo real" e "tempo imaginário", para usar uma terminologia mais moderna. Um relógio normal mostra intervalos regulares de movimento de uma posição a outra – os ponteiros se movem de um número para o outro, a sombra do relógio solar se move com a passagem do Sol do leste para o oeste, a areia da ampulheta

---

[*] QBism, ou Quantum Bayesianism, é uma nova interpretação da função de onda schrödingeriana, a qual, em vez da probabilidade frequentista, usa a probabilidade bayesiana, que é subjetiva, pois depende do grau de crença do observador na ocorrência de um dado evento. Para seus autores, Caves, Fuchs e Schack, a teoria alinha-se com um tipo de realismo que chamam de "participatório", segundo o qual a realidade consiste em mais do que qualquer relato putativo em terceira pessoa poderia exprimir (N. do T.).

se move a um ritmo estável pela força da gravidade de cima para baixo. Todos esses relógios indicam o momento presente no contexto de um grupo de regras construídas (por exemplo, a hora de Greenwich), e a posição desse momento se baseia no movimento dos objetos em relação uns aos outros: a rotação da Terra em seu eixo, sua revolução em torno do Sol etc. Tais relógios servem para orientar a consciência do ego e para mensurar a experiência no tempo, à medida que o corpo do ego se move na vigília da vida cotidiana. Eles nada têm que ver com alguma coisa que diga respeito ao "atemporal" porque, por definição, estão sujeitos ao tempo. Os relógios são dispositivos de mensuração objetiva e, às vezes, indicam uma realidade temporal bem diferente de nossa experiência subjetiva do tempo, que parece poder acelerá-lo, ralentá-lo ou mesmo fazê-lo desaparecer. Eles nos dizem que o tempo é real, e não apenas um capricho de nossas subjetividades individuais e coletivas.

O "relógio do mundo" de Pauli é diferente desses relógios. É um relógio porque indica intervalos regulares, mas estes não correspondem aos intervalos dos relógios do mundo do ego coletivo, conforme estabelecem as regras e convenções baseadas na natureza observável. Minha proposição é a de que ele mede, em vez do *tempo de cronos*, algo que poderíamos chamar de *tempo de kairós*, ou seja, intervalos baseados mais no "sentido" que na mensuração do movimento dos objetos no espaço. O pássaro negro que o carrega demonstra que ele é um instrumento do espírito, não da matéria.

Eis a descrição que faz o próprio Pauli da visão:

Há um círculo vertical e outro horizontal com um centro comum. É o relógio do mundo. Ele é carregado por um pássaro negro.

O círculo vertical é um disco azul com borda branca dividida em 32 partes (4 x 8 = 32). Nele gira um ponteiro.

O círculo horizontal é constituído de quatro cores. Nele estão de pé quatro homenzinhos com pêndulos e, ao seu redor, jaz o anel escuro e agora de ouro (anteriormente fora carregado por quatro crianças).

O "relógio" tem três ritmos ou pulsações:

1. A pequena pulsação: o ponteiro do disco vertical azul avança 1/32.
2. A média pulsação: uma volta completa do ponteiro. Ao mesmo tempo, o círculo horizontal avança 1/32. [1.024 batimentos para uma revolução completa do círculo horizontal.]
3. A grande pulsação: 32 pulsações médias correspondem a uma volta do anel de ouro.[31] [32.768 batimentos para uma volta completa do anel de ouro.]

O relógio do mundo da visão de Pauli difere em diversos aspectos dos relógios de tempo normais. Para começar, ele se move a incrementos de 1/32, em vez de incrementos de 1/12 ou 1/24, como vemos nos cronômetros. Embora se mova, como nossos relógios, a um ritmo regular, seu padrão rítmico é diferente. Além disso, é levado no dorso de um pássaro negro, símbolo do espiritual, não do físico. Portanto, não se destina a medir o tempo cronológico como o conhece o ego e nada tem que ver com a mensuração do movimento dos objetos no espaço. Ele é um símbolo do *self* (abundam imagens de mandalas, o número quatro é constituinte) e, como tal, indica um movimento periódico da psique que não se vincula exclusivamente à mensuração do "tempo de cronos" feita pelo ego, mas ao tempo do *self*. Contudo, seus movimentos podem reger a sequência de acontecimentos psíquicos e imaginais do mundo limitado pelo tempo do ego e da consciência, na medida em que estes se manifestem em eventos sincronísticos. Isso indicaria, então, uma espécie de sincronismo de uma energia rítmica que opera fora, além ou ao lado de um sistema de referência de "tempo real", como conscientemente o conhece o ego ao olhar para um relógio de pulso ou de parede.

---

[31] Jung, 1944/1968, par. 307.

Jung interpretou o sincronismo dos movimentos do relógio do mundo de Pauli como relacionados à eternidade, pelo fato de ele indicar um encontro de tempo e eternidade no ponto de interseção dos dois círculos: "[…] a figura nos diz que dois sistemas heterogêneos se reúnem no *self*, estabelecendo um com o outro uma relação funcional que é regida pela lei e regulada por 'três ritmos'".[32] Isso indicaria a existência de um mecanismo de sincronização legítimo para a sincronicidade, para aqueles "atos de criação no tempo" estranhamente coordenados (na visão do ego) com nossa sensação e mensuração do tempo de cronos, o "tempo real". Em sua posterior interpretação da visão de Pauli, inserida entre 1937, quando as Conferências de Terry foram publicadas, e 1943, quando se publicou uma versão consideravelmente "ampliada" em *Psicologia e Alquimia*, Jung acrescentou uma importante explicação extraída da Cabala. Ele cita o *Sepher Yetsidrah*: "Jeová, o Senhor das Hostes, o Deus de Israel, o Deus vivo e Rei do mundo […] gravou seu nome em 32 misteriosos caminhos de sabedoria".[33] Jung continua com citações de outros autores cabalísticos e conclui essa parte do acréscimo com uma citação de *Le Symbolisme des nombres*, de René Allendy: "32 […] é a diferenciação aparecendo no mundo organizado; não é a geração criadora, mas, sim, o plano, o esquema das diversas formas de criaturas modeladas pelo criador como produto de 8 x 4".[34] O objetivo disso tudo é sugerir que o "relógio do mundo" de Pauli está relacionado ao surgimento do Transcendente *dentro* do reino do tempo e do espaço. Há, de fato, um elo entre tempo e eternidade.

Usamos a palavra "kairós" para indicar um momento especial no tempo: "na plenitude do tempo", diz a frase bíblica. Isso significa que se trata de um momento especial do sentido no "tempo real", quando, de forma repentina e inesperada (para o ego), algo que jazia adormecido

---

[32] Ibid., par. 310.
[33] Ibid., par. 313.
[34] Ibid.

no inconsciente (no domínio do psicoide) emerge e torna-se manifesto. Com o tempo, reconhecemos tais momentos como essenciais à nossa sensação de sentido na vida. Isso é puramente empírico; a vida como é vivida e experienciada. Há acidentes e coincidências que mudam nossa vida e redefinem seu curso, ou grandes visões ou sonhos simbólicos que nos sacodem até as bases e jamais são esquecidos. São eles momentos de individuação. Estou sugerindo que a visão de Pauli mostra que eles estão programados, que "a coincidência sempre flutua, porém às vezes ela flutua sistematicamente", como afirma ele próprio em "A Lição de Piano".[35] Em vez de singularidades, esses momentos organizam-se regularmente segundo um "programa de tempo imaginário". Mas nós não detemos seu controle. Eles nos acontecem, e cabe a nós reconhecer o sentido que lhes é inerente.

Uma breve nota sobre a Teoria da "Compensação" de Jung

O inconsciente prega peças no tempo, diz Jung em seu seminário "Children's Dreams",[36] onde comenta: "[...] algo acontece com a *noção de tempo* no reino do inconsciente, pois nele o tempo sofre uma certa ruptura, isto é, o inconsciente sempre permanece ao largo da passagem do tempo e percebe coisas que ainda não existem. No inconsciente, tudo já existe desde o início".[37] Portanto, a seu ver, não se deveria conceber uma série de sonhos como se fosse linear e organizada por data e hora; ela é antes uma espiral: "Se tentássemos caracterizar a natureza dos sonhos, poderíamos dizer que eles não formam uma série cronológica como a de *a b c d*, em que *b* sucede a *a* e *c*, a *b*. Teríamos que supor um centro irreconhecível do qual os sonhos emanam [...]. A verdadeira disposição dos sonhos é radial: eles irradiam de um centro e só depois são submetidos à

---

[35] Pauli, 1954/1995, p. 323.
[36] Jung, 2009, pp. 1-31.
[37] Ibid., pp. 9-10.

influência de nosso tempo. Em última análise, eles se dispõem em torno de *um centro de sentido*".[38]

A "compensação" precisa ser concebida em termos mais amplos que os termos diários de cronos. A compensação se volta para a unilateralidade da consciência e busca contrabalançá-la com a inclusão de perspectivas e conteúdos preteridos e até então inconscientes, entre os quais as imagens arquetípicas atemporais do inconsciente coletivo.

Muitos sonhos parecem ter pouca relação com a situação consciente do momento, em especial os "grandes sonhos". A compensação é, portanto, de outra ordem. Seu objetivo é estender o alcance da consciência: levá-la do pessoal e do cotidiano, que residem no tempo de cronos (passado, presente e futuro), a uma dimensão que considere também o atemporal e o eterno. Em sua palestra de 1939 ao Círculo de Eranos, intitulada "Concerning Rebirth", Jung usou a imagem mitológica dos Dióscuros para ilustrar esse modo de viver tanto no tempo quanto na eternidade, uma dupla percepção: "O homem é o par de um Dióscuro, em que um é mortal e o outro, imortal; sempre estão juntos e, apesar disso, nunca se transformam inteiramente num só".[39]

O surgimento do relógio do mundo na "série de sonhos e visões" de Pauli sugere uma compensação nesse sentido mais amplo. Ele induz a consciência a considerar outro tipo de tempo e sincronismo que não aquele que é familiar à ciência e à consciência modernas. O disco vertical, que controla o movimento de todo o relógio, registra o "tempo imaginário" que existe fora do mundo dos objetos, não em um espaço em que o tempo cronológico é mensurável. Ele existe, mas não no *continuum* espaço-tempo. O disco vertical põe o horizontal em funcionamento e, assim, seu movimento se insere na ordem do "tempo real" cronológico e cria plenitude no mundo da consciência (os quatro quadrantes) por

---

[38] Ibid., p. 10.
[39] Jung, 1950/1968a, par. 235.

meio daquilo que vivenciamos como sincronicidades. Como símbolo, o relógio do mundo liga tempo e eternidade e dá ao ego a sensação de fazer parte de ambos, de estar no tempo e além do tempo, de ser filho do tempo e da eternidade.

Die Klavierstunde: "A Lição de Piano", de Wolfgang Pauli

Agora chegamos à pergunta: "Como convivemos com a percepção de que o tempo e a eternidade coincidem em nossa vida como indivíduos e nas narrativas de comunidades, nações e culturas?". Tradicionalmente, se invocaria uma relação com Deus e se reconheceria a intervenção ou a providência divina na história. Hoje em dia, isso não é viável devido às nossas atitudes culturais modernas e às construções contemporâneas da realidade. Pauli, um "homem moderno" por excelência, um homem de ciência e de suprema racionalidade (Prêmio Nobel de Física de 1945), era, a despeito disso, sumamente sensível ao difícil problema de unir esses dois domínios. Ao contrário de muitos de seus pares, que simplesmente relegavam as coisas ao acaso e pensavam estritamente em termos de espaço-tempo e causalidade, ele se sentia profundamente incomodado pelo problema da relação entre tempo e eternidade. O método que escolheu nessa ocasião para lidar com o problema não consistiu em recorrer às tradições religiosas, fossem próprias (judaicas e católicas) ou alheias, mas sim em empregar o método junguiano da imaginação ativa.

Em um nível mais pessoal, tanto Marie-Louise von Franz quanto Jung já haviam instado Pauli a reconhecer o problema da falta de unidade entre o físico e o cientista que ele era, de um lado, e sua personalidade subjetiva, dotada de *insights* psicológicos e espirituais, do outro. Em outras palavras, eles o desafiaram a fazer sua própria afirmação pessoal, a forjar sua própria *Weltanschauung* (visão de mundo).[40] Isso era uma tarefa muito difícil. Movido pela necessidade íntima e por alguns so-

---
[40] V. Van Erkelens, 1995, p. 335.

nhos, Pauli lançou-se ao trabalho. E dele retornou com uma imagem maravilhosa, o piano, que, com suas teclas negras e brancas, ressoa com o sistema chinês de yang-yin. (Sua imagem favorita da *anima* era a de uma mulher chinesa.) Mas então tornou-se uma questão de aprender "a tocar piano", e não só de entender os problemas intelectualmente, como já mostrara de modo mais que convincente em seu artigo sobre Kepler. Esse foi o desafio que lhe propuseram Jung e von Franz.

No fim de 1953, portanto, logo após a publicação conjunta de *Naturerklärung und Psyche* [*A Interpretação da Natureza e a Psique*], para a qual Jung contribuiu com o ensaio "Synchronicity: An Acausal Connecting Principle" e Pauli, com "The Influence of Archetypal Ideas on the Scientific Theories of Kepler", Pauli escreveu *Die Klavierstunde – Eine aktive Phantasie über das Unbewusste* [*A Lição de Piano*: Uma Fantasia Ativa Sobre o Inconsciente], "dedicada à Dra. Marie-Louise von Franz, com amizade".[41] Essa obra foi publicada postumamente, em 1995. As citações são de minha tradução.

Ela começa assim: "O dia estava enevoado, e já fazia muito tempo que eu me via diante de um problema sério (*Kummer*). O problema é: havia duas escolas. Na mais antiga, entendiam-se palavras, mas não o sentido, ao passo que, na mais nova, entendia-se o sentido, mas não minhas palavras. E eu não conseguia reunir as duas escolas".[42] Em um nível, trata-se de uma referência às escolas da física nuclear e da psicologia analítica; em outro nível, refere-se às explicações que a ciência oferece e aos sentidos provenientes de uma orientação voltada para a psicologia profunda e para o espírito. Foi aqui que Pauli empacara.

Em busca de ajuda para resolver esse problema, que o está deixando frustrado, decide visitar uma "garota" (*Mädchen*) que mora em Küsnacht. O endereço é Hornweg 2. (Esse era o endereço de Marie-Louise

---

[41] Atmanspacher, Primus, Wertenschlag-Birkhäuser, 1995, pp. 317-30.
[42] Ibid., p. 317.

von Franz. Como era quinze anos mais jovem que ele, teria por volta de 38 anos na época.) Quando chega lá e abre a porta, escuta uma voz masculina cheia de confiança gritar bem alto: "*Zeitumkehr!*" ("reversão do tempo"). Parece a ordem do capitão de um navio. Imediatamente, o tempo regride (o cone do tempo é virado de cabeça para baixo e, em vez de Küsnacht, ele se vê então na casa em que vivera quando criança, em Viena. Viajou para o passado e tem agora 13 anos de idade, não 53. Quarenta anos desapareceram, mas, mesmo assim, ele continua consciente de estar também em Küsnacht e de sua idade atual).

(A reversão do tempo, ideia que adaptara da física teórica, é aqui aplicada a seu presente dilema: a incapacidade de unir as duas escolas. Isso é puramente imaginário e se passa no tempo imaginário. A função transcendente está em ação, o que torna possível um elo entre o ego e o inconsciente. Nesse espaço imaginário, a realidade material, presa ao tempo, é suspensa ou superada. É nele que a lição de piano vai acontecer.)

A lição tem início. Há na sala um piano grandioso no qual se apoiava uma "senhora" ("*eine Dame*"), não uma "garota", de cabelo escuro. Ela parece ser uma velha amiga, alguém em quem se pode confiar. (A avó de Pauli fora cantora da Ópera Imperial de Viena e estava associada à música e às aulas de piano que Pauli tivera até os 13 anos.)[43] É uma dama muito distinta, e ele deve usar de respeito para falar com ela. Ela diz que já faz muito tempo que ele tocou piano e que agora vai dar-lhe uma aula. Ele fica feliz por voltar a tocar piano porque a música poderia ajudá-lo em seu "inquietante problema" (seu "*Kummer*").

E diz à senhora que conhecera uma "garota" que certamente também tivera um problema, já que, certa vez, lhe contara que a mãe dela havia perturbado sua feminilidade, embora ele não tivesse entendido aquilo. Se fosse verdade, como era possível que alguém tão aflito pudesse despertar seus sentimentos? A senhora sorri e dirige-se a ele como

---

[43] Van Erkelens, 2002, pp. 135-41.

se fosse um escolar. E lhe diz que não, não seria o caso, mas talvez ele tivesse entendido assim porque pensava pequeno demais. De repente, ele começa a dedilhar o piano e toca um conhecido acorde em dó maior: C E G, dó-mi-sol. E grita: "Quero tanto saber como isso foi *mesmo*!", bem como faria qualquer criança curiosa. Mas a senhora também não sabe a resposta. (O tema do feminino ferido é sondado.)

Em seguida, há um trecho sobre a possibilidade de cura do feminino ferido. Pauli ouve uma voz distante chamar em tom autoritário: "Capitão!". A senhora levanta-se depressa e começa a andar ansiosamente pela sala. Em seguida, volta a se sentar, guia-lhe as mãos para tocar mais, três acordes, e diz: "Era uma vez um capitão…". Quando sente as mãos dela tocarem as suas, sua mente se abre e *ele* começa a contar a história de um "capitão" ("*Hauptmann*") que morava aqui em Viena e tinha uma filha doente. (A figura desse capitão representa a escola vienense do racionalismo e da ciência positivista.[44] É a escola que "entende as palavras, mas não o sentido", na qual também as palavras de Pauli são entendidas, ou seja, a linguagem da ciência e da matemática.) A história continua. Pauli conta como o "Mestre" (uma figura de luz que representa uma sabedoria maior, uma figura do *self*) vai à casa do capitão vienense na expectativa de que este "proferisse as palavras". "Que palavras?", pergunta desconcertada a senhora. Pauli responde com uma citação da Bíblia: "Senhor, eu não sou digno de que entreis em minha morada, mas dizei uma só palavra e meu servo será salvo". (Ele está citando o Evangelho de Lucas, quando Jesus cura o servo do centurião.[45] O Mestre apresenta a oportunidade para que a cura se processe, o que acarreta a introdução do "sentido" na situação. Em carta a Emma Jung, Pauli explica quem, para ele, é o Mestre: "De certo modo, ele é um 'anticientista', pela acepção que se atribui ao termo

---

[44] Fischbeck, p. 2.
[45] Lucas 7:6.

'ciência', em especial a perspectiva das ciências naturais e, particularmente, das que hoje são ensinadas nas escolas secundárias e universidades".[46])

Segue-se uma pausa em que Pauli enxuga o suor da testa e a senhora volta a acalmar-se. Ele então lhe explica que o capitão de Viena não disse as palavras necessárias porque pertencia à escola que tem palavras sem sentido; que esse capitão na verdade até rejeita a própria ideia de sentido. Por isso, não conseguiu dizer *as* palavras necessárias. Teve que pedir ajuda. Bastaria que pedisse ao Mestre que lhe curasse a alma, só que o capitão não tinha a palavra correspondente a "alma". E, assim, o Mestre se vai.

Aqui, Pauli toca o acorde em dó menor que, por exigir uma tecla negra (C Eb G, dó-mi bemol-sol), invoca uma sensação séria e solene. E explica que é extremamente difícil para o Mestre comunicar-se conosco. Somos tão estranhos para ele. Ao que parece, ele não sabe muito do nosso mundo da consciência, porém o vislumbra e gostaria de aproximar-se de nós. E por isso continua tentando estabelecer contato.

De repente, a senhora muda de assunto e fala a palavra "censor". Diz que o Mestre a encarregara de ensiná-lo a tocar piano melhor e que o fizesse "por meio do censor", mas que ela não entendera o que ele queria dizer. Então Pauli propõe uma explicação. "A senhora ainda se lembra de Freud?", pergunta-lhe. "Sim, ele era meu advogado, apesar de não saber disso", responde ela. Pauli toca o acorde em lá menor (A C E, lá-dó--mi), um som alegre e suave, e explica: Freud propôs, acertadamente, a ideia do censor dos sonhos. Ensinou que ele se compunha de moralismo vitoriano (um *Moraltante*). Só que estava errado quanto à composição do censor: em vez de moralismo vitoriano, ele é criado por professores contemporâneos, especialmente os de ciências naturais. Essa é uma das razões pelas quais o Capitão de Koepenick já não tem poder algum. "Quem é ele?", pergunta a senhora. "Todos os charlatães, sobretudo os

---

[46] Atmanspacher, Primus, Wertenschlag-Birkhäuser, p. 339.

de formação teológica", responde ele. Eles foram os primeiros censores, mas agora estão impotentes. "Gott sei Dank" ("Graças a Deus"), diz ele.

(O Capitão de Koepenick é um famoso charlatão alemão do século XIX que conseguiu passar-se por comandante militar e tomar a prefeitura de Koepenick, cidadezinha próxima de Berlim, por tempo suficiente para saquear os cofres do tesouro municipal. Diz-se que sua descarada ousadia arrancou gargalhadas do Kaiser!)

Pauli prossegue. O censor agora se metamorfoseia da seguinte maneira: o Mestre envia-me sonhos em que há congressos científicos no Oriente, nas terras dos escravos vermelhos. As conferências são supervisionadas pela polícia, e a maioria dos participantes não tem permissão para falar. O que o Mestre quer mostrar-me com esses sonhos é como as ideias que tenho na cabeça, as "teorias", atuam para criar e impor perspectivas científicas e intelectuais bastante atreladas ao tempo. Quando o capitão de Viena deixou de proferir as palavras necessárias, o Mestre aparentemente escolheu-me para isso. "Pareço adequado para tanto", diz ele à senhora, "e ele quer, a qualquer custo, entrar na luz do dia que há em mim". Isso tanto atemoriza quanto fascina Pauli. "Não posso deixá-lo, nem ele a mim!", grita ele e, aqui, toca um acorde em quarta que exige teclas brancas e negras.

A senhora confessa que sua própria relação com o Mestre é o oposto da dele. Sempre lhe obedeceu e o seguiu cegamente. Pauli balança a cabeça e diz que, durante muito tempo, pensou que isso era correto, mas que agora tinha outra opinião. Ambos os extremos são prejudiciais. Diz que certa feita houve um charlatão (um certo capitão de Koepenick, também teólogo) que pregava que as teclas negras do piano nada mais são que buracos onde faltam teclas brancas e que, portanto, todos os professores são inteiramente brancos ou inteiramente negros. A senhora solta uma gargalhada e lhe diz que qualquer um poderia tocar igualmente bem peças em tom menor em teclas brancas e em tom maior em teclas negras. Isso só depende de como se toca o piano. Quando torna a olhar para a senhora, ele percebe que agora ela tem olhos oblíquos (está se transformando na figura chinesa da *anima*). Diz-lhe que, a seu ver, as teclas brancas são as "palavras" e as negras, o "sentido". Às vezes, as palavras são tristes e o sentido é alegre; em outras, o oposto. Aqui, ele conclui por ela, não é o mesmo que naquele lugar em que há duas escolas, onde tivera tão preocupante problema; aqui só há um piano. (Ele está procurando um meio de reunir as escolas, de ligar a consciência do ego ao inconsciente.)

(Aparentemente, até agora foi impossível ter um diálogo, um encontro de mentes, entre a ciência positivista moderna e o doador do sentido [o Mestre, o *self*], ou traçar um elo na consciência entre o mundo do ego e o reino do inconsciente, entre tempo e eternidade, tão afastados estão um do outro. Essa é a mesma divisão que Jung procurou superar em sua obra alquímica, especialmente em *Mysterium Coniunctionis*. Pauli encara essa questão de frente nesta "fantasia ativa". O piano simboliza um possível ponto de reunião. Ele representa a função transcendente, uma mente sintética. Evidentemente, a questão é: ele sabe *tocar* piano? Bem, está aprendendo.)

O jovem Pauli e a senhora continuam conversando: sobre uma possível visão de mundo; sobre o elemento do sentido na evolução biológica (a sincronicidade tem alguma influência?); sobre os diversos meios encontrados pelo criativo e pelo atemporal para acessar o domínio do tempo e do espaço, dependendo da tipologia e da constituição psicológica do indivíduo; sobre números quantitativos e qualitativos, mas aqui faltam-me tempo e espaço para entrar em detalhes. A história torna-se bastante pungente, expressando o profundo anseio que Pauli tem do eterno (da *Heimat*, do "lar", que, na história, está no "norte longínquo"), que, de longe, ele pode vislumbrar, mas não esperar adentrar.

Mencionarei aqui apenas a cena final. Após uma espécie de apoteose em maior e menor que envolve um anel mágico e com uma referência às linhas finais do *Fausto* de Goethe quando, do centro do anel, o Mestre diz as palavras "*Bleibe gnaedig*" ("tende misericórdia") à senhora, Pauli despede-se dela e da lição de piano. Ele percebe que agora está de casaco e chapéu, de volta à sua *persona* de professor do ETH. Enquanto caminha e se afasta da casa da senhora, ouve, agora a uma certa distância, um poderoso acorde em dó maior ao piano: C E G C, dó-mi-sol-dó. (É um símbolo da quaternidade e ecoa o famoso axioma da alquimista Maria, a Profetisa: "O um torna-se o dois, o dois torna-se o três e do três vem o um como o quarto".[47]) Isso assinala a sensação de finalização e a culminância dessa lição ao piano, e a Pauli resta apenas presumir que essas notas estejam sendo tocadas pela senhora, que agora está sozinha. Como ele ainda consegue ouvi-la tocar, significa, na minha opinião, que a relação deles permanece viva, ainda que agora estejam separados e ele só consiga ouvir as melodias a distância.

Talvez ele tenha aprendido a tocar piano também, ao menos um pouquinho, mas parece que não houve mais lições, pelo menos segundo Marie-Louise von Franz, que lamenta a relutância em prosseguir por ele demonstrada.[48] Seja como for, com a imagem do piano, Pauli nos deu uma metáfora útil para a função transcendente, a qual pode nos ajudar em nossos esforços para criar uma relação sustentável e sustentante entre tempo e eternidade para nós mesmos e com nossos pacientes.

Conclusão

Parece-me pertinente voltarmos a considerar em nossa época a questão: em que sentido e até que ponto "o religioso" tem um lugar na teoria e na prática junguianas? A psique, como a entendemos e como trabalhamos com ela e nela enquanto analistas junguianos, inclui um espaço para a interseção de tempo e eternidade, para o secular e o sagrado? Como trilhar a linha tênue e muitas vezes torta entre a construção do ego e a atualização do *self*? É nossa função, como analistas junguianos, "atentar para o *self*" e abordar tais questões de supremo interesse?".

---

[47] Pauli, 1954/1995, p. 340.
[48] Von Franz, 1995 e 2002.

Sem dúvida, conhecemos a inequívoca resposta de Jung a essa pergunta. Ele claramente achava que a individuação não está completa sem que se dê atenção à função religiosa e a experiências numinosas. Trata-se de uma questão bastante prática; a teoria é secundária. Tempo e eternidade estão estreitamente entrelaçados na trama da individuação vivida, nem que seja só porque a sincronicidade tem papel tão essencial na vida quando concretamente vivenciada. Mas como trazemos isso na consciência? Talvez o relógio do mundo e a lição de piano de Pauli, onde tempo e eternidade se encontram no *self*, constituam imagens do Self, da eternidade dirigida a nós pelo "Mestre", para assistir-nos enquanto avançamos pelo tempo que nos cabe nesta vida.

Capítulo Três
Música para Eras Vindouras: "A Lição de Piano", de Wolfgang Pauli

Continuo a reflexão sobre a sincronicidade a que dei início no capítulo anterior e, mais uma vez, recorro a "A Lição de Piano", de Wolfgang Pauli. Aqui, argumentarei que essa obra foi uma imaginação ativa que exerceu sobre o autor profundo efeito transformador. Parece-me, também, que esse ensaio de imaginação ativa e pensamento criativo, dedicado por Pauli a Marie-Louise von Franz, sua analista, oferece-nos, além de um romance, um ponto de entrada extremamente sugestivo para explorarmos a questão do que significa viver com a consciência da interpenetração e da interação verificadas entre causalidade e sincronicidade no aqui e agora. Nas palavras do ensaio de Pauli, estamos falando de "música para piano" ou daquilo que Herbert van Erkelens propôs chamar de "sinfonicidade".[49] Inspirado no comentário de Beethoven sobre seus Quartetos Opus 59, quando afirmou que eles não haviam sido compostos para o público de 1806, mas, sim, para uma época futura,[50] dou a este capítulo o título "Música para Eras Vindouras". A meu ver, a proposta de Pauli de um conceito que unifique a física quântica e a psicologia profunda – isto

---

[49] Van Erkelens, p. 120.
[50] Citado por Dusinberre, p. 6.

é, causalidade e sincronicidade, sentido e explicação científica, tempo e atemporal – ainda é algo para o futuro. Estou convicto de que ainda temos um longo caminho a percorrer antes de conseguirmos integrar a mensagem que há nessa profunda proposta de uma *Weltanschauung* que unifique ciência e espiritualidade.

O problema da sincronicidade

Quase todos a quem pergunto têm uma experiência sincronística para relatar, e muitos acham que tais experiências até mudaram o próprio curso de suas vidas. Eles podem não ter uma teoria que as explique, mas sabem a que me refiro quando falo de "coincidências significativas". As coincidências significativas são conhecidas e registradas desde tempos imemoriais. Nas eras mitológicas e religiosas, elas eram vistas como intervenções divinas, mensagens dos deuses, bênçãos ou, às vezes, maldições. Porém, com a Era das Luzes e a consagração da Deusa da Razão na Europa, os modernos passaram a rotular tais coincidências como meros acasos destituídos de sentido objetivo. Todo sentido que possamos atribuir-lhes é puramente subjetivo, produto do pensamento positivo, da superstição, da paranoia ou do medo. Coube a Jung a tarefa de trazer de volta a noção de sentido objetivo e falar de "atos de criação no tempo",[51] abalando assim o consenso moderno de que a causalidade, o acaso e as leis de ferro da natureza não deixam mais nada a dizer sobre o curso da vida pessoal e coletiva.

Ao lado de Jung, Wolfgang Pauli dedicou-se profunda, intensa e longamente ao problema da sincronicidade e suas implicações para a modernidade. Na verdade, o principal interlocutor de Jung no tema da coincidência significativa foi, sem sombra de dúvida, o gênio da matemática e físico vencedor do Prêmio Nobel Wolfgang Pauli. Para essa conversa, Pauli, famoso pela língua ferina e pela virulência nas discussões com co-

---

[51] Jung,1952/1969a, par. 965.

legas da comunidade científica, levou seu raciocínio penetrante. Além disso, contribuiu com algo para o qual Jung não tinha nenhuma aptidão: a linguagem da matemática. Pauli impressionou até mesmo Einstein quando, ainda com 18 anos, escreveu uma resenha detalhada de seu trabalho sobre a teoria da relatividade e suas equações matemáticas. Ambos pertenciam à elite dos cientistas que revolucionaram a física teórica e prepararam o terreno para a teoria quântica e a cosmologia moderna. Foi esse o interlocutor impressionantemente substancial que Jung encontrou quando labutava para formular sua teoria da sincronicidade.

A ciência, no sentido positivista com que era praticada e ensinada nas universidades, não bastava para Pauli. Como estava em busca do sentido e da plenitude, sua personalidade padecia de uma grave cisão entre as forças conscientes e inconscientes. Por isso, em 1933 procurou a ajuda do famoso psicanalista C. G. Jung, seu colega no corpo docente do ETH de Zurique. Desde o início da análise, registrava seus sonhos fielmente e buscava na vida um sentido mais profundo do que a ciência e a racionalidade tinham a oferecer. A julgar pelos sonhos e visões da vigília que Pauli registrou no início de sua análise e pela interpretação que Jung lhes dá em *Psicologia e Alquimia*, Parte II, poderíamos até dizer que ele era um místico disfarçado de cientista, aliás muito bem disfarçado, para o mundo exterior. Certamente, isso nada rouba de seu brilhantismo como matemático e pensador da ciência.

"A Lição de Piano", composta no fim de 1953 e, portanto, apenas alguns anos antes de sua morte em 1958, deixa clara sua busca contínua e dedicada de um meio de combinar seus compromissos científicos e seus compromissos psicológicos. Mesmo com a vida profissional consolidada e mais de vinte anos de contato com Jung, ele sofria com o problema de resolver as diferenças entre o que chamou de "as duas escolas", física quântica e psicologia profunda, e lutava para encontrar um meio de reuni-las em uma só teoria unificada. Essa luta estava no cerne de suas discussões com Jung, como podemos ver na correspondência,[52] e é a ideia recorrente de "A Lição de Piano". Como diz Pauli em sua obra, a ciência oferece "palavras" de explicação e a psicologia oferece o "sentido" dessas palavras, mas o que fazer para reuni-los em uma só linguagem? A resposta simbólica é "música para piano", tocada tanto com as teclas brancas quanto com as teclas negras. É preciso casar causalidade e sincronicidade em uma única teoria.

À medida que se aprofundavam na interface entre a física quântica e a psicologia profunda, Jung e Pauli se viam contra o fenômeno da sincronicidade e suas implicações. Para a ciência, a psique e o mundo material são domínios rigorosamente separados. Os seres humanos podem estudar o mundo material e descobrir suas leis, mas não estão fundamentalmente emaranhados a ele. Na verdade, os cientistas fazem tudo que podem para remover o fator humano, ou seja, projeções, vieses pessoais e culturais etc. Eles querem descobrir as leis objetivas da natureza. Quando se tornam conhecidas, essas leis podem ser usadas para fazer previsões, criar novas tecnologias e, geralmente, para colocar a natureza sob maior controle humano por meio da manipulação. Porém a sincronicidade reúne os dois domínios, a psique e a matéria, só que não por ação intencional do ego. Segundo em geral se define, o evento sincronístico é, como resumem Atmanspacher e Fach, "um fenômeno da coincidência no qual estados físicos e mentais habitualmente desconexos são tomados como conexos",[53] e eu acrescentaria: e como *providos de sentido*. O sentido é uma característica essencial da sincronicidade. A teoria da sincronicidade é a contribuição da psicologia para a ciência, embora não seja uma contribuição fácil de digerir e assimilar. A psique está mesmo emaranhada com o mundo material, e esse emaranhamento põe em jogo o sentido e a

---

[52] Meier, 2001.
[53] Atmanspacher e Fach, p. 79.

criatividade em ambos os domínios, porém resta-nos resolver como isso transcorre na vida como a vivemos e concebemos como um todo.

Se de certo modo transcende o fator da causalidade, o fator da sincronicidade não o abole. Relacionar essas duas dimensões e reuni-las em uma só teoria de campo unificada tornou-se o grande desafio de Jung e Pauli. Ele é comparável a reunir Oriente e Ocidente em uma representação unificada do mundo, de um lado, e reunir a consciência e o inconsciente no reino da psique, do outro. Em ambos os casos, os sistemas são incomensuráveis, como afirma claramente Jung em carta a Pauli.[54] No entanto, é preciso reuni-los em um todo unificado, caso se pretenda esboçar um quadro completo da realidade, seja ela psíquica ou cósmica. Do mesmo modo, quando se consulta o *I Ching* com uma mente científica formada no Ocidente, os dois sistemas incomensuráveis são colocados em jogo, como demonstra Jung em seu brilhante "Prefácio ao *I Ching*".[55] Na correspondência entre Jung e Pauli, encontramos propostas variadas para diagramar uma representação do mundo que incluísse tanto a causalidade quanto a sincronicidade.[56] Jung publicou sua versão final no ensaio "Synchronicity: An Acausal Connecting Principle".[57]

---

[54] Meier, p. 61.
[55] Jung, 1950/1969.
[56] Meier, pp. 56-61.
[57] Jung, 1952/1969a, par. 963.

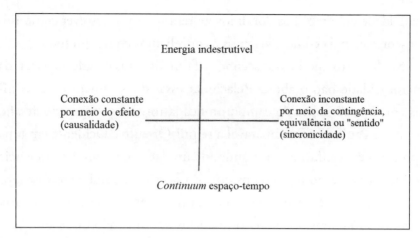

Diagrama 8: Diagrama concebido por Jung e Pauli.

O que a sincronicidade introduz na discussão dos eventos fortuitos é o "sentido", termo com o qual designo, com base em Jung, uma percepção que decorre de algo transcendente, espiritual, proveniente de uma fonte que está além de qualquer das figuras presentes nos eventos dados e para ele aponta. Além disso, a sincronicidade provém de uma fonte que é autônoma e criativa, que jaz além tanto da psique quanto da matéria. Jung refere-se às sincronicidades como "atos de criação no tempo".[58] São estas três características da sincronicidade, a unidade entre psique e mundo, o sentido transcendente e criatividade, o que punha em cheque a representação científica do mundo na época de Jung e continua fazendo o mesmo na nossa. A teoria da sincronicidade perturba de tal maneira o modo de pensar moderno que abalou até um cientista da envergadura de Pauli. Em "A Lição de Piano", ele tenta encontrar uma solução para a reunião de dois princípios, causalidade legítima e sincronicidade, em uma teoria unificada. A questão que vem depois é: como isso é vivenciado?

---

[58] Ibid., par. 965.

A Lição de Piano como imaginação ativa

Para entender como Pauli aborda esse problema (e, talvez, consegue resolvê-lo para si, como veremos), precisamos começar observando o método que ele emprega para conquistá-lo: a imaginação ativa. Jung desenvolveu o método da imaginação ativa para criar aquilo que chamou de função transcendente, isto é, uma ponte ou conexão entre a consciência do ego e o inconsciente. Quando bem-sucedida, a imaginação ativa introduz tal perturbação na consciência normal do ego que ele consegue ir além de seus limites habituais e estabelecer um diálogo com figuras e imagens inconscientes. Em decorrência disso, o ego entra em contato com o que Erich Neumann chamava de campo arquetípico e campo do *self*.[59]

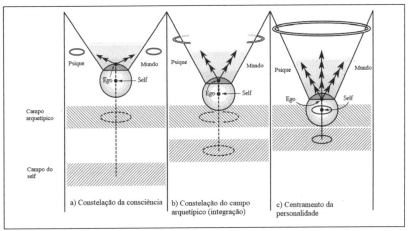

Diagrama 9: Baseado em "The Psyche and the Transformation of the Reality Planes", de Neumann.

O diagrama representa três campos de conhecimento: o campo do ego, o campo arquetípico e o campo do *self*. Há também três estágios (ou estados) da consciência, que vão da esquerda para a direita no diagrama: a) Constelação da Consciência, b) Constelação do Campo Arquetípico (Integração) e c) Centramento da Personalidade. Os três estágios mos-

---

[59] Diagrama extraído de Neumann, 1952/1989, p. 19.

tram diferentes níveis de relação entre os campos abaixo do nível do ego e graus variáveis de separação entre psique e mundo acima do campo do ego. À medida que os estágios se sucedem da esquerda para a direita, os três campos se aproximam: você vê os níveis inferiores em sua trajetória ascendente. No alto, há três graus de separação entre psique e mundo e, indo da esquerda para a direita, vemos essa distância se fechando. Indo da esquerda para a direita, a parte inferior ascende e a superior se fecha, à medida que o estado da consciência atinge o que Neumann chama de "centramento da personalidade". Nosso interesse recai no movimento em direção à percepção do *unus mundus*, que une psique e mundo por meio da aproximação entre causalidade e sincronicidade.

O estágio da extrema-esquerda representa a consciência moderna, que divide a percepção em espaços interiores subjetivos e espaços exteriores objetivos, assim como em consciente e inconsciente, no reino interior. Entre eles, não há nenhuma conexão. No plano cotidiano, a maioria de nós vive no estado de consciência da esquerda. O bom senso, a educação formal e as atitudes seculares modernas reforçam essa divisão entre mundo e psique dessa maneira. Ocasionalmente, podemos nos sentir no estágio do meio, quando o material do campo arquetípico se impõe à nossa percepção, como ocorre na imaginação ativa. E, talvez de vez em quando, vemo-nos no estado de consciência unificada representado à direita, onde todos os níveis e mundos divididos se unem.

Quando o ego está em contato mais próximo com esses campos, a distância entre a psique e a matéria começa a reduzir-se e a sensação do *unus mundus*, isto é, de um mundo unificado, vem à tona. Neumann explica esse processo detalhadamente no ensaio "The Experience of the Unitary Reality", apresentado posteriormente ao Círculo de Eranos. É isso precisamente o que vemos acontecer em "A Lição de Piano", de Pauli:

> Tenho a impressão de que as teclas brancas são como as palavras e as negras, como o sentido. Às vezes, as palavras

são tristes e o sentido é alegre; mas, em outras, ocorre justamente o contrário. Aqui, com a senhora, já não é mais como nas duas escolas que tanto trabalho me deram: sempre posso ver que existe apenas *um* piano.[60]

Nesse momento, Pauli chega à posição em que as duas escolas aliam suas contribuições e ouve-se apenas uma peça musical.

"A Lição de Piano" começa com uma súbita reversão no tempo, algo que poderíamos chamar de regressão, à fase da vida em que Pauli era adolescente. Em sua antiga casa em Viena, ele se vê na presença de uma senhora impressionante, identificada como a professora de piano. Ele está ali para ter uma aula. À medida que a história prossegue, três figuras se destacam como personagens principais: o próprio Pauli, a figura feminina, ou *anima*, que assume duas formas, e o Mestre, ou figura do Self. As figuras femininas e o Mestre têm uma história em sonhos e imaginações ativas anteriores de Pauli que não detalharei aqui.[61] "A Lição de Piano" torna-se uma história sobre o estabelecimento de relações sólidas entre essas três figuras, e é exatamente isso o que ocorre no terceiro estágio da consciência proposto por Neumann. A figura da *anima*, isto é, a professora de piano, apresenta o campo arquetípico, e o Mestre, isto é, a figura do Self, apresenta o campo do Self. Quando todas essas figuras são reunidas, Pauli descobre que já não há conflito entre as "duas escolas" e tocar piano com as teclas brancas e as teclas negras torna-se uma possibilidade. O que significa isso?

As teclas brancas representam a escola da matemática e da ciência positivista, uma linguagem destinada a descrever e investigar as relações entre os objetos materiais de um ponto de vista não psíquico. A psique é excluída ao máximo do campo. As teclas negras representam a linguagem do sentido, o lado qualitativo, mais que o quantitativo, da realidade

---

[60] Pauli, 1954/2002, p. 126.
[61] V. Van Erkelens e Wiegel 2002, pp. 135-41.

vivida. Aqui, a psique é o componente essencial da investigação. Quando as duas se unem e a música é tocada com as teclas brancas e as teclas negras, ouve-se a música de um mundo unificado em que fato empírico, lei da matemática e sentido soam juntos. Causalidade e sincronicidade reúnem-se em um único campo. As teclas brancas não excluem as negras, como Pauli afirma ocorrer nos departamentos de ciências das universidades, nem as teclas negras excluem as brancas, como pode ocorrer nas religiões e escolas teológicas em que só o sentido existe e tenta sobrepujar o fato empírico e as leis naturais. Esta música para piano alia ambas, dando-nos a sensação de viver em um mundo em que ciência e sentido se aliam, em vez de contradizer-se, contribuindo cada um com algumas notas para o todo.

A palestra de Pauli para os estranhos

No curso de "A Lição de Piano", a idade de Pauli muda diversas vezes. Primeiro, ele retrocede à adolescência e, depois, avança até a idade que tem no presente. Agora, e ainda em meio à imaginação ativa, ele se vê obrigado a dar uma palestra para estranhos. Isso acontece repentinamente, quando Pauli faz uma afirmação reveladora sobre o acaso. Em geral, a ideia de que a natureza age por meio de leis e regras fixas domina o raciocínio científico. A regra absoluta da causalidade é seu resultado. Porém, no mundo da física quântica, as rígidas leis da natureza parecem suspensas, e a probabilidade ocupa-lhes o lugar. Mas a probabilidade não é segura, e o acaso puro e simples pode facilmente trazer surpresas perturbadoras. Isso abre as portas à liberdade diante das leis da natureza, mas de modo algum inclui o elemento do sentido. O acaso é cego e não tem finalidade. Nesse ponto da imaginação ativa, Pauli diz que "o acaso está sempre flutuando, porém às vezes ele flutua sistematicamente".[62] São essas flutuações sistemáticas que abrem a porta à possibilidade de sentido.

---

[62] Pauli, 1954/2002, p. 127.

Aqui há uma mudança abrupta na imaginação ativa e Pauli é instruído pelo Mestre a fazer uma palestra para uma multidão de estranhos que surge do outro lado da janela. Pauli agora tem sua idade real e fala na condição de professor. Esta será a aula inaugural de sua nova missão vocacional, sua posse na cátedra da disciplina unificada da física quântica e da psicologia profunda. Só que sua aula é de biologia e ele argumenta que a evolução se baseia em dois princípios: adaptação aos ambientes e mutações fortuitas. Ele passa a demonstrar que as mutações fortuitas obedecem a um padrão de flutuações sistemáticas que promove uma linha de desenvolvimento que vai dos organismos simples até chegar, por fim, ao ser humano e à psique humana, um organismo que é capaz de formas avançadas de consciência. Isso constitui um avanço da natureza que mostra a presença subjacente da coincidência significativa ao longo de todo o processo. Pauli ressalta que as mutações costumam ocorrer antes que sua importância para a adaptação ao ambiente seja demonstrada, o que comprova que, em vez de reações a pressões ambientais, elas têm outra origem em alguma fonte de criatividade subjacente.

Essa anomalia no padrão de mutações põe em jogo a noção de que a criatividade reside em um local da realidade que implica sentido e finalidade. A criatividade tem finalidade, ainda que esta não possa ser vista no momento em que aparece na realidade material. Em outras palavras, a sincronicidade ocorre na natureza e na história independentemente da humanidade e também quando não há seres humanos por perto para a reconhecerem. Essa é uma definição de sincronicidade mais ampla do que aquela com que Jung começou, ou seja, a coincidência significativa entre psique e matéria. O mundo natural em si e por si também participa do princípio da sincronicidade. A sincronicidade ocorre; depois, segue-se a causalidade e acontecimentos posteriores mostram caminhos legítimos. Os dois princípios trabalham juntos. Isso é tocar piano, ou o que van Erkelens chamou de sinfonicidade.

Após a palestra de Pauli para os estranhos, a figura da *anima* grita: "Ich glaube, du hast mir ein Kind gemacht".[63] ["Acho que você me fez um filho."] Aparentemente, a palestra promoveu uma *coniunctio* e gerou uma progênie que representa a união de ego e *anima*, ou seja, uma "terceira coisa" ou posição unificada. Ela constitui mais uma expressão simbólica de união, como o tocar piano, que une a ação das teclas brancas e das teclas negras para produção da música.

"O anel *i*"

"A Lição de Piano" termina com uma cena extremamente simbólica na qual a figura da *anima* tira do dedo um anel que Pauli não havia percebido até então. O anel, que simboliza a união entre Pauli e a mulher que acabara de dar-lhe um filho, é designado como "o anel *i*".[64]

O símbolo "*i*" fala a língua da matemática. Ele é uma "unidade imaginária" que abre novas dimensões dentro de campos matemáticos. Com esse símbolo, podem-se criar "números complexos", os quais combinam números reais e imaginários. O símbolo "*i*" é uma espécie de unificador mágico de opostos; em termos alquímicos, uma figura de Mercurius. "O *i* torna o vazio e a unidade um par",[65] diz Pauli à mulher. Ele é uma união entre o inconsciente (o vazio) e a consciência do ego (a unidade). Ao que a mulher replica: "Ele torna o instintivo ou impulsivo, o intelectual ou racional, o espiritual ou sobrenatural [...] um todo unificado ou monádico que os números sem o *i* não podem representar".[66] Em outras palavras, ele unifica todos os níveis da existência, o material, o psicológico/mental e o espiritual. Aqui, ele é apresentado na forma de uma aliança de um tipo muito especial: "É o casamento e, ao mesmo tempo, o reino

---

[63] Pauli, 1954/1995 p. 327.
[64] Pauli, 1954/2002, p. 134.
[65] Ibid.
[66] Ibid.

do meio, que jamais se pode atingir sozinho, mas apenas em pares".[67] Isso afirma que a meta de chegar aos reinos da plenitude (o mundo unificado) e neles viver para sempre só pode ser lograda se as duas escolas, as duas linguagens, a consciência do ego e o inconsciente arquetípico, trilharem esse caminho juntos como um casal. O "anel *i*" é o símbolo de seu vínculo irracional e eterno, agora consumado.

Essa consumação é então impressionantemente afirmada pela "voz do Mestre", que "fala, transformado, do centro do anel à senhora: 'Tende misericórdia'".[68] Essa é uma referência às estrofes finais do *Fausto* de Goethe, nas quais Doutor Mariano diz:

Jungfrau, Mutter, Königin,
Göttin, bleibe gnädig!
Virgem, Mãe, Rainha,
Deusa, tende misericórdia.

É uma oração para o futuro e uma benção para a união entre Pauli e a mulher que lhe ofereceu o "anel *i*" e teve com ele um filho. O eterno feminino é invocado e alçado ao seu mais alto e completo *status*. No contexto de "A Lição de Piano", isso significa que a figura da mulher também é curada e transformada, e agora ela está libertada para assumir uma relação íntima e permanente com o protagonista. Sua união está completa e foi abençoada.

O Lísis da história

Esse seria o fim de um conto de fadas, mas não é bem o fim de "A Lição de Piano". Depois de receber a bênção do Mestre, Pauli vê-se de repente fora do contexto da fantasia e de volta ao tempo e espaço normal. Ou seja, já não se encontrava na constelação ego-arquétipo-*self* descrita por

---

[67] Ibid.
[68] Ibid. Substituição de "compaixão" por "misericórdia" pelo autor.

Neumann como o terceiro estágio, mas sim de volta ao primeiro. Em outras palavras, a imaginação ativa chega ao fim e o estado normal da consciência do ego retorna. Agora Pauli está usando novamente seu casaco e sua gravata de professor e cuidando de sua vida. Quando se afasta, escuta a mulher ao piano. Ela toca um acorde em dó maior usando quatro notas: C E G C, dó-mi-sol-dó. Este já foi comparado a um símbolo da quaternidade e ao famoso axioma da alquimista Maria, a Profetisa: "O um torna-se o dois, o dois torna-se o três e do três vem o um como o quarto".[69] Esse afirmativo acorde em tom maior assinala a sensação de finalização e a culminância dessa lição ao piano e, como Pauli ainda consegue ouvir a mulher tocar, significa, a meu ver, que a relação entre eles permanece viva, ainda que agora estejam separados e ele só consiga ouvir as melodias a distância. Uma significativa transformação ocorreu em sua matriz psíquica.

Uma questão em aberto

Contudo, permanece a questão de como entender esse final. É normal retornar à identidade e à consciência do ego habituais após uma intensa imaginação ativa. Porém alguns comentaristas, como Herbert Van Erkelens[70] e Marie-Louise von Franz,[71] interpretaram esse final como indício de que Pauli abandonara o projeto. Embora tivesse prometido voltar à casa da professora de piano e recebido a incumbência de uma nova vocação (ensinar sobre a interface harmoniosa da física e da psicologia), ele renega suas promessas. Pauli jamais retorna, jamais leva essa missão intencional ao mundo de sua profissão, ele simplesmente fecha a lição e esquece-se dela. Esse é o severo julgamento de ambos os autores, mas eu não o considero inteiramente convincente.

---

[69] Atmanspacher, Primus e Wertenschlag-Birkhäuser, p. 340.
[70] Van Erkelens e Wiegel, p. 140.
[71] Von Franz, 2002, pp. 142-48.

Parece-me que o casamento de fato ocorreu e que, em um nível interior, Pauli forjou um vínculo permanente e transformador com a *anima*. Só que ele se destina a fins particulares, e não ao mundo exterior de sua vida profissional ou social. No nível exterior, esse casamento interior pode ter-se refletido de maneiras sutis em seu comportamento e em seus relacionamentos, mas não ter sido explicitado em suas palestras ou escritos posteriores. Foi uma experiência mística particular, só a ele destinada, apesar de Pauli a ter contado e até dedicado à sua analista. Mas, exceto por isso, ele a manteve em sigilo como um segredo bem guardado. Minha intuição me diz que ele continuou a tocar piano a sós; que ele continuou a ouvir a música da causalidade e da sincronicidade combinadas até o fim de seus dias. Isso significaria que ele, de fato, continuou a ver os diversos fatos da vida, dos maiores aos menores, como significativos e que ficou em alerta para novos atos de criação no tempo.

Mas talvez essa música fosse para uma era futura, e talvez essa era seja a nossa. Portanto, cabe a nós alimentar e criar o filho que tiveram Pauli e a senhora em "A Lição de Piano". Poderíamos levar adiante esse começo, como sugeriram Jung e Pauli e Neumann e von Franz em sua época. Mais recentemente, Atmanspacher e Fach propuseram uma tipologia fenomenológico-estrutural de correlações entre mente e matéria. Aqui, não me deterei mais nessas frutíferas possibilidades. Apenas confirmarei que esse trabalho vem sendo realizado por diversas pessoas e em um sofisticado nível intelectual. As aplicações clínicas dessa teoria de correlações foram discutidas por Joseph Cambray, Angela Connolly e Yvonne Smith Klitsner.

Conclusão

Outro dia, em Zurique, vi um anúncio na fachada de uma doceria: "Um dia sem chocolate é como champanhe sem bolhas". Sim, pensei. Não teria "graça". Agora ocorre-me que um mundo regido apenas pela causalidade e sem sincronicidade seria o mesmo: um mundo sem sincronicidade é tão "sem graça" quanto champanhe sem bolhas. Imagine a vida sem coincidências significativas que o façam seguir em uma direção inteiramente nova; um mundo em que tudo seja rígida e completamente previsível; um mundo sem criatividade nem surpresas, sem instabilidade, sem a bela possibilidade de um encontro ao acaso com um estranho que se mostre transformador para sua vida. Sem dúvida, seria mesmo champanhe sem bolhas.

Ainda bem que não vivemos em um mundo assim.

Capítulo Quatro
Uma Palestra para o Fim dos Tempos
"Não são livros. É pão."[72]

Meu professor predileto, quando a questão é aprimorar a experiência da leitura, continua a ser o magistral (e, para alguns, até canônico) crítico literário norte-americano Harold Bloom. Seu *How to Read and Why* implora, embora sem grande esperança de sucesso nestes nossos tempos tão pouco literários, que nos dediquemos aos "prazeres mais difíceis" oferecidos pela "leitura profunda" das grandes obras da literatura imaginativa. Seu conselho para aqueles que desejam fazê-lo é essencial: "[...] encontre algo que lhe diga respeito, que possa ser utilizado para avaliar e refletir, que o trate como se ambos compartilhassem da mesma e única natureza, livres da tirania do tempo".[73] Tal "proximidade" dos pensamentos de um

---

[72] "Há dois ou três anos, quando Jung visitava uma exposição de arte em Zurique, uma mulher o abordou e manifestou-lhe sua gratidão pelo que fizera por ela. O Dr. Jung perguntou-lhe se isso decorria da leitura de seus livros. A resposta dela foi: 'Não são livros; é pão'". McCormick, p. 16.

[73] Bloom, p. 22. As obras de Harold Bloom são demasiado abundantes para mencionar aqui. Porém, por sua particular importância, eu citaria sua mais recente e talvez última maior obra (já que ele está com mais de 80 anos): *The Anatomy of Influence*: Literature as a Way of Life (New Haven e Londres, Yale University Press, 2011). Essa obra reúne suas ideias a respeito da literatura, seus preconceitos e preferências, e seus fortes argumentos contra as recentes tendências de desmembramento

autor e as sensações de compartilhar da mesma "natureza" e de libertar-se da "tirania do tempo", defendidas e tão convincentemente demonstradas por Bloom em seus magníficos comentários sobre as peças de Shakespeare e os poemas de Walt Whitman, são, quase invariavelmente, o que julgo ser o caso quando leio as obras de Jung e, particularmente, seus livros e ensaios da maturidade. Muito embora a obra de Jung, talvez com exceção de *O Livro Vermelho,* possa ser classificada como "literatura imaginativa", os princípios abraçados por Bloom para a leitura profunda continuam valendo. Esse tipo de leitura não é, deve-se dizer, "crítico" no sentido em que o é boa parte dos comentários contemporâneos, que se colocam contra o texto com atitude de superioridade em uma espécie de concurso pela supremacia intelectual (ou política). Ela é, antes, uma tentativa de compreender um texto e de entrar em diálogo íntimo e profundo com ele e com a mente de seu autor. Poderíamos dizer que essa é uma abordagem receptiva, e não combativa, da leitura.

Caso aceitemos a orientação de Bloom para a leitura profunda, o caminho conduz diretamente ao que Jung, recorrendo ao *Lexicon Alchemiae,* de Martin Rutland, denomina *meditatio* (diálogo íntimo) ou mesmo à mais forte *imaginatio* (abertura de um "espaço intermediário" com a imaginação ativa).[74] A leitura profunda pode tornar-se um envol-

---

literário naquilo que denomina "a longa Era do Ressentimento" (p. 17). Ele foi meu professor em Yale no início da década de 1960, e vejo que até hoje sua voz está forte e seu senso de humor, excêntrico e ressonante. Seu brilhantismo e sua paixão pela literatura continuam os mesmos. Sua advertência aos leitores e alunos – "confrontem apenas os escritores que forem capazes de dar-lhes a sensação de algo cada vez mais por vir a ser" (p. 18) – é pertinente aqui, já que, de todos os autores de psicologia que conheço, Jung é o que mais tem a oferecer nesse aspecto. Depois de Bloom, descobri em Alberto Manguel um guia muito estimulante e simpático para ler profundamente e bem. Seu delicioso *A History of Reading* é uma viagem fascinante pelas bibliotecas e literaturas do mundo.

[74] Jung, 1944/1968, pars. 390-400. Jung afirma aqui que a imaginação é a chave para a alquimia. Do mesmo modo, é preciso dizer que a imaginação é a chave para Jung.

vimento meditativo ou imaginativo com figuras, imagens e ideias que efetivamente nos transformem a mente. Ela é uma espécie de processo alquímico: envolve uma exploração do mundo interior que alimenta e estimula intensamente a alma e o espírito, além de poder até promover a cura terapêutica, como autobiograficamente atesta o próprio Bloom. Na verdade, ela inicia o leitor em uma experiência de "renascimento" do tipo descrito por Jung no ensaio que apresento aqui. A maioria dos leitores experientes reconhecerá imediatamente a diferença traçada por Bloom entre a leitura pelo prazer fácil ou pela informação e este tipo de imersão total, que resulta em um diálogo íntimo com o texto e de cada leitor consigo mesmo. Ler Jung desse modo por certo enseja os "prazeres mais difíceis" de que fala Bloom. Porém, mais do que permitir o leitor uma fruição rara e sutil, essa leitura o afeta em níveis que superam o estético e o cognitivo e, muitas vezes, introduz nos sonhos noturnos os temas que estão sendo conscientemente pensados e reimaginados. A leitura profunda dos escritos de Jung, em especial de suas obras mais tardias, abre uma espantosa janela para as mais profundas características da alma, seus movimentos, suas figuras e seu potencial de transformação.

Com o seguinte comentário ao ensaio "Concerning Rebirth", eu gostaria de fazer-lhe um convite: vale a pena considerar esse breve, porém essencial, texto de Jung para uma leitura desse tipo. Ao longo da exposição, espero que fique claro por que esse ensaio merece esse tipo de atenção e como ele pode nos ajudar a entender melhor toda a obra de Jung, além de instilar-nos um senso mais amplo do que é possível para a individuação no sentido junguiano da palavra.

"Concerning Rebirth" não é tão citado pelos estudiosos e comentaristas quanto outros ensaios de Jung sobre temas aberta e igualmente religiosos ou espirituais, como a magnífica trindade: "Commentary on

---

Jung compartilha com os autores da grande literatura imaginativa uma chave para as frequências poéticas da mente.

'The Secret of the Golden Flower'",[75] "A Psychological Approach to the Dogma of the Trinity",[76] e "Transformation Symbolism in the Mass".[77] Na verdade, "Concerning Rebirth" pode ser considerado um "filho órfão", despercebido e lamentavelmente esquecido. Talvez isso se deva ao fato de ele mencionar um obscuro (aos olhos ocidentais, pelo menos) texto do Alcorão, a 18ª Sura, a qual, por si só, bem pode deixar a impressão de ser desarticulada e enigmática. Além disso, esse ensaio não nos revela seus tesouros tão escancaradamente quanto esses três outros textos. Seus *insights* psicológicos escondem-se por trás de uma carapaça de prosa enciclopédica. Ele é como um coco, cuja casca dura e seca protege a polpa doce e suculenta. "Concerning Rebirth" exige do leitor paciência (isto é, leitura profunda) para arrancar essa casca antes de saborear a polpa madura no interior da fruta. Sem dúvida, não é um ensaio tão forte e desenvolvido quanto os três que mencionamos, mas seu cerne é nuclear e, se plenamente apreendido, exerce na mente um poderoso impacto. E também pode revelar-se extremamente instrutivo para o trabalho do psicanalista junguiano.

Sitz Im Leben: Reunião de 1939 do Eranos – Tempo, espaço, palestrantes

Para a plena apreciação desse ensaio, vale a pena saber um pouco do contexto de que ele provém, de seu *Sitz im Leben*, que é como os estudiosos alemães se referem às funções e finalidades históricas de um determinado livro ou trecho da Bíblia. Como e quando ele surgiu? Qual era o seu público? Qual era a circunstância? Esse contexto situa o texto na vida vivida em seus aspectos físico, social e também mental.

"Concerning Rebirth" começou como um par de palestras extemporâneas apresentadas na conferência anual do Círculo de Eranos em

---

[75] Jung, 1957/1967, pars. 1-84.
[76] Jung, 1948/1969, pars. 169-295.
[77] Jung, 1954/1969b, pars. 296-448.

1939. Como sempre, o cenário da conferência foi a Casa Eranos, que é um dos três chalés à beira do lago Maggiore pertencentes à Fundação Eranos, em Moscia, perto de Ascona (Suíça). Esse chalé tem um pequeno auditório (para cerca de 25 pessoas) que foi ocupado anualmente durante uma semana do mês de agosto de 1933 a 1952 por C. G. Jung e um grupo convidado de estudiosos de religiões do mundo. O objetivo das Conferências do Círculo de Eranos era colocar um tema específico sob os holofotes de um leque de tradições religiosas e também sob o foco da moderna psicologia analítica de Jung. O tópico de cada ano, selecionado após a conferência do ano anterior, visava levar a discussão um passo à frente. Assim, as Conferências de Eranos tornaram-se uma conversa longa e contínua entre estudiosos europeus de notório saber sobre diversos temas culturais e espirituais. A rigor, não se tratava de uma conferência acadêmica por ou para eruditos e especialistas, mas sim uma ocasião para conversas e intercâmbio intelectual de alto nível. A intenção das conferências era promover uma espécie de "fertilização cruzada" no pensamento dos participantes convidados por meio de um diálogo sistemático. As circunstâncias geralmente eram também bastante festivas: o nome Eranos significa "banquete" em grego antigo, e o símbolo da conferência era a mesa redonda que servia de *locus* para conversas animadas durante os almoços. A conferência de 1939 revelou-se um banquete extraordinariamente rico e multifacetado.

No ano anterior, o tema "a Grande Mãe" ocupara o centro do palco, dando ensejo ao ensaio "Psychological Aspects of the Mother Archetype", de Jung. A lógica da conferência de 1938 levara os coordenadores a escolher como tema para 1939 "O Simbolismo do Renascimento na Concepção Religiosa de Todos os Tempos e Povos". Para essa discussão, foram convidados dez brilhantes e renomados intelectuais de cinco países europeus, nove dos quais compareceram (a única ausência deveu-se a razões políticas).[78] No *Eranos-Jahrbuch 1939*, a contribuição de Jung figura ao fim do livro. Como não pretendia falar nessa conferência, ele foi o último a subir ao pódio, e suas duas palestras a encerraram.[79] Elas foram proferidas logo antes do fim da temporada em Ascona naquele ano.

---

[78] Os apresentadores convidados da conferência, com base na ordem em que suas palestras figuram no Eranos-Jahrbuch 1939 (presumivelmente, também a ordem de suas apresentações na conferência) foram os seguintes: Louis Massignon (1883-1962), catedrático de Sociologia e Sociografia Islâmicas do Collège de France, em Paris (no dizer de William McGuire, "um orador eletrizante", e segundo Patrick Laude, "uma das grandes figuras espirituais do século XX"), sobre "A Ressurreição nas Iniciações Sufistas" e "A Ressurreição no Islã"; Charles Virolleaud (1879-1968), arqueólogo francês, sobre o renascimento na cultura fenícia ("A Lenda Clássica de Adônis" e "O Deus Baal nos Poemas de Ras-Shamra"); Paul Pelliot (1878-1945), sinólogo francês, professor do Collège de France, sobre a visão da vida além-túmulo na China; Walter F. Otto (1874-1958), professor alemão de filologia clássica na Universidade de Königsberg, na Prússia, sobre "O Significado dos Mistérios Eleusinos"; Charles Allberry (1911-1943), egiptólogo e estudioso cóptico inglês, membro do Christ's College, em Cambridge, sobre símbolos de morte e renascimento no maniqueísmo; Hans Leisegang (1890-1951), filósofo alemão especialista no gnosticismo que, apesar de não ter obtido permissão para viajar à Suíça, contribuiu com dois artigos, "O Mistério da Serpente" e "Uma Contribuição para a Pesquisa sobre o Culto Grego dos Mistérios e sua Continuação no Mundo Cristão", incluídos no Eranos-Jahrbuch 1939; Heinrich Zimmer (1890-1943), indólogo e historiador alemão de arte do sul asiático, sobre as ideias de morte e renascimento na Índia; Ernesto Buonaiuti (1881-1946), historiador e filósofo italiano da religião, sobre renascimento, imortalidade e ressurreição nos primórdios do cristianismo; Richard Thurnwald (1869-1954), antropólogo alemão, professor da Universidade de Berlim, sobre iniciações e rituais de renascimento entre "povos naturais" [Naturvölker], em especial os arandas da Austrália; C. G. Jung (1875-1961), que fez duas palestras imprevistas e improvisadas sobre "Vários Diferentes Aspectos do Renascimento: Formas de Renascimento e a Psicologia do Renascimento" e "Exemplo de uma Série de Símbolos que Ilustra o Processo de Transformação".

[79] Os estudiosos do Círculo de Eranos não iam necessariamente aos encontros com artigos prontos; muitas vezes eles falavam de improviso ou a partir de anotações. Suas falas eram posteriormente retrabalhadas para publicação no Eranos-Jahrbuch do ano seguinte, que era editado e apresentado por Olga Fröbe-Kapetyn, a res-

De fato, para Jung, a primavera e o verão de 1939 haviam sido exaustivos e cheios de compromissos. Após uma viagem à Inglaterra, onde falara para a Royal Society of Medicine ("On the Psychogenesis of Schizophrenia") e para o Guild for Pastoral Psychology ("The Symbolic Life") em abril, havia, como presidente da *Internationale Allgemeine Ärztliche Gesellschaft für Psychotherapie* [Sociedade Médica Geral Internacional para a Psicoterapia] (IAÄGP), presidido uma reunião dos delegados em Zurique em julho, na qual insistiu em renunciar à presidência, cargo que exercia desde 1933.[80] Para Jung, aquela reunião da IAÄGP fora difícil e desgastante, de modo que, quando finalmente chegou à conferência do Círculo de Eranos, devia estar cansado e com os nervos à flor da pele. Ele não havia planejado dar nenhuma palestra, queria apenas ouvir e participar das discussões. Fizera 64 anos no dia 26 de julho daquele ano.

"A tensão na Europa era quase insuportável naquele verão", afirma Barbara Hannah, que foi quem levou Jung e sua mulher a Eranos em seu

---

ponsável oficial pelas convocações das Conferências do Círculo de Eranos. Devido à interrupção da guerra, o texto de Massignon que foi publicado no Eranos-Jahrbuch 1939 não é um trabalho acabado, mas sim apenas uma versão precária de sua fala, extraída de uma transcrição baseada na apresentação oral feita por ele (Fröbe-Kapteyn, p. 11, nota 1). Também os trabalhos de Jung publicados nessa edição de 1939 se baseiam em anotações estenográficas feitas durante sua apresentação, posteriormente consultadas e amplamente retrabalhadas para o Jahr-Buch.

[80] Para uma breve análise da presidência de Jung, ver Sorge. Como não era possível encontrar imediatamente outro presidente, Jung continuou no cargo como "presidente honorário" até que se buscasse uma solução. Em 26 de outubro de 1940, a decisão de renunciar foi entregue e aceita (ver carta de Jung a J. H. van der Hoop, 26 de outubro de 1940, em Jung, 1973, pp. 286-88). Durante os anos precedentes, ele já havia tentado várias vezes desligar-se desse trabalho politicamente oneroso e complicado, mas não conseguira fazê-lo por diversas razões. Enfim, sua tumultuosa presidência, iniciada logo após a nomeação de Hitler para o cargo de chanceler do Reich da Alemanha, chegava ao fim. Para um relato mais detalhado da luta de Jung para desligar-se da presidência, v. D. Bair, pp. 460-62.

carro.[81] A conferência ocorreu entre os dias 4 e 12 de agosto, em meio a um terrível mau tempo e assustadora turbulência política. O próprio Jung resumiu a atmosfera dizendo que havia "no ar uma sensação de Juízo Final".[82] Deve ter parecido, tanto a ele quanto aos participantes, que estavam prestes a enfrentar o fim dos tempos. Aquela seria a última Conferência do Círculo de Eranos antes do início da Segunda Guerra Mundial, durante a qual os encontros reduziram-se drasticamente devido às restrições impostas às viagens.[83]

---

[81] Hannah, p. 261. Em sua biografia de Jung, ela conta muitas histórias de passeios em que conduziu os Jungs em seu carro, na Suíça e em outros países. Depois que Jung parou de dirigir, foi Fowler McCormick quem assumiu o posto de seu condutor pela Suíça afora. Conforme todos os relatos, esses eram passeios animados, repletos de conversas.

[82] Ibid., p. 263. Em 23 de agosto de 1939, a Rússia e a Alemanha assinaram um "Pacto de Não Agressão". A Europa ficou horrorizada porque isso permitiria à Alemanha atacar livremente o Ocidente. Em 1º de setembro, a Alemanha invadiu a Polônia, deflagrando declarações de guerra da parte da Inglaterra e da França. A Polônia foi dividida entre a Rússia e a Alemanha e rapidamente massacrada. Começara um terrível pesadelo para o mundo inteiro. Em 2 de setembro, Jung escreveu a seu colega e amigo britânico, Hugh Crichton-Miller: "Hitler está chegando ao clímax e, com ele, a psicose alemã" (G. Adler, op. cit., p. 276).

[83] Em sua apresentação do Eranos-Jahrbuch na Páscoa de 1940, Fröbe-Kapteyn abordou diretamente a situação política: "O tema do encontro de 1939 [...] não podia ser mais adequado à época, já que estamos sob o signo de uma grande morte, na desconcertante e terrível passagem de uma era mundial a outra, que se destina a trazer-nos um renascimento da cultura e uma nova ordem. A situação íntima dos europeus hoje está destituída de qualquer sorte de estabilidade. Mas aqueles que conseguem colocar-se em relação com os elementos comprovados da história cultural, neles encontram arrimo e, no seio dessas forças maiores, podem encontrar também equilíbrio. A base de toda cultura é religiosa. Precisamos de uma orientação histórica e religiosa, de uma visão geral da forma e da essência da experiência religiosa do passado. Sem essa visão geral, não temos uma relação com os povos do passado e, sem essa relação, nossa própria problemática em meio a uma cultura que se aproxima do fim deixa de ser compreensível" (Fröbe-Kapteyn, p. 6). Um mês depois, em 10 de maio de 1940, a Alemanha invadiu a França e a Holanda, o que

Portanto, o contexto pessoal, cultural e político em que Jung compôs "Concerning Rebirth" consistiu em términos, crises e extrema ansiedade diante do futuro. Não obstante, o ensaio ainda demonstra fé em um processo arquetípico que, com o tempo, conduza a nova vida por meio da morte, talvez em outro nível de consciência e não sem muito sofrimento. O ensaio diz respeito à transformação e, portanto, a morte e renascimento, principalmente no plano individual mas também no coletivo, e fala a quem está diante de questões profundas do sentido. Na minha opinião, isso o torna excepcionalmente relevante para o trabalho analítico, que tantas vezes se dá em meio à ansiedade e ao desgaste dos momentos de transição da vida de uma pessoa.

A primeira palestra: "O homem é o par de um Dióscuro..."

A primeira palestra de Jung na conferência dividiu-se em duas partes: a) um resumo de diversas visões religiosas tradicionais do renascimento e b) uma lista de oito aspectos psicológicos do renascimento, concluída com uma incisiva descrição do processo de individuação, ou seja, de "renascimento" no sentido psicológico do termo, e não em seu sentido religioso tradicional de experiência espiritual. Na versão publicada, esses ensaios intitulam-se "Forms of Rebirth" e "The Psychology of Rebirth".

Jung admite que o termo *renascer* é, em si, ambíguo no contexto das religiões do mundo, pois está sujeito a uma grande variedade de acep-

---

causou a explosão da Segunda Guerra Mundial. O mundo se inflamou. A Suíça, cercada pelas potências do Eixo, esperava uma invasão a qualquer momento. E não seria uma anexação, como no caso da Áustria; seria guerra mesmo. Em 19 de junho de 1940, Jung escreveu a Mary Mellon: "Acho que a noite caiu sobre a Europa. Sabe Deus se, quando e em que condições voltaremos a nos encontrar. Só há uma certeza: nada pode apagar a luz interior" (Jung, 1973, p. 284). No fim desse mesmo ano, Jung e a família deixaram o lar em Küsnacht e foram para as montanhas, já que a invasão alemã parecia iminente e as autoridades suíças já o haviam avisado de que correria risco de vida se os alemães o capturassem. (V. o relato gráfico em primeira mão de Barbara Hannah, pp. 267-70).

ções. Literalmente, significa "nascer mais de uma vez", embora esse renascimento possa assumir muitas formas diferentes. Ele pode referir-se à ideia de *metempsicose,* uma longa série de nascimentos em que o karma, transportado de uma vida para a outra em uma sucessão de encarnações, possa formar uma base para algum grau de continuidade. Ou pode designar a ideia de *reencarnação*, que implica uma forte noção de continuidade da alma em uma série de formas humanas e até a continuidade da memória de uma vida para a outra. Ou, então, pode referir-se a *ressurreição*, a transformação de um tipo de corpo e existência em outro, como a do Cristo ressurrecto, que podia atravessar matéria sólida e, ainda assim, distribuir pão e peixe.[84] O termo pode referir-se também a uma mudança interior da personalidade que não seria necessariamente percebida pelos demais, uma *renovação* espiritual como a sugerida por Jesus ao fariseu Nicodemos, que o procurou à noite para orientar-se e ouviu: "Necessário vos é nascer de novo".[85] Ou, diz Jung finalmente, antes de abordar seu verdadeiro tema como psicólogo, o termo pode referir-se ao efeito sobre o indivíduo que participa de um *processo coletivo* como a Missa,[86] no qual aqueles que têm mais fé sofrem uma transformação espiritual alinhada com o mistério da transubstanciação do pão e do vinho. Qualquer dessas versões do termo renascimento poderia facilmente inspirar todo um ensaio ou mesmo um livro só para si. Mas, após a breve interpretação dessas acepções religiosas tradicionais (que constitui a casca seca e dura do ensaio), Jung passa à "psicologia do renascimento", área de interesse especial e especializado dele e, como psicanalistas, nossa também.

---

[84] João 9:13.
[85] João 3:7.
[86] Jung viria a desenvolver longamente o tema na palestra que apresentou ao Eranos em 1941, "Transformation Symbolism in the Mass", ensaio que posteriormente agradaria muito ao frade dominicano Victor White, pois dava a impressão de que Jung não era um protestante reformado típico, sem sensibilidade para o mistério da missa.

Recorrendo ao sentido psicológico da ideia e da experiência do renascimento, Jung inicia sua argumentação afirmando a realidade psíquica do fenômeno. Por ser ancestral, primordial e universal, a ideia do renascimento é arquetípica e, portanto, possui realidade psíquica:

> O fato de as pessoas falarem de renascimento e de simplesmente haver um tal conceito significa que também existe uma realidade psíquica assim designada. [...] O "renascimento" é uma das proposições mais originárias da humanidade. Esse tipo de proposição baseia-se no que denomino "arquétipo".[87]

Jung passa a elaborar suas reflexões ulteriores a partir desta premissa: a noção de renascimento está fundamentada na psique arquetípica e, por isso, exprime um fato da vida psiquicamente real e verdadeiro. Ele prossegue, inicialmente, com uma breve consideração da experiência comum de "um momento de eternidade no tempo".[88] Tal experiência, à qual costumava referir-se como *numinosa*, emprestando o termo de Rudolf Otto, pode ocorrer em um contexto coletivo, em um ritual religioso ou na cerimônia de um culto, ou sobrevir ao indivíduo como experiência mística na solidão. E menciona a "visão do meio-dia" de Zaratustra como "um exemplo clássico disso [do segundo tipo]"[89] (Jung, a vida inteira um "leitor profundo" de Nietzsche, havia mergulhado inteiramente em *Assim Falou Zaratustra* durante a condução de uma longa série de seminários[90] sobre essa obra, encerrada apenas alguns meses antes da Conferência de Eranos de 1939). Sejam individuais ou coletivas, tais experiências de transcendência assemelham-se muito umas às outras porque todas se baseiam no nível arquetípico da psique, onde esta e o mundo fundem-se

---

[87] Jung, 1950/1968a, pars. 206-07.
[88] Ibid., par. 209.
[89] Ibid. par. 210.
[90] Os registros desses seminários foram publicados em dois volumes (Jung, 1988).

em um *unus mundus*. A questão de tais experiências numinosas de "eternidade no tempo" exercerem um efeito transformador sobre o indivíduo e provocarem ou não "uma modificação da personalidade" ficará, por enquanto, em aberto. Elas podem ser meramente estéticas e ter importância apenas passageira, diz Jung, ou podem instigar o "renascimento". Em si, as experiências de transcendência não são a questão principal. Embora geralmente qualquer um possa tê-las, nem todos se deixam transformar por elas.

Após esse trecho introdutório, Jung considera mais detidamente a transformação psicológica. O que é possível? A premissa da base arquetípica do renascimento foi declarada, e a possibilidade de vivenciar a transcendência que promove a transformação da personalidade foi reconhecida. Resta a questão dos diferentes tipos de "transformação subjetiva". Aqui, o psiquiatra e o psicanalista assumem o controle quando Jung considera as seguintes opções:

a) O *abaissement du niveau mental* é um dos possíveis resultados. Diz respeito à transformação que deprime a atividade do ego, talvez por trauma ou choque, e "tem influência restritiva sobre a personalidade como um todo", provocando o "desenvolvimento de uma personalidade essencialmente negativa"[91] caso perdure por muito tempo. Trata-se de uma transformação mórbida, do nascimento em uma personalidade de atividade consciente em nível reduzido.

b) A *ampliação da personalidade,* outro possível resultado, constitui o contrário do primeiro. Essa ampliação se verifica quando o ego estabelece uma relação muito forte ou até se identifica completamente com uma figura arquetípica emergente. Jung mais uma vez cita como exemplo Nietzsche, cujo encontro com Zaratustra

---

[91] Jung, op. cit., par. 214.

o torna um "poeta trágico e profético".⁹² Nesse caso, uma personalidade espiritual maior assumiu a personalidade menor do ego ou, ao menos, a expandiu muito. Entre outros exemplos mencionados por Jung, está o de São Paulo e Cristo ("O próprio Cristo é o símbolo supremo do imortal que está oculto no homem mortal"⁹³). Agora, Jung se aproxima do cerne de sua reflexão em "Concerning Rebirth", a natureza dupla da personalidade, que consiste em um par: a parte menor (o ego) e a parte maior (o *self* arquetípico). Moisés e Chidr (ou al Chadir), como par de figuras simbólicas que interagem uma com a outra, representam essa dualidade. Eles são o foco dos comentários da segunda palestra. Aqui, recebemos apenas leve prelibação do que está por vir. Porém, por enquanto, Jung tem o cuidado de confirmar na primeira palestra as possibilidades patológicas desse encontro entre personalidades menores e maiores. Em geral, essa ampliação da personalidade aplica-se a "[t]odos os casos [...] em que o reconhecimento de algo maior rebenta um anel de ferro que oprime o coração [...]".⁹⁴ Do ponto de vista psicológico, é um momento perigoso, mas necessário à individuação.

c) A *modificação da estrutura interior*, terceira opção mencionada por Jung, possui inúmeras possíveis variantes: possessão pelas "funções inferiores", que coloca em jogo a sombra e um tipo de transformação da personalidade que promove a alternância de opostos extremos; possessão pela *anima* ou *animus*, a qual provoca modificações na identidade de gênero; confusões ou estados de possessão emocional ou ideológica ou possessão por traços arcaicos da personalidade, como um determinado antepassado ou "alma ancestral". Essas transformações estão relacionadas a uma mudança,

---

⁹² Ibid., par. 216.
⁹³ Ibid., par. 218.
⁹⁴ Ibid., par. 219.

temporária ou mais duradoura, na estrutura psíquica que leva a um tipo de personalidade psiquicamente alheio. Tal "renascimento" não seria particularmente desejável.

d) A *identificação com um grupo*, na qual a identidade do indivíduo se funde com uma identidade coletiva, forma a base da "psicologia das massas". Ele se torna um representante da multidão e renuncia à singularidade. Aqui, Jung aproveita a oportunidade de tecer alguns comentários sobre a conjuntura política de então, que viu multidões e até nações inteiras caírem sob o domínio de "líderes" carismáticos (Stalin, Il Duce, der Führer) e ideologias fanáticas distorcidas (comunismo, fascismo, nacional-socialismo).[95] Este tipo de modificação não dura muito no indivíduo: "Pelo contrário, a pessoa depende continuamente da embriaguez da massa a fim de consolidar a vivência [...]. Quando não está mais na multidão, a pessoa torna-se outro ser, incapaz de reproduzir o estado anterior".[96] Esse "renascimento" se baseia na *participation mystique*, uma identificação inconsciente com o "outro", neste caso, a multidão. Muito mais que "conformidade" aos padrões coletivos, que envolve a adaptação normal e a formação da *persona*, esse é um estado de espírito total e possuído.

e) A *identificação com o herói do culto* também exige repetidos atos de identificação. Só que, neste caso, com uma figura ideal adotada por um grupo. Esse tipo de renascimento geralmente ocorre em mistérios religiosos nos quais, "[a]través da participação do destino do deus [...], o indivíduo transforma-se indiretamen-

---

[95] Barbara Hannah escreve que Jung lhe dissera logo após a eclosão da guerra: "De nada adianta dizer que você não está em guerra contra os alemães, você está, sim; eles estão possuídos como Hitler e absolutamente inacessíveis" (Hannah, op. cit., p. 263). Jung já havia falado da possessão coletiva que tomara a nação alemã em 'Wotan', ensaio de 1936.

[96] Jung, op. cit., par. 226.

te".[97] Assim, o indivíduo gradualmente desenvolveria um senso de identificação, por exemplo, com a vida de Jesus conforme a apresenta o Novo Testamento e a representam em reatualizações dramáticas no contexto religioso da adoração cristã.

f) Os *procedimentos mágicos*, que recorrem a técnicas como ritos que simbolizam a passagem por uma morte simbólica e um milagroso renascer como ser semidivino, podem promover transformações interiores. Jung cita o batismo como um procedimento mágico.

g) A *transformação técnica* se processa por meio do uso de procedimentos menos mágicos, como a meditação ou exercícios espirituais, "destinados a induzir a transformação pela imitação"[98] de uma sequência de eventos. No segundo semestre letivo de 1939, Jung deu um curso no ETH de Zurique sobre os *Exercícios Espirituais de Inácio de Loyola*, que ilustram essa forma de indução do "renascimento".

h) A *transformação natural (individuação)*, ao contrário dos métodos mágicos ou técnicos acima mencionados, verifica-se pelo uso dos sonhos e da imaginação ativa, ou seja, dos métodos que vemos Jung empregar em *O Livro Vermelho*. Jung já havia mostrado esse método em operação com pacientes analíticos e descrito os resultados em duas palestras feitas anteriormente no Círculo de Eranos.[99] Neste ensaio, ele faz apenas um relato bastante resumido. A ideia básica é que o processo do renascimento pode ser simbolizado, ao longo de algum tempo, em sonhos que detalham o processo de individuação como "um processo demorado de transformação interna e do renascimento em outro ser. Esse

---

[97] Ibid., par. 230.
[98] Ibid., par. 232.
[99] "Estudo sobre o Processo de Individuação", Eranos-Jahrbuch 1933, e "Símbolos Oníricos do Processo de Individuação", Eranos-Jahrbuch 1935.

'outro ser' é o outro em nós, a personalidade futura mais ampla, com a qual já travamos conhecimento como um amigo interno da alma".[100] É dessa "personalidade futura mais ampla" que amadurece dentro de nós que Jung se ocupa no restante do ensaio.

A essa altura da palestra, Jung começa a atingir o nível máximo de sua competência retórica. Posso imaginá-lo, cheio de paixão, quando diz à sua plateia (e também a nós, seus leitores): "O homem é o par de um Dióscuro, em que um é mortal e o outro, imortal; sempre estão juntos e, apesar disso, nunca se transformam inteiramente num só".[101] Evidentemente, sua plateia em Eranos estava familiarizada com os filhos gêmeos mitológicos de Leda, Castor e Pólux, um mortal e o outro, divino. A individuação (isto é, o renascimento natural) implica a reunião dessas duas figuras; os processos psíquicos "pretendem aproximar amb[o]s, a consciência porém resiste a isso".[102] Jung nos fala da luta que naturalmente ocorre quando essas duas partes se encontram, luta essa que pode levar a um impasse, desconfiança ou dúvida. Tudo de que fala Jung em termos gerais e abstratos nesses parágrafos é por ele vividamente descrito em *O Livro Vermelho*, cujo protagonista (o ego substituto de Jung) entra em prolongados confrontos e tensos diálogos com figuras como Elias, a Alma e Filemon. "Sempre preferimos ser 'eu' e mais nada", confessa ele, falando por todos nós. "Mas confrontamo-nos com o amigo ou inimigo interior, e de nós depende ele ser um ou outro."[103] O desafio que Jung nos propõe é o seguinte: como essa história termina depende de nós, pois somos livres para rejeitar e ignorar a desconcertante e talvez ameaçadora personalidade maior que temos dentro de nós, ainda que para nosso futuro arrependimento ou até trágico prejuízo. Mas, usando a imaginação

---

[100] Jung, op. cit., par. 235.
[101] Ibid.
[102] Ibid.
[103] Ibid.

ativa, podemos estabelecer com ela um diálogo e tentar desenvolver uma relação. A escolha é nossa.

Na época, imerso também em estudos alquímicos, Jung não resiste à tentação de ilustrar com imagens da alquimia o processo de transformação que sobrevém ao confronto com o outro interior, o "imortal". O que os alquimistas descreviam em seus textos insólitos era basicamente a transformação de substâncias materiais, mas Jung acrescenta:

> [A]lguns eram tão lúcidos que sabiam: "é a minha transformação, mas não pessoal, e sim a transformação do que em mim é mortal em algo imortal, [...] que se liberta do seu invólucro mortal, que sou eu, e desperta para sua própria vida; sobe à barca solar e pode levar-me consigo".[104]

Em última análise, a transformação psicológica (renascimento) provoca a entronização do imortal no mortal, do arquetípico no histórico, do *self* imensamente complexo e multifacetado (a "alma" como *imago Dei*) na consciência humana.

A primeira palestra termina com essa nota animadora, com a promessa do que mais traria a seguinte.

A segunda palestra: "[...] como se processa o renascimento que traz a imortalidade [...]"

Após uma pausa, Jung prossegue. Agora ele quer apresentar um exemplo de renascimento como fenômeno psicológico que, afirma, se alinhará com "a extraordinária palestra com que os brindou o Prof. Massignon. Escolhi esse exemplo porque posso referir-me a algo com que os senhores já estão familiarizados".[105] Jung havia chegado tarde a Eranos e perdido

---

[104] Ibid., par. 238.
[105] Fröbe-Kapteyn, p. 430.

a palestra de Massignon naquela ocasião, mas conhecia o trabalho do estudioso francês e seu grande amor à Sura que ele mesmo colocara no centro de suas reflexões sobre o tema do ano. As palestras do famoso islamista concentravam-se na 18ª Sura do Alcorão, "A Gruta", com suas imagens dos Sete Adormecidos e a figura angelical, Chadir. Esse texto abordava um dos temas "favoritos de Louis Massignon".[106] "Toda essa Sura", afirma Jung categoricamente, "é devotada a um mistério de renascimento."[107] Enquanto as duas palestras de Massignon enfocavam o tema da ressurreição no sufismo e no Islã da perspectiva mais tradicional da história das religiões, Jung volta-se para o texto de olho no sentido simbólico do ângulo psicológico e interpreta a Sura como uma declaração sobre o processo de individuação:

> A gruta é o local do renascimento, aquele espaço oco secreto em que se é encerrado para ser incubado e renovado.[108]
> Quem quer que chegue a essa gruta, ou seja, à gruta que cada um tem dentro de si, ou na escuridão que jaz por trás da consciência, se verá envolvido num processo (a princípio) inconsciente de transformação. Com essa entrada no inconsciente, o indivíduo estabelece uma conexão com seus conteúdos inconscientes. Pode então ocorrer uma grande modificação de sua personalidade [...].[109]

Em *O Livro Vermelho*, vemos que a jornada do próprio Jung ao mundo subterrâneo, ou seja, seu próprio processo de individuação, começou

---

[106] McGuire, p. 31.
[107] Jung, 1950/1968, par. 240.
[108] Ibid.
[109] Ibid., par. 241.

com a entrada numa gruta.[110] Nesses comentários sobre a gruta do Alcorão há, portanto, uma referência implícita à sua própria experiência.

Embora a experiência transformadora do renascimento esteja ocorrendo na gruta em que os Adormecidos ficam durante 309 anos, sendo ocasionalmente virados por um anjo, a Sura continua com uma história fascinante sobre o encontro de Moisés e Chadir, "o Reverdejante", anjo e substituto de Alá. Ela fala de uma jornada extremamente instrutiva feita por um homem e uma personalidade divina e da subsequente mensagem de Moisés a seu povo, mensagem essa que, embora derivasse dessa experiência, foi proferida na forma de uma lenda de mistério. Em sua interpretação dessa narrativa religiosa misteriosa e desarticulada, Jung delimita o centro de gravidade absoluto de seu ensaio. Apesar de breve, esse trecho de "Concerning Rebirth", que tem o despretensioso título de "A Typical Set of Symbols Illustrating the Process of Transformation", toca nas fervilhantes questões políticas do momento em que o ensaio foi escrito, mas fala da experiência atemporal da individuação. Na interpretação de Jung, a 18ª Sura do Alcorão brinda-nos com uma instrutiva descrição do que significa caminhar com o criador do destino e ver a história de nossa vida pessoal de uma perspectiva transcendente. Além disso, apresenta-nos um forte argumento em favor da necessidade de criar uma defesa do *self* contra seus inimigos destrutivos e (ainda por cima) dá-nos um conselho bastante prático acerca de como falar a respeito disso tudo.

A história assim se desenrola: Moisés parte com um servo em uma jornada ao lugar de "encontro dos dois mares" (o "centro") e, para alimentar-se no caminho, eles levam um peixe. Conseguem chegar ao destino e então prosseguem em sua jornada, mas o servo se esquece do peixe e deixa-o para trás. Só depois, quando Moisés sente fome, é que percebem que já não têm o peixe. E refazem o caminho de volta ao "centro" para procurá-lo.

---

[110] Jung, 2009, pp. 237ss.

Para Jung, essa fase inicial e importante do processo de individuação no princípio transcorre bem e parece atingir sua meta, ou seja, a chegada ao "centro", mas sobrevém a "perda da alma" (o peixe simboliza o contato com o inconsciente) e um estado mental ao qual os alquimistas referiam-se como *nigredo*, ou morte espiritual. Essa constitui a primeira grande crise desse processo de individuação. Em seu próprio caso, Jung poderia reportar-se ao momento em que, cerca de 25 anos antes, percebeu que havia perdido a alma e gritara: "Onde estás, minh'alma? Podes ouvir-me?",[111] no início de *O Livro Vermelho*. Desesperado, reconheceu seu vazio e sua morte interior. Em sua autobiografia, ele nos relata como, nessa época de sua vida, aos 37 anos de idade, precisara remeter-se à infância e tornar a brincar no jardim com pedras, gravetos e água, na tentativa de reencontrar o caminho para o perdido mundo da alma, um espaço eterno cheio de energia arquetípica.[112] Em outras palavras, percebeu que havia perdido o contato vivo com o inconsciente (o "peixe", na narrativa do Alcorão) e que precisava retroceder sobre os próprios passos. Segundo Jung, essa constatação da perda da alma é um momento típico do processo de individuação, que não segue apenas em linha reta para diante e para cima, mas também rodeia o "centro" e envolve resistência e recuo. Como o encontro dos dois mares também pode ser tomado como uma metáfora do confronto entre as personalidades menores e as maiores, devemos sempre esperar turbulências.

---

[111] Ibid., p. 232.
[112] C. G. Jung, *Memories, Dreams, Reflections*, Nova York: Vintage Books, 1961/1989, pp. 173-75. Em seminário apresentado em 1925, ele afirmou: "Lembro-me de que, quando garoto, me deliciava construindo casas de pedra, toda sorte de castelos, igrejas e cidades fantásticas. 'Pelo amor de Deus', disse a mim mesmo, 'será possível que eu tenha entrado nessa bobagem só para animar o inconsciente?' Naquele ano, fiz inúmeras idiotices como essa e delas desfrutei como louco" (Jung, 1989, p. 41).

Porém quando percorrem o caminho inverso, Moisés e seu servo já não encontram o peixe. Ele desaparecera nas águas, mas, em seu lugar, encontram "um de Nossos servos, que havíamos dotado de graça e sabedoria",[113] *um Anjo de Alá, chamado Chadir pela tradição. Moisés pede-lhe que o deixe segui-lo, mas o pedido inicialmente não é atendido porque Chadir diz-lhe que ele não entenderá o que vê e fará perguntas tolas. Quando Moisés promete manter silêncio, Chadir finalmente anui e, juntos, empreendem uma jornada.*

Jung afirma que Chadir é o peixe que se transforma na escuridão do *nigredo*, pois na alquimia é do "*nigredo* que surge a Pedra, o símbolo do *self* imortal".[114] Chadir é um desses símbolos e representa "uma consciência mais alta" que traz consigo "a intuição da imortalidade".[115] O ego agora entrou em pleno contato com o *self*. A transformação do peixe em Chadir é um *insight* fundamental acerca do processo de individuação, pois "mostrar-lhe-á como se processa o renascimento que propicia a imortalidade. […] O ser imortal surge das coisas despercebidas e desprezadas",[116] ou seja, do inconsciente tantas vezes subestimado e menosprezado. Esse ser emerge no lugar onde o peixe foi perdido e desapareceu na água; agora ele surge como uma figura que "não representa apenas a sabedoria superior como também um modo de agir correspondente a ela, o qual ultrapassa a razão humana".[117] Essa foi precisamente a experiência de Jung durante seu "confronto com o inconsciente", como podemos ver tão claramente em *O Livro Vermelho*: dessa descida à "gruta" e da subsequente busca do inconsciente emergiu seu encontro com Filemon, o qual, no seu caso, funcionou como o equivalente a Chadir para Moisés no texto do Alcorão. O paralelo é dramático e impressionante, e Jung deve ter-se sentido totalmente à vontade com essa Sura.

---

[113] Jung, 1950/1968a, par. 243.
[114] Ibid., par. 246.
[115] Ibid., par. 248.
[116] Ibid.
[117] Ibid., par. 247.

Moisés segue Chadir e observa três atos que o confundem: Chadir faz um furo no fundo do barco de um pobre e o afunda, mata um jovem e escora um muro que está prestes a ruir. Em nenhuma dessas vezes Moisés fica calado e sempre pede uma explicação. Enraivado, Chadir recusa-se a dá-la e ameaça abandonar Moisés. Finalmente, após o terceiro incidente, Chadir cansa-se das perguntas indiscretas de Moisés. Porém, antes de mandá-lo embora, explica-lhe o fundamento de cada um de seus atos. No primeiro caso, seu objetivo era salvar a vida do pescador, que estava sendo perseguido por piratas; no segundo, era matar um mau filho para que outro melhor lhe tomasse o lugar e fizesse felizes os pais; no terceiro, era preservar um tesouro enterrado para que os herdeiros pudessem recuperá-lo posteriormente. Cada um desses atos, por mais inexplicáveis que parecessem à primeira vista, prestava-se a fomentar o bem no futuro. Moisés espanta-se diante dos sentidos revelados por Chadir.

Curiosamente, Jung não faz nenhum comentário a respeito dessa parte da Sura. Poderia ter dito tanta coisa, mas talvez achasse que o texto era óbvio demais como parábola do conhecimento limitado do ego e da perspectiva maior do *self* transcendente. Podemos reconhecer que no curso da história, tanto pessoal quanto coletiva, muita coisa não pode ser penetrada no momento em que ocorre e só retrospectivamente pode ser vista como fruto da ação de um padrão tecido por uma mão oculta e dotado de um sentido inesperado. A narrativa do Alcorão atesta o trabalho da "mão esquerda de Deus" para inscrever na história Seu desígnio, algo que para nós, na estreiteza de nossa consciência, parece tragédia, percalço, catástrofe ou surpresa que, em um momento, ameaça nossa própria vida e, no outro, traz um impressionante adiamento ou reviravolta feliz. Dada a situação política na Europa na época, Jung pode ter achado melhor calar-se acerca dessa perspectiva.

Barbara Hannah relata que Jung teve um pesadelo após aquela conferência em Eranos:

> Estávamos todos de volta a casa e Jung estava em Bollingen quando a notícia da funesta aliança entre a Alemanha e a Rússia irrompeu sobre a Europa horrorizada [23 de agosto]. Jung estava ainda mais perturbado por um sonho muito difícil de digerir que tivera logo em seguida. Ele sonhou que Hitler era "o Cristo do demônio", o anticristo, mas que, apesar disso e como tal, era o instrumento de Deus. Conforme me disse ele próprio, foi preciso muito tempo e muito empenho de sua parte para conseguir aceitar essa ideia.[118]

Algo como esse sonho-pensamento chocante deve ter impedido Jung de comentar essa parte do texto do Alcorão, que tem uma visão semelhante do modo como a Vontade Divina move a história de formas sombrias e inescrutáveis. Ela é análoga às apocalípticas implicações teológicas do bíblico Livro de Jó, que Jung achava tão irritante e também difícil de aceitar, como comprova sua posterior explosão raivosa, *Resposta a Jó*. A grande mensagem é: nossa condição humana não nos permite conhecer o Desígnio Divino oculto por trás das tragédias e reviravoltas da vida, a não ser *a posteriori* ou, quem sabe, por mensagens enviadas pelo *self* na forma de sonhos e visões ou intuições, alguns dos quais extremamente chocantes e talvez ultrajantes ao nosso senso de moralidade e ética. Em escritos posteriores, Jung daria muita atenção ao lado sombrio de Deus, uma intuição que o atormentou a vida inteira e que é recorrente em *O Livro Vermelho*. Aqui, em "Concerning Rebirth", ele passa em silêncio por essa questão. Tenho a impressão de que ela era demasiado difícil de lidar naquele momento da história em que o mundo se viu à beira do abismo. Como Jó, ele tapou a boca enquanto fitava um mistério que lhe ultrapassava a compreensão.

---

[118] Hannah, pp. 264-65.

Agora Moisés fica sabendo que deve falar ao seu povo sobre suas experiências com Chadir, e este o instrui a fazer isso de maneira disfarçada e indireta. Ele deve contar a história como se os envolvidos fossem Dhu al-Qarnayn (vulgo Alexandre, o Grande) e Chadir, e não ele próprio. A história agora se transforma numa aventura empreendida por Chadir e Dhu al-Qarnayn, que juntos viajam rumo ao leste, onde nasce o sol. Mais tarde, eles erguem um grande muro para proteger o povo contra Gog e Magog. Há uma profecia acerca da posterior destruição desse muro pelo Senhor e o subsequente Juízo Final, quando "daremos o inferno aos infiéis".[119]

O comentário de Jung sobre esse trecho obscuro da Sura mostra-nos seus brilhantes dotes hermenêuticos em uma interpretação extremamente imaginativa, mas também muito autorreveladora, do texto. Ele diz que Moisés tivera "uma vivência tremenda do *self* que revelara com grande clareza a seus olhos processos inconscientes".[120] Mas, para relatá-la a seu próprio povo, os judeus, é instruído a dar-lhe a forma de lenda de mistério de cujo enredo deve omitir-se inteiramente e, em seu próprio lugar, pôr Dhu al-Qarnayn. O relato deve indicar Chadir e Dhu al-Qarnayn, e não Moisés, como aqueles que vivem o renascimento. Pondo a narrativa na terceira pessoa e colocando-se fora dela, Moisés (o ego) afirma que a transformação está acontecendo a um aspecto não egoico da personalidade. Esse aspecto é crucial para que se evite a devastadora inflação psicológica que sobreviria caso o ego se identificasse com a transformação e alegasse ser ele mesmo o "renascido". Aqui, mais uma vez Jung cita Nietzsche, a quem vê como um exemplo cautelar nesse sentido, além de uma vítima precisamente dessa catástrofe. Por sua vez, Jung usou essa estratégia quando empregou a alquimia e outros sistemas simbólicos para falar sobre o que vivera pessoalmente em seu "confronto com o inconsciente" e registrara em *O Livro Vermelho*. Nesse ensaio, ele usa a 18ª Sura

---

[119] Jung, op. cit., par. 252.
[120] Ibid., par. 253.

do Alcorão com a mesma finalidade. Fala-se das transformações como ocorridas em um texto tradicional "lá fora", e a referência à experiência subjetiva do autor não é mencionada. O ensinamento é também o de que as figuras do transcendente e do renascido permanecem no inconsciente como pontos de orientação, mas não se tornam egossintônicas.

Nesse ponto do ensaio, Jung traz à discussão o par de Dióscuros europeus, Fausto e Mefistófeles:

> A *hybris* fáustica já é o primeiro passo para a loucura. Parece-me que, no *Fausto*, o início inexpressivo da transformação seja um cachorro e não um peixe comestível e que a figura transformada seja o diabo e não um sábio amigo, [...] dá-nos uma chave para a compreensão da extremamente enigmática alma alemã.[121]

A alma alemã, como coletividade psíquica, parecia ter arrancado do *self* seu potencial negativo e destrutivo na figura transcendente de Mefistófeles e estar então, nos idos de 1939-1940, seguindo-o em uma rota que certamente a levaria à perdição. Jung estivera pensando nessa possibilidade pelo menos desde sua declaração sobre "a besta loira" da psique alemã em 1918,[122] e dera sequência ao tema de uma constelação arquetípica destrutiva em "Wotan", artigo que escreveu em 1936. Aqui, em "Concerning Rebirth", ele coloca Mefistófeles em contraste com um símbolo espiritual muito mais evoluído do *self* transcendente, representado no Alcorão pela figura de Chadir. É uma acusação incisiva àquilo que estava ocorrendo na Alemanha.

Jung vê a criação do muro contra Gog e Magog como uma repetição da cena da construção do muro do trecho anterior da Sura, no qual Chadir escora um muro antigo prestes a ruir. Aqui, isso se torna um projeto

---

[121] Ibid., par. 254.
[122] Jung, 1918/1964, par. 17.

de proporções gigantescas, pois se estende entre duas montanhas. Gog e Magog simbolizam as indistintas "massas inimigas" e "forças coletivas invejosas" que ameaçam todos os que tentam seguir os ditames da individuação, já que esta é um *opus contra naturam* que gera na camada coletiva [da psique individual ou da população circundante em geral] um *horror vacui* e sucumbe com demasiada facilidade ao impacto dos poderes anímicos coletivos".[123] Contra essa ameaça, Dhu al-Qarnayn cria uma defesa para proteger aquele "que encontrou o tesouro em sua busca".[124] Jung refere-se à defesa psicológica necessária à proteção da integridade da pessoa que ousa individuar-se, não importa se essa ameaça vem da psique (de severos perseguidores íntimos) ou do ambiente circundante, de terceiros que, por ciúme da personalidade em processo de individuação e da perspectiva de mudança, se tornam excessivamente críticos. Todo psicoterapeuta reconhecerá imediatamente o projeto de construção de um muro assim com os clientes que começam a individuar-se e têm que enfrentar a hostilidade de familiares e conhecidos ou ataques igualmente violentos de seu próprio íntimo. Essas forças persecutórias são os elementos primitivos representados por Gog e Magog no Alcorão.

A Sura termina com a cena do Juízo Final: "Nesse dia, deixaremos virem os homens em multidões tumultuosas e, quando soar a trombeta, reuniremos a todos".[125] O muro anteriormente erigido por Dhu al-Qarnayn para proteger o renascido dissolve-se e os opostos dividem-se para sempre. Isso significa "o momento em que a consciência individual se extingue nas águas da escuridão, [...] quando a consciência torna a mergulhar na escuridão da qual emergira originalmente [...]: o momento da

---

[123] Jung, op. cit., par. 256. Aqui, também, há uma referência pessoal. É precisamente o problema de que Jung fala na palestra: "Adaptation, Individuation, Collectivity", proferida no Psychological Club em 1916, ano de sua fundação, quando estava imerso em seu próprio trabalho interior mais profundo (Jung, 1916/1976).
[124] Ibid.
[125] Ibid., par. 252.

morte".[126] A história de transformação psicológica (isto é, renascimento) agora chegou ao fim e "será instaurado um estado atemporal de permanência [...] que, no entanto, representa uma tensão suprema e corresponde ao improvável estado inicial".[127] Era um *Götterdämmerung*, um Crepúsculo dos Deuses, que Jung sentia pairar também sobre a Conferência de Eranos e sobre o mundo inteiro em agosto de 1939.

Conclusão

O que levamos de repetidas leituras desse ensaio extremamente motivante é a percepção da suprema importância que Jung, sobretudo nas obras tardias, atribuía ao contato com o espírito do inconsciente e à criação de um intercâmbio contínuo com suas pessoas e imagens simbólicas. Ao meditar sobre essa obra e deixá-la instigar minha própria imaginação, vejo-me refletindo acerca de experiências parecidas de transcendência e diálogos com figuras imaginais que emergiram de sonhos e da imaginação ativa ao longo dos anos. O ensaio de Jung nos faz voltar ao *self* em um movimento rumo à renovação e a um contato mais vivaz com o inconsciente: uma espécie de experiência de renascimento semelhante à que é descrita tão vividamente no texto. No mínimo, somos instados a refletir mais uma vez sobre os mistérios da experiência vivida, exterior e interior, de uma perspectiva externa ao ego.

Para Jung, a imaginação é a chave para o renascimento e a transformação pelo fato de gerar e garantir um "reino intermediário" no qual o encontro com a transcendência e o mistério possa ter lugar e ser aceito como real e válido. Em *O Livro Vermelho*, encontramos um minucioso relato de como ele é e evolui com o tempo. Lá, a figura de Chadir é chamada e descrita de várias formas: "o espírito das profundezas", o par Elias e Salomé, Alma, Filemon e por aí vai. A ênfase que Jung tão firmemente atribui à importância crucial de trabalhar as figuras do inconsciente teve

---

[126] Ibid., par. 257.
[127] Ibid.

continuidade, pelo menos até certo ponto, no trabalho de psicanalistas junguianos que levam a série de sonhos a sério e fomentam um estreito envolvimento com as figuras interiores por meio da prática da imaginação ativa. Em alguns casos, isso cria tal nível de mudança nas profundezas da psique que se pode falar de renascimento com "percepção digna de Dióscuros". Em quase todos os casos analíticos que vão fundo, o resultado é uma duradoura percepção do "outro" interior, um vínculo com a sensação de eternidade e a dimensão atemporal da alma. Essa experiência é o cobiçadíssimo "tesouro difícil de atingir". Mais do que qualquer outra coisa, o que a análise junguiana tem de melhor a oferecer é esse tipo de experiência do *self*.

Se Jung tiver uma grande ideia em torno da qual descreve círculos incessantemente em sua prolífica obra, essa ideia será a noção de individuação. Lendo e estudando os escritos de Jung no decorrer de mais de quarenta anos, fico impressionado diante da eterna numinosidade desse tema. Seus símbolos sempre fascinantes nos induzem a leituras e reflexões cada vez mais profundas. Minha conclusão é que uma transformação como a que Jung descreve é o grande *mysterium* da vida. Diversamente descrita como desenvolvimento psicológico ao longo do ciclo da vida, transformação estrutural, integração progressiva do *self* ou a própria experiência mística, ela também pode chamar-se, como nesse ensaio, renascimento. Em decorrência do "retorno [consciente] à gruta" (introversão) e da prolongada incubação a que lá se submete para presenciar e contemplar a revelação dos mistérios da psique inconsciente, o renascido emerge com "percepção digna de Dióscuros", com a constatação de levar em si uma parte humana, demasiado humana (identidade egoica) e uma parte transcendente e divina (*self* arquetípico). Manter a tensão entre essas duas pessoas e promover entre elas um diálogo equilibrado e contínuo é, como argumenta Jung no ensaio, o cerne da individuação.

Para mim, ler Jung tem sido uma parte essencial dessa jornada graças às maneiras como seus escritos evocam os próprios processos de que falam os textos. Quando lidos em profundidade, eles nos orientam em uma jornada pelas profundezas anímicas e revelam-nos pistas brilhantes para desvelar seus mistérios.

Capítulo Cinco
"O Problema do Mal"

O "Problema do Mal" está inscrito de forma indelével no Sumário de nossa memória coletiva, consciente e inconsciente, e este capítulo do livro foi lido e comentado em profundidade tanto por C. G. Jung quanto por Erich Neumann. Trata-se de um tema crítico, não só para teólogos, especialistas em filosofia da ética, artistas (de todos os tipos), criminologistas e historiadores da cultura, mas também (e, hoje em dia, talvez sobretudo) para psicólogos por causa da questão da motivação humana para cometer maus atos. É possível que devamos aos tempos excessivamente cruéis em que ambos viveram toda a energia com que Jung e Neumann dedicaram-se a enfocar esta questão em seus escritos. No entanto, ela é também uma questão imemorial que vem inspirando reflexões angustiosas ao longo de toda a história registrada: o que é o mal, de onde ele provém e como devemos lidar com ele? Essas mesmas perguntas não estão menos conosco hoje do que já estiveram em eras remotas, embora nossas respostas tendam a ser menos mitológicas e mais sociológicas, filosóficas, políticas ou psicológicas.[128]

Para a psicologia, o problema do mal coloca a questão da ética em posição de destaque. A ética é um produto da tentativa da consciência

---

[128] Curadoria do C. G. Jung Institute, 1967.

humana de confrontar o problema do mal e de contê-lo por meio da definição, da instauração de limites de comportamento, da proposta de horizontes e perspectivas partindo de cenários culturais variados e talvez do estabelecimento de algumas regras específicas de comportamento. A construção da ética é um projeto humano perene porque os tempos e os cenários culturais mudam e evoluem, o que suscita a consideração de novas questões. Talvez a psicologia possa propor algumas ideias acerca da motivação e das raízes psíquicas do mal conforme o definem os construtos éticos, além de algumas sugestões sobre como lidar com ele no plano individual e também no plano social/coletivo, se levar em conta níveis de responsabilidade por atos considerados maus, conceber métodos para contê-los e puni-los e definir condições de reparação que sucedam ao seu julgamento.

Na qualidade de profissionais da psicologia profunda, a pergunta que nos cabe é: a ética pode basear-se na psicologia como a entendemos ou é puramente uma questão de considerações legais e, portanto, inteiramente consciente, culturalmente condicionada e relativa ou mesmo arbitrária? Tradicionalmente, a ética ergue-se sobre alicerces mitológicos e teológicos e é vista como derivada de coisas como "o desígnio de Deus ou dos deuses". Na modernidade, isso não "cola" mais. Não vivemos em uma era de fé. Entretanto, há uma necessidade da ética, e a convicção de que o mal existe continua a ocupar-nos. Assim, pode a ética arraigar-se em perspectivas psicológicas como já se arraigou em perspectivas mitológicas e teológicas? Esse seria um ponto para discussão entre a psicologia profunda, de um lado, e a teologia, a filosofia, a criminologia e outras ciências sociais, bem como a neurobiologia, do outro. Minha tentativa de estabelecer uma base psicológica profunda para a ética na psicologia está representada em *Solar Conscience/Lunar Conscience*, onde defendo uma base arquetípica para a atitude ética em dois tipos de consciência inata. Em outras palavras, creio que o ser humano seja uma criatura intrinsecamente ética, mas não é só isso: ele também é intrinsecamente dado ao oposto, a violar as leis inscritas em seu coração, e quando essa força assume o protagonismo, ele se vê possuído pelo mal. Esse é o grande tema do gnosticismo, simbolizado por Yaldabaoth, o deus-monstro, o demiurgo.[129] Trata-se de um problema de opostos inerentes integrados à própria psique humana e, por conseguinte, insolúvel em um nível racional e puramente consciente, por mais que tentemos dominar o problema do mal.

Do ponto de vista da psicologia profunda, o problema do mal está ligado à percepção de que ele é, em grande parte, controlado por fatores inconscientes. Com exceção de psicopatas rematados, fazer o mal é algo que as pessoas geralmente tentam evitar, pelo menos até certo ponto. A maioria quer estar do lado do bem (ou, pelo menos, ser vista assim); não do lado do mal. Portanto, a atualização do mal geralmente é muito mais sutil e insidiosa que conscientemente perniciosa. Pode-se, com a consciência tranquila, servir ao mal enquanto conscientemente pretende-se fazer o bem obedecendo a uma lei maligna, por exemplo. O mal opera e pode ser praticado em perfeita inocência, com boas intenções e senso de responsabilidade cívica. Na cruz, rezando: "Perdoai-os, ó Pai, pois eles não sabem o que fazem",[130] Jesus fala exatamente disso. Os desígnios do mal se levam a cabo inadvertidamente e com senso de obrigação. Ele é invisível. O mal se vale dos talentos do ego, de sua vontade e de seus poderes, para executar sua obra perniciosa. O ego racionaliza maravilhosa e, com efeito, infinitamente, convencido por seus próprios enganos e sua própria retórica. Quando o ego serve ao mal, cuja mão se mantém oculta, mesmo a "lei", que fala ostensivamente em prol da verdade e da justiça, pode ser usada para subverter esses mesmos valores. O ego é inconscientemente cúmplice disso e propõe a lei para encobrir a obra do mal. Visto da perspectiva da psicologia profunda, é esse o problema do mal.

---

[129] Stein, 2014, p. 87.
[130] Lucas 23:34.

Em *Psicologia Profunda e Nova Ética*, Erich Neumann descreve de maneira brilhante esse problema psicológico de identificar-nos conscientemente com o bem e permanecermos inconscientes do mal em nós. Um indivíduo ou uma comunidade se identifica totalmente com o bem e projeta o mal fora, diz ele, e assim continua livre de culpa na consciência, independente das atrocidades que se possam cometer contra o "outro" percebido como "mau". Esse é o conhecido fenômeno do bode expiatório.[131] A solução, conforme a descreve Neumann em *Psicologia Profunda e Nova Ética*, é o indivíduo ou a comunidade conscientizar-se da sombra que leva em si, levá-la plenamente em conta em seu comportamento e suas decisões e considerar todas as consequências de seus atos subsequentes, para si e para os demais. Isso não é pouco. A "nova ética" leva a postura ética normal de obediência atenta e escrupulosa a uma tradição moral a dar um passo à frente quando torna o mal um fator interior consciente e não o projeta exclusivamente no malfeitor. Isso se aplicaria igualmente a indivíduos e a coletividades (corporações, nações etc.). Diz ela: pense em sua própria sombra (seus motivos inconfessos, suas motivações sub-reptícias, suas inclinações e desejos secretos) antes de criticar, atacar ou condenar o outro. Isso lhe exige o oneroso trabalho psicológico de reconhecer e aceitar que sua própria sombra é parte de sua subjetividade, relativizando assim ingênuas pretensões de pureza e virtude. Simplesmente ser vítima não basta para justificar vinganças nem outras atualizações retaliatórias da sombra. Antes de arrogar-se qualquer vantagem, pense em suas próprias regiões sombrias, diz ele. Na verdade, do ponto de vista psicológico, não existe vantagem sem uma desvantagem bem ao lado.

A análise que Jung faz do problema do mal é um tanto distinta, apesar de concordar em muitos pontos com a de Neumann. Em 1948, depois de ler e elogiar a obra *New Ethic*, de Neumann, Jung escreve: "Uma das

---

[131] Neumann, 1969, pp. 50ss.

raízes mais fortes do mal é a inconsciência, e é por isso que eu gostaria de que o dito de Jesus: 'Homem, se souberes o que sabes, és bem-aventurado; se não o souberes, és maldito e transgressor da lei' ainda estivesse no evangelho, mesmo tendo sido registrado apenas uma vez. Ele bem poderiam ser o lema de uma nova moral".[132] Aqui, vemos Jung defendendo, com Neumann, uma "nova moral" baseada na mesma ideia de tornar consciente a sombra inconsciente antes de agir. Todavia, Jung vê com ceticismo a capacidade humana de manter tal nível de consciência. Além disso, em *Resposta a Jó*, seu posterior confronto com o problema do mal como questão arquetípica, ele nos diz por que nem mesmo tamanha consciência da sombra pessoal bastaria para solucionar o problema de modo definitivo e absoluto. É preciso algo mais. E o que seria?

O contexto das reflexões de Neumann e de Jung sobre o problema do mal nas décadas de 1930, 1940 e 1950 é a grave situação na Europa: o "episódio esquizofrênico" alemão, como o chama Neumann,[133] o estado coletivo de "possessão" (*Ergrifenheit*) na Alemanha pelo antigo deus germânico Wotan, como o descreve Jung,[134] as catastróficas repercussões da guerra e os horrores do Holocausto, as atrocidades estalinistas na Rússia e a ameaça de conflito atômico com o Ocidente em confronto com a União Soviética na Guerra Fria. Como entender essa extraordinária ruptura da consciência moral na história e na cultura modernas no plano coletivo e como administrar o mal no plano pessoal e coletivo eram as questões desmedidas que os preocupavam. As propostas que eles conceberam na época são extremamente relevantes hoje também. E continuarão sendo enquanto as pessoas tiverem que lutar com o problema do mal, o que muito provavelmente implica para sempre, ou enquanto os seres humanos como sabemos que somos e nossa psicologia continuarem a existir.

---

[132] Jung, 1948/1969, par. 291.
[133] Jung e Neumann, p. 140.
[134] Jung, 1936/1964, par. 386.

O problema do mal, conforme o consideramos no âmbito da psicologia, decorre do problema dos opostos inseridos em nossa própria natureza. Ao longo do desenvolvimento da personalidade, o *self* se divide. A consciência do ego necessariamente se separa da plenitude original da personalidade verificada no *self* primal, deixando para trás, na sombra, todas as tendências inaceitáveis e rejeitadas, junto com tudo o mais que não pode ser integrado nesse pequeno território da psique a que nos referimos como nossa identidade, seja pessoal ou coletiva. Assim, uma contravontade ganha forma no sistema psíquico: um lado se esforça por seguir uma determinada direção, em geral a do apego aos outros e da adaptação às condições ambientais, enquanto o outro trilha uma direção muito diferente, que é a do isolamento e da autoafirmação nua e crua. De um lado, somos pessoas de família e cidadãos decentes; do outro, criminosos e monstros egoístas. Ou vice-versa. É por isso que temos uma aliança secreta com o outro oposto e entramos em conluio com as atualizações da sombra dos demais e, às vezes, até as aplaudimos. Quanto mais tensão imprimirmos ao sistema com a ênfase nas características positivas do lado consciente em detrimento das características negativas da sombra inconsciente, mais a cisão se aprofunda e, assim, cria conflitos neuróticos, aumenta a força de defesas como a projeção e exacerba as diferenças até que um seja só luz e o outro, só trevas. Isso deflagra a condição para atualizações em que o mal usa a sombra pessoal para cumprir seu desígnio, ao mesmo tempo que permanece oculto e inconsciente para quem o perpetra. Segundo a tese de Neumann, esse problema pode ser superado ou, pelo menos, muito amenizado caso se torne a sombra consciente para, com isso, diluir a força do mal. Jung já não tem tanta certeza. Talvez o mal esteja além das capacidades humanas de contenção consciente por esse meio. Esse é um ponto de discordância entre eles.

Em uma carta datada de 3 de junho de 1957, Jung escreve a Neumann:

> Em relação à assim chamada *Nova Ética*, estamos essencialmente de acordo, mas prefiro exprimir esse delicado problema com palavras bastante diferentes. Na verdade, não é questão de uma "nova" ética. O mal é e continua sendo aquilo que se sabe que não se deve fazer. Infelizmente, o homem se superestima neste particular: ele acha que pretender o bem ou o mal é algo que está sujeito a seu critério. Ele pode até se convencer disso, mas de fato é, tendo em vista a magnitude desses opostos, simplesmente pequeno e inconsciente demais para poder escolher um ou outro com livre-arbítrio e em todas as circunstâncias. O que ocorre é que ele faz ou não o bem que gostaria de fazer por razões avassaladoras e, do mesmo modo, o mal simplesmente lhe sobrevém como infortúnio.[135]

Jung acha que Neumann está superestimando as capacidades da consciência humana em sua descrição da "nova ética". O mal é uma força tão grande e tão insidiosa que a consciência humana é incapaz de abarcá-lo e de fugir às suas manipulações. Devemos nos lembrar de que Jung pensava o mal como uma força arquetípica e coletiva, e não apenas uma característica da sombra pessoal da personalidade. O mal é uma força que tem uma personalidade como Satã, que é transpessoal e imensamente superior à capacidade que o ego tem de conhecer ou entender seus meios insidiosos. Sempre somos por ele induzidos a fazer aquilo que não faríamos e a não fazer aquilo que faríamos. Quando fala do problema do mal, Jung está pensando no Mefisto de Goethe, no Anticristo da teologia cristã, no Satã do Livro de Jó e em figuras arquetípicas semelhantes, e não apenas (ou mesmo principalmente) no material da sombra que se abriga nos complexos do inconsciente pessoal. O mal recorre à força do instinto

---

[135] Jung e Neumann, p. 327.

e do arquétipo, e Jung o conceitualiza como um aspecto inerente ao *self*, como uma espécie de força espiritual autônoma, tal como é a bondade. Eles são um par de opostos que residem no *self*: Cristo e anticristo. Para Jung, conforme lemos em *Resposta a Jó*, a consciência humana (representada pela figura de Jó) pode ser um instrumento que promova uma redução do mal arquetípico se instigar no Self (representado por Javé) um desenvolvimento, mas a transformação deve processar-se, por assim dizer, acima da cabeça do ego, isto é, pelo Self em seu próprio processo de desabrochamento progressivo e integração interna. O problema do mal simplesmente é grande demais para que os humanos consigam resolver por meio de seus frágeis poderes conscientes, por mais importância que tenha a consciência para instigar a evolução no *self*. Assim, o fato de nos conscientizarmos da sombra e a levarmos em conta em nossas decisões e em nossos atos não nos coloca acima de atualizações do mal. Os seres humanos sempre serão vulneráveis aos ardis e à força do maligno. Essa é a posição refletida de Jung.

Neumann responde à carta de Jung alguns dias depois. Nessa resposta, conta a Jung uma experiência de imaginação ativa que está na origem de sua obra sobre a ética e o problema do mal:

> *Nova Ética* foi a tentativa de processar uma série de fantasias que correspondiam mais ou menos, em termos de tempo, ao extermínio dos judeus, nas quais o problema do mal e da justiça se agitava dentro de mim. Ainda estava remoendo essas imagens, ao fim das quais, para resumir, está o seguinte. Eu aparentemente fora incumbido de matar o homem-macaco no profundo buraco primal. Quando me aproximei, ele estava pendurado, à noite, dormindo na passagem sobre o abismo, mas seu olho, único e torto, fitava as profundezas desse abismo. Embora a princípio parecesse que eu estava encarregado

de cegá-lo, de repente percebi sua "inocência", sua dependência do único *olho da Divindade* [ênfase minha], que estava vivenciando as profundezas por meio dele, que era um olho humano. Então, resumindo muito, eu desabei diante desse único olho, saltei no abismo, mas fui aparado pela Divindade, que me carregou nas "asas de seu coração". Depois disso, esse único olho defronte do homem-macaco se fechou para abrir-se na minha fronte. (Meio difícil escrever isto, mas o que se pode fazer.) Trabalhando a partir do exterior na tentativa de processar o acontecido, cheguei à *Nova Ética*. Para mim, desde então, o mundo parece diferente. Suas formulações na carta também são válidas para mim, mas não vão longe o bastante.[136]

O comovente relato que Neumann faz da origem de sua reflexão sobre o problema do mal e sobre uma "nova ética", cujo surgimento coincide com o período de maior ameaça ao povo judeu, responde a Jung em um nível que aparentemente vai muito além das teses mais racionais que expõe na *Nova Ética*. Suponho que essa carta tenha levado Jung a ver seu discípulo mais dotado, pelo qual já nutria alta estima, com novo respeito, pois escreve a Neumann para informá-lo de que vai mudar alguns parágrafos de um ensaio sobre o problema da consciência que estava terminando na época.[137] Em seu relato dessa imaginação ativa, Neumann revela até que ponto ia sua fé em Deus. Ele, que fora incumbido de matar o homem-macaco, encontra esse ser primitivo (uma imagem clássica da sombra) fitando o buraco primal, um abismo do mal. Porém o homem-macaco é inocente, algo que descobre quando o vê olhar para baixo pelo olho da Divindade, que é ao mesmo tempo um olho humano.

---

[136] Ibid., p. 331.
[137] Ibid., p. 334.

Deus está usando o olho colocado no primitivo homem-macaco para sondar as profundezas (para conscientizar-Se de Suas próprias profundezas). E então o narrador salta ele próprio no abismo! Esse é um "salto de fé" tão notável quanto aquele que Kierkegaard tornou famoso e, como no de Abraão (que Kierkegaard considera o grande modelo do homem de fé), há uma intervenção divina e ele é aparado e carregado nas "asas de seu coração". Neumann afirma que essa experiência o transformou e deu-lhe a confiança de que precisava para encontrar uma solução para o problema do mal: "Para mim, desde então, o mundo parece diferente".

Há no escrito de Neumann uma espécie de abraço extático do mal como se, ao abraçá-lo, abraçasse também a Deus, como se o mal fosse parte de Deus e esse fosse um caminho para estar perto da vontade de Deus:

> [A] meu ver, eu não caio; eu salto e sei que corro o risco de morrer, mas rezo para que "asas de seu coração" me aparem. Isso quer dizer que, com esse ato, estou dentro, e não fora, da Divindade, pois não se trata de um ato do ego, mas sim de um acontecimento ao qual preciso entregar-me. Se o problema de "Jó" (segundo o qual a Divindade deseja vir à consciência) for importante, um aspecto de sua subjetividade é evidente: preciso conformar-me com o único olho da Divindade e também viver a escuridão do abismo. Mas, então, o mal não é pecado, e sim parte do mundo que deve ser vivenciado.[138]

O salto é um momento místico de encontro e realização que conduz, por fim, à completa aceitação da realidade à medida que esta se desenrola diante de nós na história. Essa é a solução de Neumann para o problema do mal. O mal é parte de Deus e, portanto, paradoxalmente,

---

[138] Ibid., p. 332.

participando da história, ainda que fazer o mal seja parte dela, os seres humanos estão participando da vontade de Deus. Acredito que, quando leu isso, Jung percebeu que estava lidando com uma pessoa dotada de uma imaginação religiosa profunda e arrojada, além de intuições muito semelhantes às suas próprias.

Jung estivera preocupado com o problema do mal e da ética desde o início da vida profissional. Isso se deve, em parte, às conversas amistosas porém bastante duras com profissionais religiosos como seu amigo Adolf Keller, pastor da igreja de São Pedro em Zurique e um dos fundadores do Conselho Mundial de Igrejas.[139] Jung foi muitas vezes interpelado pelos amigos de espírito religioso sobre a ética da individuação e teve que formular uma resposta a essa pergunta. Ela tocava na questão da responsabilidade: diante de si mesmo, dos outros e da sociedade. É a individuação, em si, moralmente defensável? Alguns de seus críticos, como Martin Buber, argumentaram que não.

Em *Resposta a Jó*, escrito febrilmente em uns poucos meses durante uma enfermidade branda no início de 1951, Jung aborda o problema do mal de um modo extremamente pessoal, mas ao mesmo tempo também se dirige a toda a cristandade. E oferece uma crítica incômoda do cristianismo e de seus efeitos culturais na história. Ao apoiar e afirmar o bem unilateralmente ("Deus é luz e n'Ele não há trevas"), negando a realidade do mal com a doutrina perniciosa (para Jung) do mal como *privatio boni* (ausência do bem), e ao relegar Satã à danação eterna, o cristianismo no fim cindiu o bem e o mal ainda mais do que já acontecera até então, e isso, paradoxalmente, favoreceu o Mal. Identificando-se com o bem, o cristianismo projetou o mal para fora (nos judeus, entre outros), exatamente como Neumann descreve a velha ética na *Nova Ética* e, "após a catástrofe" da Segunda Guerra Mundial e o trágico colapso do tecido moral no século XX, tem de responder por suas opções dogmáticas.

---

[139] Ver Jehle-Wildberger.

Para resolver o problema do mal na conjuntura teológica cristã, Jung propõe um passo adiante na evolução da doutrina e da teologia cristã, ou seja, a integração do mal à Divindade. Isso superaria a cisão e traria o mal a uma relação mais realística com o igualmente arquetípico bem, na qual fossem possíveis o diálogo e a reciprocidade de efeitos. Além de já sugerido por Neumann na *Nova Ética*, isso é algo que ele defendeu com veemência na carta em que descreve a Jung as origens desse trabalho. É preciso necessariamente integrar o mal ao todo. Porém o que Jung está dizendo é que o processo de integração deve ocorrer no estado pleromático, na Divindade, para depois refletir-se em dogmas teológicos. O dogma não cria a imagem de Deus de uma religião; ele a reflete. A humanidade só pode participar disso até certo ponto, talvez, como Jó, estimulando o desenvolvimento por meio de uma maior conscientização (pelo "olho da Divindade" em uma escala humana, como mostrou a experiência de imaginação ativa de Neumann).

Isso é possível? No fim da carta a Neumann, em 1957, Jung afirma: "Estou muito indeciso em relação à questão do pessimismo e do otimismo; tenho de deixar que o destino se encarregue da solução. O único que conseguiria decidir esse dilema, que é o próprio Deus, negou-me a resposta até agora" e, em seguida, cita Voltaire em *Cândido*: "Espero que você esteja bem *dans ce meilleur des mondes possibles. Tout cela est bien dit, mais il faut cultiver notre jardin*".*[140] Como sempre, Jung é irônico quando fala de Deus (Neumann já lhe havia apontado isso quando leu pela primeira vez o esboço de *Resposta a Jó*) e permanece na indecisão. Ao contrário de Neumann, ele não fora carregado nas "asas de seu coração [isto é, do coração de Deus]".

Será o problema do mal resolvido algum dia? O bem prevalecerá sobre o mal se o integrar ao todo maior? Ou prevalecerá o mal, perma-

---

*[...] nesse que é o melhor dos mundos possíveis. Tudo isso está muito bem dito, mas é preciso cultivar nosso jardim (N. do T.).
[140] Jung e Neumann, pp. 329-30.

necendo fora do todo e, dessa posição externa à Divindade, causando problemas sem fim? No fim, ficamos todos com a pergunta. Neumann parece apostar nos fiéis; Jung parece permanecer cético, mas talvez esperançoso, de um modo ligeiramente irônico.

Capítulo Seis
Sobre a Criatividade da Psique

Um cliente de muitos anos em análise lembrou-se de um sonho que tivera vários dias antes. Desde então, o sonho não lhe saíra da cabeça e retinha um grau de vividez extraordinário. Este é o sonho conforme me contou ele:

> Estou em um grupo de pessoas da área médica. Todos são indivíduos excepcionais; cientistas e inventores de novas tecnologias para a medicina. Um deles me faz um sinal e leva-me a um canto para mostrar-me uma nova criação. E entrega-me um aparelho com duas alças metálicas presas a uma estrutura parecida com uma cesta, na qual há um coração batendo. Ele me diz que esse coração fora criado exclusivamente com células-tronco e que aquilo representava um avanço decisivo na medicina. Fico espantado ao ver aquele milagre da criação em laboratório. Era um coração de verdade, com células e tecidos, e batia com regularidade. Reflito sobre a incrível história recente da tecnologia médica, a começar pela cirurgia de coração aberto, na década de 1950, e prosseguindo em ritmo cada vez mais rápido pelas últimas décadas e por invenções como os stents e os marca-passos até chegar um avanço como este

de agora. É como se tivéssemos escalado uma montanha enorme e agora avistássemos, a distância, montanhas ainda mais altas para escalar. Não consigo desviar os olhos do coração pulsante. Seu criador me entrega o aparelho, eu o seguro pelas alças e levo aquele coração pulsante até minha jovem filha; quero mostrar-lhe este milagre da ciência. Percebo que só na sua geração e na geração de seus filhos é que todo o impacto daquela criação será reconhecido e plenamente integrado à prática médica.

Enquanto ele me conta essa experiência noturna, eu sinto sua profunda emoção. Ele me diz que continua a visualizar a imagem do coração pulsante e que tem meditado a respeito. Não conseguia lembrar-se de um sonho mais impressionante e, àquela altura, já vinha registrando seus sonhos havia décadas. Para mim, esse símbolo aparentemente era a síntese de um longo período de desenvolvimento pessoal e criatividade interior. A imagem que jazia no centro do sonho era numinosa, em um sentido forte dessa palavra carregada: era maravilhosa e inspiradora; sinalizava uma nova criação.

Esse relato me atinge exatamente como Erich Neumann descreve no ensaio "Creative Man and Transformation": "Eis nossa situação. Estamos diante do princípio criador. Onde quer que o encontremos, [...] nós veneramos o princípio criador como o tesouro escondido que, sob a forma humilde, esconde um fragmento da divindade".[141] Nesse sonho, o sujeito se maravilha diante da criatividade *humana*. É algo prometeico. Mas há também o reconhecimento de que essa nova criação é resultado da misteriosa criatividade que há na natureza, nas células-tronco; não é puramente humana, embora os seres humanos dela participem. A nova criação – aquele coração pulsante – é resultado de uma interação entre a criatividade humana e a criatividade da natureza. É essa combinação que

---

[141] Neumann, 1954/1959, p. 168.

produz o estímulo para o maravilhamento e a admiração. É miraculoso e, como diz Neumann, "esconde um fragmento da divindade". Para Neumann, criatividade e divindade são sinônimas, digamos assim, e de algum modo a divindade veio a residir na psique humana como sua criatividade.

Neumann obviamente era fascinado pelo que chamou em seus escritos da maturidade de "o princípio criador". Considerando sua obra como um todo, a qual começa hesitantemente na década de 1930 e depois acelera-se rapidamente após a Segunda Guerra Mundial até atingir plena autoridade na época de sua morte prematura em 1960, aos 55 anos de idade, é impossível deixar de notar quanto dela se debruça sobre o tema da criatividade. As obras explicitamente voltadas para a criatividade e sua expressão na arte são: "Kafka's 'The Trial.' An Interpretation through Depth Psychology" (1933/1958); "Art and Time" (1951); "Leonardo da Vinci and the Mother Archetype" (1954); "Creative Man and Transformation" (1955); "Creative Man and the 'Great Experience'" (1956); "Chagall and the Bible" (1958); "A Note on Marc Chagall" (1954); "Georg Trakl: The Person and the Myth" (1959); *The Archetypal World of Henry Moore* (1961); "Psyche as the Place of Creation" (1960). Entretanto, deve-se dizer também que, de uma maneira ou de outra, todas as suas obras tratam do tema da criatividade e do "novo". A criatividade foi o tema fundamental de todos os escritos de Neumann, talvez até o tronco principal do seu considerável *corpus* de trabalho. Ele era arrebatado pela sensação do nascimento de um novo futuro nas culturas modernas e de novas "formas" (em alemão, *Gestaltungen*), interiores e exteriores, provenientes de uma Fonte aparentemente inexaurível. Seu enorme respeito por essa Fonte reveste-se de um caráter religioso. Não estará errado quem disser que Neumann implicitamente se refere a *Ein Sof*, termo cabalístico que designa a fonte da criação (afinal, ele era um estudioso da Cabala e da mística judaica). Seu fascínio pela criatividade e pelo poder criador era tão evidente no que se refere à sua vida social como jovem sionista na Palestina quanto no que se refere à sua vida íntima como personalidade em processo de individuação e à sua brilhante contribuição para a psicologia analítica.

Neumann, um pensador teórico por excelência, não hesitou em formular construtos metapsicológicos de imensas proporções. Nesse aspecto, diferia de seu mestre, Jung, o qual, por ser um "empirista", tinha muito mais cautela na proposição de suas hipóteses e geralmente só sugeria pistas e possíveis direções a quem quisesse pensar de modo mais especulativo e dedicar-se a aprofundar as pesquisas. Porém Jung reconhecia e admirava as contribuições arrojadas de Neumann, considerando-as acréscimos significativos a seu trabalho pioneiro. Acho que vale a pena concordarmos com Jung nesse ponto.

Lamentavelmente, boa parte da obra de Neumann foi subestimada ou passou despercebida pelo domínio da psicologia analítica tal como este evoluiu desde a morte de Jung. É de se esperar que essa negligência seja corrigida agora, com a publicação da correspondência extensa e reveladora entre Neumann e Jung, *Analytical Psychology in Exile*. Como escreve Jung na áspera carta em que refuta Jolande Jacobi, crítica ferina dos primeiros trabalhos de Neumann: "Acho que o trabalho de Neumann é excelente. Não é um sistema dogmático; é um relato estruturado, ponderado nos mínimos detalhes. [...] É preciso pensar com ele porque, do contrário, estamos perdidos. Até recomendo uma leitura cuidadosa de sua palestra ['Mystical Man']".[142] É por essas e outras que Neumann ficou conhecido como o "junguiano que pensava'. Jung apoiou e defendeu sistematicamente o trabalho de Neumann ao longo de toda a prolífica carreira deste como palestrante do Círculo de Eranos (1948-1960) e como autor de clássicos como *Psicologia Profunda e a Nova Ética*, *História da Origem da Consciência*,* *Eros e Psiquê*** e *A Grande Mãe*.*** Com efeito,

---

[142] Jung e Neumann, p. xli.
* Publicado pela Editora Cultrix, São Paulo, 1990. (fora de catálogo)
** Publicado pela Editora Cutrix, São Paulo, 2ª edição, 2017.
*** Publicado pela Editora Cultrix, São Paulo, 2ª edição, 2021.

tudo indica que o considerava seu mais promissor aluno e sucessor. Nas Conferências de Eranos, Neumann era sabidamente o substituto de Jung como centro espiritual e líder intelectual desde 1952, quando este deixou de participar regularmente. Na verdade, Olga Fröbe-Kapteyn, fundadora do Eranos e dona do belo terreno à beira do Lago Maggiore, pretendia, após sua morte, ceder a propriedade para usufruto vitalício de Neumann. Infelizmente, ele faleceu antes dela.

O que eu gostaria de fazer neste ensaio é descrever a teoria da criatividade proposta por Neumann principalmente em dois de seus trabalhos, "Creative Man and Transformation" e "The Place of Creation", fazendo referência a algumas de suas demais obras. Esses dois trabalhos eram originalmente palestras que ele apresentou nas Conferências de Eranos em 1954 e 1960, respectivamente. Não vou tentar explicar por que a criatividade era tão importante para Neumann, já que não disponho de provas nem de fontes documentais para especular a respeito. Porém não há dúvida de que o tema o fascinou ao longo de toda a vida e nele suscitava uma espécie de fervor religioso. Além de explicar algumas das ideias de Neumann, gostaria de considerar até que ponto seu pensamento sobre a criatividade poderia ser útil ao mundo hoje, tanto individual (e clínica) quanto coletivamente (política, ambiental e globalmente). Talvez possamos traçar algumas implicações que se apliquem a outros domínios que não os puramente psicológicos.

"The Place of Creation": Palestra proferida em Eranos, em 1960

Começarei a ler Neumann de trás para a frente, da perspectiva altaneira de sua última obra, "The Place of Creation". Essa foi sua última palestra em Eranos, apresentada em agosto de 1960, a apenas alguns meses de sua morte, em dezembro. Na época, ele não sabia que estava gravemente enfermo, de modo que seu súbito falecimento pegou a todos, inclusive sua própria família, de surpresa. Até o fim, nem mesmo ele próprio percebeu que estava morrendo.[143]

Nesse denso ensaio, que resume muito do seu pensamento sobre a criatividade e a eleva a um ponto metapsicológico culminante, ele dá expressão a uma teoria que abrange tudo, das manifestações mais primitivas da ordem criada, no universo mineral e vegetal, às mais sublimes, no nível psicológico. Olhando retrospectivamente desse ponto privilegiado, é possível reconhecer como as obras anteriores se encaixam em um padrão sistemático. Um de seus guias intelectuais nesse esforço foi Adolf Portmann, zoólogo marinho e igualmente um astro das Conferências de Eranos; o outro, evidentemente, foi C. G. Jung, amigo e mais importante mentor.

Para resumir, poderíamos dizer que, para Neumann, independentemente de serem puramente naturais, humanas ou transpessoais (arquetípicas), todas as manifestações de criatividade são, em essência, expressões daquilo que ele denomina Princípio Vital (PV). Esse princípio é a força motriz que está por trás de toda a criação e evolução, uma espécie de "fator Deus" (é por essa razão que uso a maiúscula). Além disso, no Princípio Vital há um centro misterioso que é responsável pela ordem e pela forma. O Princípio Vital deve fazer-se acompanhar da Agência Ordenadora (AO), e esse é o segundo aspecto do fator Deus. Em si, o PV criaria um excesso de multiplicidade. Esse desregramento é delimitado e modelado pela AO. Esse processo duplo é ilustrado na criação das "espécies" do mundo animal, por exemplo. Cada animal pertence a uma espécie, a qual contém a totalidade dos indivíduos daquela ordem. Sem a eficácia da AO e sem sua potência criadora de formas, a multiplicidade caótica prevaleceria e transbordaria além de todos os limites, promovendo o caos.

---

[143] J. Neumann, p. 238.

A ação conjunta de Princípio Vital e Agência Ordenadora é responsável pela "criação" (em alemão, *Gestaltung*[144]), pela formação. Para Neumann, todo esse processo é regido ainda por um terceiro fator, a Agência Diretora (AD), que "provém do 'campo' unitário, no qual 'espaço externo com centros' e organismos unicelulares distribuídos no campo se reúnem em um arranjo organizado sob direção unitária".[145] A AD tem vocação teleológica e é o terceiro fator da Trindade da Criação.

Essa combinação de fatores (dinâmica, modeladora, guiada por metas) promove atividades incessantes, que ocorrem desde os níveis mais básicos da existência (Neumann usa o bolor limoso como exemplo do processo no nível unicelular[146]) ao plano mais exaltado da personalidade humana, o qual recebe em si a Trindade e lhe dá expressão cultural. Isso tem uma longa preparação: no decorrer da evolução cósmica e planetária, por intermédio dessa atividade criativa, ordens cada vez mais complexas e refinadas passaram a existir, dando origem por fim, em nosso planeta, à formação das espécies do reino animal. Para os animais, os ditames das espécies, conforme indicam seus padrões instintivos inatos de reação, regem o comportamento. Quando os humanos entram em cena, os ditames da espécie/comportamento instintivo perdem protagonismo diante da personalidade caracteristicamente humana, algo descrito por Neumann como uma "migração para o interior do conhecimento", substituindo o "conhecimento extrínseco" do "campo", que antes orientara e até determinara o comportamento da espécie. No ser humano (*Homo sapiens*), cria-se um organismo capaz de assumir e ampliar o projeto da ordenação, de adaptar-se aos ambientes e até mesmo de criar novas formas. Nesse particular, Neumann coincide com a visão bíblica de que a humanidade é (até o momento) o ponto alto da criação e de fato recebeu

---

[144] Neumann, 1960/1989, p. 320.
[145] Ibid., pp. 333-34.
[146] Ibid., p. 332.

o dom da *imago Dei*, se considerarmos os três fatores mencionados (PV, AO e AD) como uma representação da Divindade.

Eis, então, a fonte da criatividade humana: a Trindade encontra um lar na personalidade humana.

Depois de estabelecer os princípios básicos da criação e do poder criador, Neumann passa ao desenvolvimento da cultura humana. Ele pensa em "estágios de desenvolvimento" e, aqui, recorre a um trabalho anterior, *História da Origem da Consciência,* para esboçar rapidamente três estágios da evolução cultural da humanidade. O que ele tenta mostrar é como essa Trindade de poderes ou agências entra na esfera humana e a transforma em seu lar de uma maneira inteiramente nova, distinta da criatividade da natureza, e o que isso significa para a humanidade. Os estágios de desenvolvimento são três principais e um quarto, atualmente em processamento.

1. O Primordial. Este estágio da história da humanidade, que corresponde mais ou menos ao *Homo Neanderthalensis*, atravessou incontáveis milênios – cerca de 300 mil anos, segundo Neumann[147] – sem mudanças nem avanços culturais significativos. Nenhuma criatividade (ou só a mínima, se considerarmos a confecção de toscas ferramentas) sobressai neste estágio da cultura pré ou proto-humana. Ele ainda é em grande parte dominado por adaptações de rotina orientadas pela espécie em nível do pequeno grupo imediato (ou da família). Não é um estágio muito distante da coletividade estritamente controlada que se verifica nos antepassados animais. Aqui, não há nenhum sinal da psique humana "caracterizada pela 'formação criadora contínua' que consideramos própria da espécie humana".[148] A Trindade opera exclusivamente fora do reino proto-humano e ainda não o adentrou porque não existe morada adequada para ela; não há "personalidade".

---

[147] Ibid., p. 343.
[148] Ibid., p. 344.

2. O Matriarcal. Neste estágio, que começou há cerca de 40 mil anos, verifica-se um importante avanço: o surgimento da cultura Cro-Magnon. Aqui, a consciência individual começa a despontar e já encontramos indícios de expressão simbólica e imagens arquetípicas na forma de estatuetas de barro, pinturas rupestres e outras obras de arte. Mas a consciência individual, o ego, continua relativamente débil, e não se estabelecem tradições coerentes no plano coletivo. A experiência humana continua "confinada a uma atividade psíquica inspiracional e divinatória [...], embora tal atividade já fosse plenamente capaz de forjar moralidade e de produzir rituais".[149] Porém isso já vai radicalmente além do comportamento ditado pela espécie característico do período arcaico, e há indícios em pinturas rupestres, por exemplo, de atividade criativa da psique no plano coletivo, mas não no individual. Neste estágio, os humanos vivem em um mundo simbólico e, segundo Neumann, em vez de ativo, o ego incipiente é passivo e observador. As imagens arquetípicas são recebidas (não importa se de dentro ou de fora; isso não faz nenhuma diferença) e registradas, mas não trabalhadas e desenvolvidas por uma consciência do ego ativa, motivada, individual. O Princípio Vital está emergindo na psique humana no nível coletivo, mas a Agência Ordenadora, ainda frágil, está mais ou menos adormecida.

3. O Patriarcal. Este estágio promove o surgimento "do ego cada vez mais independente e da mente consciente, que se organiza e sistematiza [...]. O homem chegou à fase da psique ativamente criativa e formativa, algo que exige um tipo completamente novo de tomada de controle do processo de criação, da biopsique à psique humana."[150] Ao lado disso, surge uma interioridade criativa dotada de "uma tendência à individualização, liderada por seu excepcional expoente na evolução, a consciência humana do ego".[151] Agora, começamos a encontrar "Gran-

---

[149] Ibid., p. 345.
[150] Ibid., p. 347.
[151] Ibid.

des Indivíduos", representados na cultura pelo Rei e pelo Sacerdote. As tradições começam a ganhar corpo sob a forma de mitos claramente definidos, e há uma preservação deliberada de material simbólico como tábuas, templos e rituais.

Neste estágio, ocorre (ou amplia-se) uma divisão psicológica entre a consciência humana do ego e os processos inconscientes. A tensão gerada entre o ego e o inconsciente inaugura uma forma especial de criatividade até então desconhecida na história do planeta. De um lado, essa criatividade se vale dos processos inconscientes e, do outro, ela é formada e levada adiante pelo ego. A liberdade do ego de formar e executar, em tensão com os processos inconscientes (vitais) que se impõem à consciência do ego de diversas maneiras, possibilita a forma especial da criatividade humana. Nesse processo, a Trindade da criação acaba um tanto dividida e distribuída em diferentes partes da personalidade. O Princípio Criador se abriga no inconsciente, enquanto a Agência Ordenadora passa a residir parcialmente no ego. A Agência Diretora continua a fazer seu trabalho nas profundezas do inconsciente coletivo, orientando os potenciais grandes avanços evolucionários da história da humanidade.

Como vemos aqui, Neumann dá uma importância tremenda ao papel do ego nos processos criadores humanos. Porém, ele é junguiano e, portanto, não quer atribuir valor nem poder demais ao ego. O desenvolvimento de um ego forte é a contribuição do Patriarcado, mas é também apenas um passo no caminho para outro desenvolvimento. O estágio Patriarcal do ego é suplantado pelo desenvolvimento da interioridade, que descobre no *self* a fonte do poder do ego. O *self* é o centro do processo criador da psique, e o ego é agente do *self*. Neumann se refere a isso, aqui e em outras partes, como realização do eixo ego-*self*, a qual supera a contribuição do Patriarcado e leva a evolução da consciência humana um passo adiante. A emergência do eixo ego-*self* na consciência traz consigo a percepção do "campo do *self*", o que supera a divisão entre a consciência do ego e o inconsciente em um novo nível. Não se trata de uma regressão ao estágio anterior, de pouca diferenciação na psique; trata-se de um estágio de realização do *self* em um nível consciente. Agora, partindo do ângulo privilegiado do eixo ego-*self*, é possível apreender o processo criador como produto da ação concertada entre ambos os aspectos da personalidade.

4. Individuação. Embora não especifique os detalhes do quarto estágio da evolução cultural (o pós-patriarcal) nesse seu último ensaio, Neumann sugere claramente seus contornos básicos. Boa parte de seu trabalho tardio do fim da década de 1950 diz respeito à superação da unilateralidade do patriarcado e ao resgate do princípio feminino, para integrá-lo ao cânone cultural estabelecido pelo patriarcado. Sua conceitualização do eixo ego-*self* é a contribuição com que imprimiu sua marca a essa visão de um possível futuro cultural.

Ir além do ego patriarcal ao estágio seguinte exige um intenso desenvolvimento daquilo que ele denomina "interioridade", mas ela é apenas um instrumento para a descoberta da natureza da realidade psíquica. O que o ego patriarcal vai descobrir aqui é que sua alardeada capacidade de utilizar o Princípio da Ordenação na verdade não é propriamente sua, já que depende do acesso ao *self*. A Trindade estabeleceu uma nova morada no *self*. Este agora está separado de seu local original no "campo extrínseco" (equivalente, para Neumann, ao *unus mundus*, o campo unificado que subjaz a toda a realidade), mas, evidentemente, continua ligado a ele, espelhando-o no ser humano. Na personalidade humana, o *self* abriga a Trindade da criação, e o ego desenvolvido e consciente reconhece ser, digamos assim, um agente do *self*, executando a função do Princípio da Ordenação. Quando se alinha com o *self* para formar o eixo ego-*self*, o ego trabalha ao lado do Princípio Vital do *self*. Dessa combinação surge a criatividade humana em sua expressão suprema.

Na teoria de Jung, esses dois aspectos do *self* (o PV e a AO) poderiam ser identificados como *anima* e *animus*, a sizígia. A *anima* é o Princípio Vital, a fonte de energia, imaginação e fantasia; o *animus* é o Princípio da Ordenação, executando a própria vontade por meio da função do ego. Ao reconhecer isso e trabalhar com o *self*, o ego se liberta de seu compromisso unilateral com o cânone e as atitudes patriarcais. Com isso, dá igual lugar ao princípio feminino, reconhecendo que, sem ele, o Princípio da Ordenação se torna estéril e vazio de potencial criativo. Masculino e feminino trabalhando em conjunto: essa é a marca do próximo estágio da evolução da comunidade humana.

Então, no quarto estágio, o ego é incluído na Trindade da criação e se torna um executor de suas atividades criativas. Quando o faz, o ego vive a vida individual como destino. Essa é a individualização do Princípio da Direção, que traz à percepção o sentido da existência, individual e coletiva, da humanidade e da natureza como um todo. É isso que Neumann chama de experiência do "ser interior", o qual vai além da interioridade, que é simplesmente o meio para atingir este nível de consciência. A experiência do ser interior é equivalente à experiência consciente do eixo ego-*self* como um todo unificado.

"Creative Man and Transformation": Palestra proferida em Eranos, em 1954

Passando agora da última palestra de Neumann em Eranos a uma palestra que ele proferiu seis anos antes, em 1954, intitulada "Creative Man and Transformation", discutirei sua análise do indivíduo criativo. Nela, há clara indicação de que o pensamento exposto em 1960 já se fazia sentir em segundo plano, quando Neumann refletia sobre esses seres humanos excepcionais que geralmente consideramos "personalidades criativas". Por exemplo, o termo "princípio criador" já aparece como conceito fundamental neste ensaio anterior.

Para a personalidade criativa, diz Neumann, "o princípio criador está tão arraigado no recôndito mais profundo e obscuro do inconsciente e no que há de melhor e mais sublime do consciente, que só o podemos compreender como o fruto de toda a sua existência".[152] Assim, com todo o seu ser, consciente e inconsciente, os indivíduos criativos se entregam ao processo criador, que muitas vezes deles se apossa de maneira imperiosa. A Trindade da criação os toma, e o eixo ego-*self* assume o controle de sua vida, pelo menos durante algum tempo. É uma espécie de processo de parto do qual participa a personalidade inteira.

O que nasce nesse tipo de processo criador, afirma Neumann, é um aspecto do "mundo simbólico". O mundo invisível do potencial e da possibilidade é transformado em uma imagem ou ideia que será levada à consciência, e a personalidade criativa é o meio pelo qual essa transformação ocorre. Assim, a pessoa criativa é uma espécie de veículo ou canal para que os símbolos venham à luz do mundo da consciência. O princípio criador, que se apossa da personalidade como um *daimon*, está profundamente ligado ao poder criador de símbolos da psique, que Neumann chamaria "Princípio da Ordenação" em seu último ensaio. Portanto, a personalidade criativa participa do processo transformador como criadora de símbolos e, assim, liga o mundo da consciência do ego ao mundo unitário subjacente, uma realidade simbólica. Neste ensaio, Neumann dá muita ênfase à realidade e à importância do mundo invisível, uma realidade unitária. Escreve ele: "Nunca é demais frisar que a chave para uma compreensão fundamental não só do homem, como também do mundo deve ser buscada na relação entre a criatividade e a realidade simbólica. Só se reconhecermos que os símbolos refletem uma realidade mais completa do que a que pode ser abarcada pelos conceitos racionais da consciência é que poderemos apreciar todo o valor do poder humano de criar símbolos. Considerar o simbolismo um estágio inicial do desenvolvimento da consciência conceitual, racional, pressupõe uma perigosa subestimação dos criadores de símbolos e de suas funções [...]".[153] O símbolo capta uma

---

[152] Neumann, 1954/1959, p. 169.
[153] Ibid., p. 170.

visão da realidade unitária antes e além da cisão que a consciência cria entre "interior" e "exterior", e a personalidade criativa é a agente por meio da qual isso se torna visível.

As pessoas criativas podem executar essa função para a humanidade graças à conexão que mantêm com o inconsciente coletivo, onde o mundo unitário existe como realidade psíquica. Mais uma vez, Neumann usa um esquema desenvolvimentista para explicar esse dom especial, que não deixa de ter seu preço.

Para a "personalidade criativa", o desenvolvimento da consciência do ego e da adaptação ao cânone cultural é diferente do verificado nas assim chamadas personalidades normais. Na personalidade criativa, a ligação aos arquétipos permanece intacta, não se transferindo, como faz na personalidade normal, para os complexos e para o princípio da realidade: "[...] a diferença entre o homem criativo e o homem normal [...] reside na intensificação da tensão psíquica que desde o início se verifica no criativo. Há nele uma animação especial do inconsciente e uma ênfase igualmente forte no ego e em seu desenvolvimento, demonstráveis já num estágio inicial".[154] Não é que, aqui, o desenvolvimento psicológico seja retardado ou interrompido no estágio matriarcal por seu ego débil e sua estreita relação com o inconsciente (ou até mesmo integração ao inconsciente). Na personalidade criativa, na verdade, o que se exige é um duplo desenvolvimento: um desenvolvimento do ego semelhante ao do estágio patriarcal e também uma intensificação da presença do inconsciente. Só esse duplo desenvolvimento permite à personalidade ter a verdadeira criatividade. Neumann admira-se com esse extraordinário desenvolvimento evidente já na infância: "Nesse estado de alerta, a criança está aberta para um mundo, para uma realidade unitária avassaladora, que a supera e subjuga por todos os lados [...]. Esse sono acordado [...] é a inesquecível possessão do homem criativo [...], e nós nos [...] extasia-

---

[154] Ibid., p. 180.

mos por ele permanecer fixado nesse estágio e em suas experiências. [...] A partir da infância, o indivíduo criativo é cativado por sua experiência da realidade unitária da infância; não cessa de retornar às grandes imagens hieroglíficas da existência arquetípica. Elas refletiram-se pela primeira vez no poço da infância e lá permanecem até que, na recordação, debruçamo-nos sobre a borda do poço e as redescobrimos, inalteradas para sempre".[155]

Neumann pergunta-se como isso é possível, já que parece desafiar a sequência normal do estágio matriarcal de integração ao mundo inconsciente até o estágio patriarcal de separação do inconsciente e independência do ego. Se a personalidade consciente continua tão profundamente ligada ao invisível mundo unitário – à "mãe" –, é preciso que haja uma lacuna que o "pai" possa preencher e retirar a personalidade do contexto primal. Certamente há um risco aqui. Com a ausência do pai, a personalidade em desenvolvimento corre o risco de ter sua evolução atrofiada ou até de ser engolida e devorada pela mãe. O mundo arquetípico então teria autoridade suprema, e nenhuma força egoica se constelaria. O resultado seria um estado de possessão ou mesmo de psicose. Sem dúvida, nesse caminho estaria a loucura. Segundo Neumann, "[n]a perpétua tensão entre um mundo arquetípico animado e ameaçador e um ego reforçado por compensação, mas sem respaldo no arquétipo convencional do pai, o ego só pode recorrer ao *self*, o centro da plenitude individual, que, apesar disso, é sempre infinitamente mais que individual".[156]

Contudo, permanecem riscos. Muitas personalidades criativas não conseguiram sobreviver à investida do "mundo arquetípico ameaçador". Neumann fala sobre uma personalidade assim num ensaio sobre o genial poeta Georg Trakl,[157] morto em 1914 aos 27 anos de idade por uma overdose de cocaína, evidentemente um suicídio, depois de sofrer gra-

---

[155] Ibid., pp. 180-81.
[156] Ibid., p. 187.
[157] Neumann, 1959/1979.

ves traumas no início da Primeira Guerra Mundial. Na história da vida de Trakl, Neumann encontra uma forte ativação do mundo arquetípico aliada a traumas de infância e a um pai entre passivo e ausente. Em circunstâncias mais amenas, Trakl conseguiu administrar a própria vida com a ajuda de amigos (Ludwig Wittgenstein, por exemplo, o sustentou financeiramente durante algum tempo) e, nessa fase de sua vida, escreveu seus versos magníficos, tão carregados de imagística simbólica. Não podemos saber o que poderia ter acontecido com ele se tivesse resistido à guerra e vivido mais. A pergunta seria: será que ele teria "recorrido ao *self*", como escreve Neumann? E será que isso lhe daria a estabilidade necessária para sobreviver a fortes ativações do inconsciente, como era o seu caso? Ao analisar a vida e a poesia de Trakl, Neumann encontra nele aquilo que denomina, citando sua obra "The Moon and Matriarchal Consciousness", um "ego lunar": "É um 'lunático' em todos os sentidos do termo, e a sua é uma sina lunar. Está vinculada ao reino da noite".[158]

O medo de incitar o mundo arquetípico quando ele ameaça ativar-se é descrito pelo agora decano da crítica literária nos Estados Unidos, Harold Bloom, em seu livro mais recente, *The Daemon Knows*: "Tenho relido *Moby Dick* desde que me apaixonei por ele em 1940, um garoto de 10 anos fascinado por Hart Crane, Whitman, William Blake, Shakespeare [...]. Essas companhias visionárias, em vez de transformar em poeta aquele filho de uma fada trocado por uma criança humana, o transformaram em entusiasta da exegese e perito na apreciação. Supersticioso desde aquela época, eu morria de pavor de ser devorado por demônios vorazes se cruzasse a linha que levava à criação".[159] Em vez de incitar os *daimones* diretamente, Bloom decidiu (talvez com sabedoria) estudar os obras dos possessos dos *daimones* no reino da literatura imaginativa. Seu poeta favorito (talvez depois de Shakespeare, já que ele se proclama adep-

---

[158] Ibid., p. 226.
[159] Bloom, 2015, p. 122.

to da "bardolatria") é o norte-americano Hart Crane, que, como Georg Trakl, escreveu obras simbólicas magníficas e suicidou-se aos 32 anos.

A personalidade criativa, diz Neumann, permanece receptiva e observadora, como no estado do ego no estágio matriarcal do desenvolvimento, mas precisa ter a resiliência e a garra de um ego alicerçado no eixo ego-*self* para participar do processo criador deflagrado pelo inconsciente ativado e sobreviver. Sabemos das provações por que Jung passou quando decidiu seguir "o espírito das profundezas" em busca de sua alma e mergulhou na experiência de *O Livro Vermelho*. No intenso processo criador que se sucede, ele luta para manter a identidade enquanto lida com os "demônios vorazes" que lhe surgem na imaginação e impõem-lhe desafios, dos quais preservar a integridade de seu próprio ego não é o menor. Jung foi uma personalidade criativa que sobreviveu a essas investidas e viveu para transformar as experiências na psicologia profunda. *O Livro Vermelho* é seu poema épico, e todas as obras clínicas, teóricas e hermenêuticas que o seguiram (*Complete Works* 6-18) são produtos mais avançados, alguns em poesia e outros em prosa, que fluíram da torrente de criatividade liberada em decorrência desse período de dificuldades, que quase o venceram durante seu confronto com o inconsciente.

"O processo criador é sintético", afirma Neumann, "precisamente na medida em que o transpessoal, isto é, o eterno, e o pessoal, isto é, o efêmero, se fundem e algo absolutamente singular ocorre: o duradouro e eternamente criativo se atualiza na criação efêmera".[160] Em um de seus ensaios (a meu ver) mais comoventes, escrito em algum momento da década de 1950 e intitulado "A Note on Marc Chagall", Neumann ilustra essa união do temporal com o eterno. Chagall tinha todas as marcas da personalidade criativa (uma espécie de "ego lunar", só que estável, uma conexão imediata e intensa com a infância e os mistérios do mundo simbólico, uma profunda dedicação ao amor e ao divino feminino) e suas

---

[160] Neumann, 1954/1959, p. 189.

pinturas revelam "centros simbólicos" que são "inquestionavelmente produtos espontâneos de seu inconsciente [...]."[161] Chagall pinta coisas da sua infância: a aldeia judia de Vitebsk, os animais, o violinista, o casal de noivos, mas "em sua infância ainda não há separação entre pessoal e suprapessoal, perto e longe, alma interior e mundo exterior; o fluxo da vida segue indiviso, reunindo divindade e homem, animal e mundo, em todo o colorido e resplendor da proximidade [...]. Essa é a realidade da infância de Chagall, e a eterna presença das imagens primordiais vive em sua lembrança de Vitebsk".[162] Chagall foi uma personalidade criativa que, como Jung, sobreviveu à turbulência da juventude e a um invulgar desenvolvimento psicológico duplo e continuou a criar até a velhice. Neumann atribuiria isso à constelação e à estabilidade do eixo ego-*self* nas personalidades de ambos.

Conclusão

Comecei relatando o sonho numinoso de um cliente, no qual ele testemunha uma espantosa criação. O coração pulsante, no meio da cesta, é um ser totalmente novo e inédito, mas não é exclusivamente uma criação da natureza, como nosso corpo ao sair do útero materno, nem exclusivamente uma criação de humanos, de cientistas que o transformaram em realidade e o puseram em uma vitrine. Ele é produto de uma síntese de forças criadoras, naturais e humanas. Acredito que ele seja um símbolo daquilo que Neumann exprime em seus magníficos relatos metapsicológicos do processo criador no mundo humano.

A criação humana é uma extensão do princípio criador em ação em toda a natureza, que recentemente (em termos evolucionários) migrou para a psique da humanidade. As expressões humanas do princípio criador, seja na ciência, na arte, na filosofia, nos negócios ou em qualquer outro empreendimento, não são puramente produtos da inteligência e

---

[161] Ibid., p. 136.
[162] Ibid., p. 138.

da intenção humanas (do engenho e da técnica do ego patriarcal), embora sem dúvida elas também façam parte da história. As criações humanas genuínas são produto de atividades ego-*self* que se valem igualmente de agências conscientes e inconscientes, e essas agências têm origem na natureza e alimentam-se da Fonte do mundo, o *unus mundus*. A fonte da energia criadora humana jaz no inconsciente e, em última análise, na Trindade da criação, que age em toda parte da natureza e agora se abriga na psique humana. O "formador" que concebe essa energia e lhe dá forma (em alemão, *Gestaltung*) e que a impede de dissipar-se ou transbordar em proliferações excessivas e caóticas de exuberância é o "Princípio da Ordenação". Ele também está fundamentalmente arraigado no inconsciente (e, em última análise, no mundo cósmico), de onde forma na psique imagens arquetípicas com as energias que emanam do Princípio Vital.

A personalidade criativa, que também não deixa de ser uma construção psicológica problemática e que muitas vezes degringola em estados patológicos graves, se situa de tal modo em relação ao inconsciente e ao mundo da consciência e da cultura que pode produzir as criações emergentes do inconsciente e torná-las disponíveis para a cultura em um determinado momento e local, usando a linguagem ou os métodos artísticos que a cultura ou as técnicas e teorias científicas de seu tempo disponibilizam ou aceitam. Em outros tipos de atividade humana, como os extroversos reinos do comércio ou da política, a personalidade criativa também desempenha o papel de parteira, trazendo à luz (e à cultura) novas possibilidades. Muitas vezes, as personalidades criativas sofrem com o drama desse parto, seja por estarem muito à frente de seu tempo, por erros de interpretação ou mal-entendidos culturais ou por falhas fatais em sua constituição psicológica, como as que vemos nos gênios que morrem jovens.

Em toda a criação como a conhecemos, não há nenhum outro ser que participe tão plenamente do processo criador quanto o ser humano.

Isso pode engendrar arrogância e inflação perniciosas, vaidade narcísica e até tragédia, como na lenda de Ícaro. Se não fosse o Princípio da Direção, haveria pouco sentido em toda as frivolidades geradas pela criatividade na natureza e na humanidade, mas Neumann demonstra uma fé surpreendente (para um homem tão moderno quanto ele sem dúvida era) em que, nos profundos e obscuros recônditos do inconsciente coletivo, exista uma agência guiada por metas que rume para algum destino significativo. Nós só podemos olhar para trás; para a frente, não. Se considerarmos com gentileza e indulgência os milhões de anos de história da evolução que trouxeram a humanidade a seu presente estado de consciência e realização criativa, talvez possamos manter a esperança de que o futuro não seja de todo catastrófico.

Capítulo Sete
À Beira da Transformação

Ao refletir de início sobre este tema, "à beira da transformação", imediatamente vieram-me à mente vários pensamentos e imagens, relacionados em especial à liminaridade e ao deus grego Hermes, um dos meus preferidos, e também um deus associado a odisseias. Hermes era responsável pela administração de fronteiras, encruzilhadas e extremos e limites existenciais, como o que há entre a vida e a morte, e por levar os seres humanos a conhecer profundamente o território do imprevisto. Ele é uma imagem arquetípica do guia interior que nos acompanha nos percursos de entrada e saída dos reinos do inconsciente em nossas viagens a esse território psíquico. Ele é também o arquiteto dos processos de transformação, na meia-idade ou no fim da vida, por exemplo. Portanto, é a ele que se recorre quando se está "à beira" do desconhecido, na iminência de dar um passo rumo ao futuro imprevisível. A natureza do mundo de Hermes é a do momento crítico, talvez até inquietante, no tempo. É aquilo que se sente na primeira sessão de análise, por exemplo.

Um trecho de uma das cartas de Neumann a Jung chamou-me a atenção. É uma carta escrita apenas dois anos antes da morte de ambos, na qual Neumann relata uma imaginação ativa em que se viu à beira de um abismo. Decidi começar com esta história dramática porque ela prepara o terreno para a pergunta que desejo fazer, que é a seguinte:

com que atitude você, caro leitor, salta da beira no futuro imprevisto (e imprevisível)?

Mas, antes, voltemos a 1942, quando o mundo estava em guerra, os alemães pareciam invencíveis, os judeus estavam sendo despachados para campos de extermínio e Erich Neumann, de seu frágil refúgio em Tel Aviv, encarava o futuro imprevisível que tinha diante de si enquanto o general alemão Rommel rumava para o Egito, já de olho na Palestina. Nessa carta a Jung, com data de 14 de junho de 1957, Neumann se refere a esse momento de ansiedade que teve ao ver um abismo se abrir à sua frente quando explica as origens de seu livro mais controverso, *Psicologia Profunda e a Nova Ética*:

> A *Nova Ética* foi a tentativa de processar uma série de fantasias que correspondiam mais ou menos ao extermínio dos judeus, nas quais o problema do mal e da justiça se agitava dentro de mim. Ainda estava remoendo essas imagens, ao fim das quais, para resumir, veio o seguinte. Eu aparentemente fora incumbido de matar o homem-macaco no profundo buraco primal. Quando me aproximei, ele estava pendurado, à noite, dormindo na passagem sobre o abismo, mas seu olho, único e torto, fitava as profundezas desse abismo. Embora a princípio parecesse que eu era encarregado de cegá-lo, de repente percebi sua "inocência", sua dependência do único olho da divindade, que estava vivenciando as profundezas por meio dele, que era um olho humano. Então, eu desabei diante desse único olho, saltei no abismo, mas fui aparado pela divindade, que me carregou nas "asas de seu coração". Depois disso, esse único olho defronte do homem-macaco se fechou para abrir-se na minha fronte. (Meio difícil escrever isto, mas o que se pode fazer.)

> Trabalhando de dentro para fora a partir da tentativa de processar esse acontecido, cheguei à *Nova Ética*. Para mim, desde então, o mundo parece diferente.[163]

Pense nisso. Ele tem a incumbência de matar "o homem-macaco", que está pendurado na passagem sobre "o profundo buraco primal", fitando as profundezas do "abismo". O que é esse buraco? Esse abismo? Ele precisa ser considerado, mas é muito difícil de discernir. É uma dimensão da existência que a "divindade" parece não conseguir ver sem ajuda, pois a está vivenciando por meio do único olho do homem-macaco. Aparentemente, a divindade precisa desse olho, colocado em um animal (o "homem-macaco"), para ter ciência do que jaz nas profundezas, no buraco. A divindade precisa do homem-macaco para ter ciência do que há lá nas profundezas desse abismo. Portanto, o olho da divindade e o único olho do homem-macaco se juntam e, por meio desse olho mágico, a divindade consegue vivenciar o abismo. Sem dúvida, esse é um lugar do mal e de sofrimento, um purgatório sombrio da existência terrena. Como enxergar através da sombra é a questão, além, é claro, de como conseguir suportá-la quando for vista.

E então ele, o narrador, "salta no abismo"! Não cai lá por acidente; não é empurrado: ele salta no abismo de livre e espontânea vontade. É assim que ele se lança no imprevisto. Sem dúvida, um ato bastante arrojado da parte de Neumann. Mas seria ele um suicida? Por que faz isso? Nenhuma resposta é dada no texto. Mas, pelo texto, sabemos que esse mergulho na escuridão, no abismo, na sombra e no inconsciente foi transformador para Neumann. Ele diz: "Para mim, desde então, o mundo parece diferente". Por quê? Porque de modo surpreendente, inesperado, sem plano nem expectativa e de um modo totalmente imprevisto, ele foi aparado nas "asas do coração". O que é isso? De quem é o coração? De quem são as asas? Há no abismo algum coração alado pronto a aparar-nos quando

---
[163] Jung e Neumann, p. 331.

dermos o salto? Não me parece que se possa contar com isso com toda certeza, senão esse salto não seria o desafio que é.

A frase "asas do coração" ressoa em muitos trechos bíblicos, entre os quais o Salmo 17:8, no qual o salmista roga:

> Guarda-me como à menina do olho,
> > esconde-me na sombra das tuas asas
> dos ímpios que me espoliam,
> > dos inimigos mortais que me cercam.

E, também, o Salmo 36:7:

> Os filhos dos homens encontram refúgio à sombra das tuas asas.

E ainda o magnífico Cântico de Moisés no Deuteronômio (32: 11-12), onde lemos:

> Achou-o numa terra deserta,
> > num ermo de ventos uivantes;
> ele o protegeu e dele cuidou;
> > guardou-o como à menina do olho.
> Como a águia que desperta seu ninho,
> > adeja sobre os filhotes e,
> estendendo suas asas, toma-os
> > e os leva sobre elas,
> assim só o Senhor o guiou,
> > e não havia com ele deus estranho.

As "asas do coração" que aparam Neumann quando este salta no abismo (verdadeiramente, um "salto de fé") e o transportam certamente são as de sua divindade bíblica ou as de um de seus anjos, pois o serafim também tem asas (cf. Êxodo 25:20; 37:9). Nesse momento de imaginação ativa, Neumann tem uma experiência religiosa original que o sustentaria durante os tempos sombrios que ainda estavam por vir quando ele se aproximasse ainda mais do desconhecido. Essa experiência engendrou nele uma atitude de confiança e permitiu-lhe avizinhar-se do imprevisível com uma certa segurança.

E isso não é tudo. O "único olho", que antes fora característico do "homem-macaco" (um traço ctônico de sua personalidade) e compartilhado com a divindade, agora se fecha e surpreendentemente, abre-se na fronte de Neumann. Essa transferência de visão permite-lhe fitar as profundezas do abismo que tinha à sua frente por meio do olho da própria divindade e, dessa perspectiva, escrever a sua primeira e revolucionária obra, *Psicologia Profunda e a Nova Ética*. Quando foi publicada, depois da guerra, essa obra realmente "sacudiu a poeira" em Zurique. Nela, Neumann consegue transcender os opostos do bem e do mal e encontrar uma posição além dessa dicotomia na qual podia agir. Livre do controle de uma cisão e de uma visão divisora, ele consegue sentir a vida de uma maneira inteiramente nova. "Para mim, desde então, o mundo parece diferente", escreve ele a Jung. Essa experiência seria a base para a noção do "eixo ego-*self*" que Neumann viria a elaborar posteriormente. Um novo mundo se abriu diante de seus olhos. Lançar-se ao imprevisto – na verdade, sair da "beira" e saltar no abismo – foi o ato que lhe possibilitou descobrir o eixo ego-*self* como realidade vivida. Uma "nova ética", que significa uma nova visão e um novo avanço, abriu-se para ele. Devemos explorar o significado dessa transformação e a sua importância para nós e para o mundo em que estamos vivendo. Continuamos à beira e, apesar disso, temos que correr o risco de lançar-nos ao imprevisto. Será que isso vai ser algo novo ou apenas repetições do passado? Será que também podemos encontrar nosso lugar, individual e coletivamente, no eixo deste mundo?

Parece que quase todos os que viveram no século XX se sentiram "por um fio", com profunda ansiedade e incerteza quanto a quais passos dar rumo ao futuro imprevisto, como ainda hoje fazemos diante de nossas grandes crises, como o imprevisto ecológico que estamos enfrentando. Jung certamente sentiu isso em 1913, quando estava prestes a mergulhar na experiência de *O Livro Vermelho*. E também seu contemporâneo Franz Kafka, esse estranho mensageiro do porvir, gênio das trevas que jazem sob a superfície dos tempos. Uma das questões mais problemáticas que Kafka coloca é: podemos algum dia recuperar-nos do passado ou estamos destinados a ser atormentados por seus fantasmas até o fim do futuro imprevisível? Jung também enfrentava a questão da insaciedade e do tormento dos espíritos do passado. O que encontramos à beira e além da beira: a infinita repetição do passado ou algumas novas possibilidades de vida e desenvolvimento? Veremos que Jung e Kafka divergem substancialmente nesse ponto, e a pergunta importante é: por quê?

Em 1917, em meio à cataclísmica Grande Guerra, Franz Kafka rascunhou um conto a que deu o título "O Caçador Graco" ("Der Jäger Gracchus"). Kafka vivia em dois mundos, para dizer em termos simples: o mundo diurno do trabalho como advogado de uma grande e burocrática empresa de seguros e o mundo noturno dos pressentimentos sombrios, da imaginação criativa e da escrita. Havia uma passagem, uma beira, e quando a transpunha, ele entrava no espaço do imprevisto e do quase inimaginável. Só que não era, pois ele pôde descrever suas visões e experiências noturnas, como fez Jung com as empreitadas noturnas que desembocaram em *O Livro Vermelho*. Da mesma maneira que na imaginação ativa de Neumann, havia um olho que fitava a escuridão e, em seus contos e romances, Kafka descreveu o que via por meio desse olho visionário. Seus dois mundos são descritos na história do caçador Graco, na qual há um encontro entre eles. A história é mais ou menos assim:

> É um dia como os outros, e um estranho barco, "como se posto sobre a água por alguma mão invisível",[164] chega ao porto de uma cidade. É Riga, dizem-nos. Segue-se uma

---
[164] Kafka, p. 226.

procissão silenciosa em que uma essa, na qual repousa um corpo reclinado, é carregada do barco até um edifício da cidade. A essa é colocada em uma sala do andar superior e cercada por velas que "em vez de iluminar, só perturbavam as sombras [...], fazendo-as bruxulear nas paredes".[165] Logo o burgomestre chega e é saudado formalmente pelo barqueiro. Entra na sala em que foi disposto o corpo e senta-se ao seu lado. Os demais retiram-se e deixam as duas figuras a sós, quando então a que jazia se ergue e começa a contar sua história ao burgomestre. É ela o caçador Graco, morto em um acidente quando caçava na Floresta Negra havia 15 séculos. Seu corpo fora colocado nesse barco para ser levado ao outro mundo, só que o barco errou o caminho e, por isso, continua desde então à deriva. O burgomestre comenta que ele não está só morto, está vivo também. Sim, concorda ele, morto e, no entanto, ainda vivo para sempre. Diz então ao burgomestre que não consegue ascender ao outro mundo: eternamente em movimento, mas incapaz de ascender, está para sempre "encalhado em águas terrenas".[166] Quando parece progredir e avista à sua frente o "portal iluminado", acorda no velho barco. E assim prossegue, continuamente. O burgomestre pergunta-lhe se cogita ficar em Riga. Graco não tem certeza. Não está no comando de seu destino. O mais provável é que seja levado de volta ao barco e desembarque em lugares imprevistos. Seu barco não tem leme "e é levado pelo vento que sopra nas mais profundas regiões da morte".[167]

---

[165] Ibid., p. 227.
[166] Ibid., p. 229.
[167] Ibid., p. 230.

Ele está para sempre ao mar, ao que tudo indica, em uma odisseia permanente.

Posso imaginar Kafka entrando no quarto da rua dos alquimistas em Praga, para onde se mudara no início de 1917, em fuga do apartamento dos pais porque aquele espaço de sua infância era barulhento demais e, lá, adentrando o mundo liminar da imaginação, conjurando os espíritos e fantasmas do passado próximo e distante e entregando-se às trevas de um abismo que se abria à sua frente. Como Neumann, ele saltou no vazio e, com o olho do escritor criativo, fitou a escuridão e descreveu seus contornos e eflúvios. O que viu ficou gravado em seu mundo imaginal e registrado no papel. Graco é o fantasma de um passado cultural: em outras palavras, um complexo cultural que não tem solução, não pode ascender ao outro mundo, continua para sempre presente e insatisfeito, uma noiva em eterna espera do noivo que nunca chega. É um passado que não pode ser transcendido e, por isso, impede a abertura de um novo futuro livre desse fardo. É uma representação do encalhe na liminaridade, da eterna recordação de glórias e feridas de antanho, de um complexo cultural definitivamente integrado à memória coletiva. É aí que estamos até hoje, do ponto de vista cultural? Certamente, os complexos culturais que se formaram ao longo dos séculos atormentam-nos hoje nas guerras religiosas e nas violentas tentativas de domínio tribal sobre grupos rivais.

Com a psicologia profunda, sabemos que a transformação não é possível se não chorarmos o passado, elaborarmos o luto por ele e o deixarmos descansar em paz. No livro *In Midlife*, descrevo os três estágios da transformação: separação, liminaridade e reintegração. O capítulo "Burying the Dead" descreve a primeira fase do processo. Se, como Graco, os mortos continuarem vivos como fantasmas, há uma grande probabilidade de que a liminaridade não seja transposta e se torne um estado permanente. Na prática clínica, muitas vezes vemos pessoas que não conseguem deixar a infância para trás, nunca superam os traumas infantis e continuam vivendo como os mortos, flutuando, sem amanhã que seja diferente de hoje ou ontem. Na terapia, procuramos ajudá-las a elaborar o luto pelo passado, a chorar as pessoas e as oportunidades que perderam e a dar a isso tudo um funeral decente. Assim, o passado pode ser lembrado e reverenciado, mas não determina o futuro nem exclui opções para um dia verdadeiramente novo. Queremos que o passo rumo ao imprevisto seja um passo rumo a algo novo e diferente, não um passo rumo a infindáveis repetições do passado. Essa é nossa esperança como terapeutas, só que ela nem sempre se concretiza. Como na história de Graco, o passado não morre, e o futuro não abre a porta a novas possibilidades.

Quem é o caçador Graco? Ele morreu há 1.500 anos na Floresta Negra enquanto caçava uma cabra-montesa. Foi um acidente. O corpo foi preparado para o enterro, vestido, colocado em uma essa e enviado no que deveria ser sua viagem para a eternidade, lugar do descanso final além do tempo e do espaço. Só que o barco errou o caminho, e a meta do descanso eterno jamais foi atingida. Ele afirma ser como uma borboleta, que voa "às vezes para cima, às vezes para baixo, às vezes à direita, às vezes à esquerda, sem jamais parar",[168] mas quando enfim avista o portão dourado da eternidade, torna a acordar de repente em seu velho barco, "encalhado em águas terrenas, desolado".[169] Não consegue de todo morrer e ascender nem consegue de todo viver. Fica encalhado na liminaridade. O que isso significa?

Voltemos 1.500 anos, ao momento da morte acidental do caçador Graco. O Império Romano chegava a seus últimos dias. A religião germânica e outras religiões pagãs cediam à influência do cristianismo; umas devagar, outras rapidamente. Os antigos deuses dos pagãos (gregos, romanos, egípcios, alemães, nórdicos, celtas) eram transformados em símbolos e objetos sem vida, meros mitos. Será que Graco é o deus-caçador nórdico Wotan, sobre o qual Jung escreve em 1936, alegando que retor-

---

[168] Ibid., p. 228.
[169] Ibid., p. 229.

nara como o antigo deus da guerra, despertando os ventos do belicismo e a sede de vingança e dominação? Será que ele é a "besta loura" do inconsciente germânico, da qual fala Jung mais ou menos na época em que Kafka escrevia sua história do caçador Graco, que viria a lançar o povo alemão na fúria da guerra e na loucura sob as forças hipnóticas do ódio e da vingança conflagradas pela personalidade de um tirano (Führer)? Na história de Kafka, o caçador Graco é patético, o representante de uma cultura morta tempos antes que continua a assombrar o presente e a mantê-lo sob seu jugo, como um sonho de poder arquetípico que já foi apropriado e eficaz, mas que agora só se aferra aos farrapos de sua mortalha rota e malcheirosa. Independentemente do que possa simbolizar, o problema é que ele não logra alcançar o descanso eterno.

No entanto, talvez isso ocorresse se ele fosse devidamente motivado. Em uma continuação fragmentária da história, o Burgomestre confessa: "[...] nesta breve vida humana [...], [p]or mais interessante que seja o caçador Graco [...], não temos tempo para pensar nele, para saber mais a seu respeito, quanto mais para preocupar-nos com ele. Talvez no leito de morte. [...] Talvez então o homem ocupado tenha a chance de espreguiçar-se pela primeira vez e deixar o caçador Graco passar-lhe, para variar, pelo pensamento ocioso. Mas, do contrário, é como eu disse: eu sabia alguma coisa a seu respeito, tinha que vir ao porto a trabalho, vi a barca, a prancha estava baixada, eu subi por ela. Mas agora quero saber alguma coisa coerente a seu respeito". Ao que o caçador Graco responde apenas com desprezo e insatisfação. Aqui não há nenhuma resolução, nenhuma saída, liberação ou integração.

Jung também escreve bastante sobre o problema de levar os fantasmas do passado ao descanso eterno. Isso tem que ver não só com questões pessoais suas (o rompimento com Freud, entre outras), mas também com um problema cultural bem maior: todo o mundo cultural está por um fio e enfrenta um futuro incerto. Jung lutou arduamente com o problema da busca de liberação do passado, de complexos pessoais e coletivos, como vemos em *O Livro Vermelho* e em outros escritos seus. Em dado momento, como nos conta em *Memórias, Sonhos, Reflexões*, ele sonhou que estava preso no século XVII, o que, a seu ver, significava que precisava acertar as contas com a alquimia.[170] Em *Resposta a Jó*, escrito na velhice, ele ainda se dedica a esse projeto de dar o descanso eterno à herança do cristianismo, a religião bíblica nascida de antigas raízes hebraicas. Como demonstra em *Aion*, ele está convicto de que a era dessa tradição religiosa está chegando ao fim ou, no mínimo, a uma crise tão grave que só poderá sobreviver a depender de sua capacidade de transformar-se substancialmente. A Era de Peixes está terminando; a de Aquário desponta. Estamos na transição de uma para a outra. E neste aterrorizante e conflituoso momento de transição, os fantasmas do passado aparecem, como fizeram com Jung quando fitava o futuro imprevisto e imprevisível. É fevereiro de 1916:

> [...] certa noite, uma escura multidão bateu-me à porta, e eu tremi de medo. Então, minha alma surgiu e disse apressadamente: "Eles estão aqui e vão derrubar sua porta".
> [...] E quando ela disse essas palavras, eis que Filemon veio a mim, vestindo o traje branco de um padre, e pôs a mão no meu ombro. Então eu disse para a escuridão: "Falai, ó mortos". Imediatamente, eles gritaram em muitas vozes: "Nós voltamos de Jerusalém, onde não encontramos o que buscávamos. Imploramos que nos deixe entrar. Tens o que desejamos. Não seu sangue, mas sua luz. É isso".
> Então Filemon levantou a voz e ensinou-lhes [...].[171]

---

[170] Jung, 1961/1989, pp. 203-04.
[171] Jung, 2009a, pp. 507-08.

O que sucede a esse trecho de *O Livro Vermelho* é o famoso *Septem Sermones ad Mortuos*. Esses espíritos insatisfeitos (o "que ainda não tem resposta, [...] ainda não tem solução e remissão",[172] como coletivamente os designa em *Memórias, sonhos, Reflexões*) foram anteriormente apresentados em *O Livro Vermelho* como anabatistas liderados por Ezequiel em seu caminho aos lugares sagrados. Jung pergunta-lhes por que estão fazendo essa peregrinação, já que morreram "em verdadeira fé".[173] Ezequiel responde: "Parece-me que nos esquecemos de algo importante que também deveria ter sido vivido",[174] e pergunta a Jung se este saberia o que isso é, já que ele mesmo não o sabe. Jung esquiva-se à mão cobiçosa do espírito e grita: "Solta-me, demônio, tu não viveste seu animal!"[175] Mesmo assim, talvez incrédulos e inconvictos, talvez sabedores de que é tarde demais para viver seu "animal", os espíritos vão-se para os lugares sagrados em sua busca de satisfação. Eles não viveram sua plenitude humana e, por isso, não podem morrer satisfeitos e seguir para o descanso eterno. Na visão de Jung, é esse o problema do cristianismo. Ele renega o corpo para fortalecer o espírito, mas acaba sonegando as possibilidades da vida; portanto, o espírito das pessoas ainda tem fome de algo que esta vida na terra tem a oferecer e não pode morrer em paz e confiante.

Como na história de Kafka, o narrador de *O Livro Vermelho* tem um problema com o passado. Como o morto caçador Graco anseia pela liberação do estado liminar de flutuar entre o tempo e a eternidade, entre o apego e a renúncia, na visão de Jung, também os mortos não conseguem seguir seu caminho enquanto não recebem uma resposta que os liberte de seu anseio frustrado. Eles flutuam entre o tempo e a eternidade e não têm a chave para entrar no reino dos bem-aventurados, na terra dos

---

[172] Jung, 1961/1989, p. 191.
[173] Jung, 2009a, p. 335.
[174] Ibid.
[175] Ibid.

imortais. Entrementes, assombram os vivos. Isso quer dizer "bloqueados" e incapazes de dar passos rumo ao futuro imprevisto.

No caso de Jung, há o mestre Filemon para assumir a tarefa de ajudar os espíritos do passado cristão a alcançarem descanso, para que ele pudesse rumar para um novo futuro. Na história de Kafka, não há uma figura intermediária desse tipo. O caçador Graco não se libera de sua condição liminar. Será que Filemon, por meio de Jung e para Jung, preparou uma forma de viver uma vida diferente, mais livre, de dar um passo rumo ao imprevisto com alguma segurança de que esse imprevisto não seria a repetição de complexos pessoais e culturais do passado? A julgar pela experiência de Neumann, assim pareceria. Jung chamou sua obra de *Liber Novus* (Novo Livro); Neumann chamou sua primeira obra publicada de "Nova Ética". Observe-se a presença do adjetivo "novo" em ambas.

Como é que Jung, por meio de Filemon, conseguiu isso?

Enquanto Filemon pregava os *Septem Sermones* (ou um pouco antes disso), Jung pintava sua primeira e mais famosa mandala, *Systema munditotius*. Essa mandala destina-se a representar a plenitude psicológica, a resposta aos mortos, como vimos no trecho anterior. Ela também descreve e resume o conteúdo dos Sete Sermões. Na parte inferior, por exemplo, vemos Abraxas, o senhor deste mundo, figura citada no segundo sermão e explicada no terceiro e no quarto. No lado esquerdo, vemos a sexualidade masculina, que tende para baixo, para a Árvore da Vida e o reino de Abraxas; no lado direito, temos a sexualidade feminina, que tende para cima, para a arte, a ciência e o reino de Fanes, o arquétipo espiritual. Isso resume os ensinamentos do quinto e do sexto sermões.

Porém os seis primeiros sermões só fazem frustrar os espíritos clamorosos. Eles discutem com Filemon e dizem-lhe que já sabem de tudo aquilo; que dele não estão recebendo nada de novo. Continuam insatisfeitos, e sua frustração fervilha. É o sétimo sermão que finalmente acerta em cheio o alvo e permite aos espíritos encontrar o caminho para o descanso eterno. Eles clamam por saber a respeito da natureza humana:

"[...] gostaríamos que você nos ensinasse sobre os homens",[176] bradam. Filemon aquiesce em dar-lhes um sermão final. Diz-lhes que os seres humanos são o "meio" pelo qual o cosmos e os deuses, os daimones e as almas, e todo o mundo externo passam da pura externalidade ao mundo interior. Os seres humanos são, portanto, a fonte da religião e do mito, da cosmologia e da compreensão filosófica. Mas além da humanidade, ensina ele, e a "incalculável distância, paira uma estrela solitária no zênite. Ela é o único Deus desse homem. Esse é seu mundo, seu pleroma, sua divindade". Quando Filemon lhes fala da estrela que é seu Deus individual e seu destino, "os mortos se calaram e subiram como a fumaça da fogueira do pastor que passou a noite zelando pelo seu rebanho".[177] Estão satisfeitos; encontraram o caminho para o descanso eterno. O tormento terminou.

Que mensagem é essa? Nas conversas com Filemon, por mais longas e difíceis de compreender que sejam, Jung pressente respostas para os problemas de sua vida que lembram a sabedoria do zen-budismo — renúncia, desapego, concentração no pequeno e não no grande e, acima de tudo, responsabilidade pessoal, individual e centrada, também conhecida como individuação. Vemos isso representado na concentração de forças no centro da mandala *Systema munditotius*.

Naquele que é provavelmente o diálogo mais importante entre Filemon e Jung, o que ocorre após a conclusão dos *Septem Sermones*, Filemon reaparece de seu posto na eternidade com um peixe prateado: " 'Veja, meu filho', disse ele, 'eu estava pescando e fisguei este peixe'".[178] Este, evidentemente, é Cristo, que então aparece como sombra e, em seguida, há um monólogo em que Filemon se dirige a Cristo. O resultado desse monólogo é um profundo reconhecimento do que Cristo significou para a humanidade — "de animais, fizeste homens, deste tua vida pelos

---

[176] Ibid., p. 534.
[177] Ibid., p. 535.
[178] Ibid., p. 541.

homens para possibilitar-lhes curar-se".[179] O problema é que os homens começaram a imitar os aspectos externos do comportamento religioso de forma inautêntica e coletiva e a recorrer ao salvador com dependência, em vez de carregar suas próprias cruzes e seguir rumo ao imprevisto por iniciativa própria. Porém, diz Filemon, agora "chegou a hora de cada um trabalhar pela própria redenção. A humanidade está mais velha, e um novo mês começa".[180] Uma nova era se anuncia, e é disso que pretende tratar o *Liber Novus*. Mas, para chegar lá, foi preciso pôr para descansar os espíritos dos mortos, pois eles representam a atitude cultural anterior, um complexo cultural, de imitação e dependência de um salvador externo como o representado pela igreja e seus ensinamentos. Essa nova atitude implica trabalho individual, responsabilidade individual e compromisso pessoal.

Após esse monólogo, o texto é o seguinte: "Filemon sumiu na escuridão, e eu decidi fazer o que me era exigido: aceitei todo o júbilo e todo o tormento de minha natureza e continuei fiel ao meu amor, para sofrer o quinhão que nos cabe a todos. Fiquei sozinho e tive medo".[181] Esse é Jung à beira da segunda metade da vida. Ele chegou à transição da meia-idade e pode prosseguir rumo ao futuro imprevisto criativa e individualmente.

A pergunta que fiz no início foi: com que atitude você salta da beira no futuro imprevisto (e imprevisível)? Vimos o arrojado salto de Neumann no abismo e a transformação por ele promovida enquanto as "asas do coração" o aparavam e possibilitavam a transformação de sua visão. Tomamos a perturbadora e espantosa descrição que Kafka faz do imperecível caçador Graco e suas implicações para a repetição inconsciente dos padrões que permeiam nossos complexos culturais. Vimos o envolvimento de Jung com a mesma questão de levar os fantasmas do passado

---

[179] Ibid.
[180] Ibid., p. 543.
[181] Ibid.

ao descanso eterno e adentrar o imprevisível de maneiras novas e criativas. Essas coisas são variações de um tema e talvez nos dêem pistas e até coragem para descobrir como enfrentar as incertezas além da margem.

Não há em nada disso garantia alguma, pois cada processo de individuação é único. O imprevisto continua sendo o imprevisto. E precisa ser assim, senão não haveria desafio, aventura nem envolvimento com os mistérios da vida. Portanto, para concluir, gostaria de voltar ao deus grego Hermes, guia arquetípico para a liminaridade (representado em *O Livro Vermelho* por Filemon), e citar as últimas palavras de *Hermes, Guide of Souls*, livrinho inspirador de Karl Kerényi:

> Aquele que não hesita em enfrentar os riscos das profundezas abissais nem os caminhos mais novos, que Hermes está sempre pronto a abrir, pode segui-lo e alcançar [...] uma descoberta maior e uma propriedade mais certa. Ele é o guia comum de todos aqueles para quem a vida é uma aventura, seja do amor ou do espírito. *Koinos Hermes!*[182]

---

[182] Kerenyi, p. 149.

Capítulo Oito
Fracasso na Encruzilhada da Individuação

Uma frase me foi dita por um colega: "A encruzilhada do fracasso". Sou obrigado a confessar que senti dificuldade em lidar com ela e em desembalar o sentido dessa imagem. Isso se deve em parte a uma resistência que sentia a esse penoso assunto; talvez ela até se deva a um "complexo de fracasso". O autoexame que fiz mostrou que, evidentemente, isso em parte é verdade. E se devia também a um receio de fracassar em um tema tão importante para a psicologia e a psicoterapia; a um medo de dizer apenas banalidades e superficialidades mal alinhavadas.

E, de quebra, eu ainda tinha de descobrir qual é a conexão entre fracasso e encruzilhada. Não entendi a intenção por trás da frase quando a ouvi. Seria o "fracasso" a encruzilhada que derrota alguém que está nas profundezas do *nigredo* aguardando a transformação? Ou seria a "encruzilhada" outra coisa, algo em que o "fracasso" deve ser colocado e derrotado, dissolvido ou transformado de outro modo? Nesse caso, então o que seria a "encruzilhada"? O caldeirão, o recipiente no qual o fracasso pode ser incubado e transformado?

A pergunta era: os dois termos são separáveis ou devem fundir-se em uma só coisa? Se o fracasso for em si a encruzilhada, o que acontece quando se dissolve por si só, quando se dissolve em si mesmo? Sua especificidade e identidade parecem tão singulares. Não há nenhuma polaridade no termo. O fracasso não parece ter energia para modificar-se internamente. Derrotado por si e em si, não intensificaria apenas a experiência de fracasso e a destilaria em um torrão sólido e insolúvel de material carbonizado? Não se tornaria uma pedra no estômago, um complexo intratável que é levado para a sepultura e talvez além, como um karma?

Assim, fui induzido à convicção de que o fracasso não pode ser a encruzilhada para sua própria transformação. O ego identificado com o fracasso não pode transformar-se. Ele precisa de uma encruzilhada, e a encruzilhada tem de ser um recipiente separado dele. Caso contrário, será como Orfeu quando fracassa na tentativa de tirar Eurídice do Hades e é dilacerado e esquartejado enquanto continua a cantar o réquiem do lamento, sem redenção e sem trégua. É necessário um transformador externo para a alquimia do fracasso de *nigredo* em *albedo*. O fracasso, não importa se for uma sensação subjetiva (caso do "failure-ego", algo como um ego identificado com o fracasso, pessimista) ou um evento objetivo (um experimento científico fracassado, por exemplo), precisa ser colocado em um contexto (numa encruzilhada) maior que não ele próprio para poder ser visto em ma perspectiva que reconheça nele uma parte integrante da obra contínua muito maior (um processo de individuação que abarque uma vida inteira ou a descoberta científica como a totalidade do esforço humano). Para a transformação, o ego precisa separar-se do fracasso e colocar-se em um contexto mais amplo. Mas talvez não depressa demais.

Além disso, há mais a levar em conta na experiência do fracasso do que simplesmente livrar-se dele como se arranca uma erva daninha do jardim. Na ciência, por exemplo, o experimento fracassado é tão valioso quanto o experimento bem-sucedido para o avanço do conhecimento. Na vida, a penosa experiência do fracasso pode ser um diferencial na promoção de profundas mudanças de perspectiva e de atitude. E, dentro da experiência do fracasso, pode ser que, se o ego estiver separado o bastante dela e se houver alguma encruzilhada disponível, haja um potencial de transformação. (Veremos isso na alquimia.) Pense em Jung em 1913, após seu fracasso na colaboração com Freud, quando se viu à beira do abismo de uma descida ao reino do espírito das profundezas. O fracasso foi a experiência crucial que o levou à descida e, de lá, à criação de *O Livro Vermelho* e de tudo que seu conteúdo significava para Jung.

Aqui, quero discutir o importante papel que cabe à experiência psicológica do fracasso no processo de individuação e em seus ciclos de expansão da consciência, que se orientam em direção ao reconhecimento do *self* em ação na vida do indivíduo. Na conclusão, vou discutir nessa perspectiva também os fracassos humanos (coletivos e globais) como uma oportunidade de aumentar a consciência humana no nível coletivo, contanto que haja uma encruzilhada propícia à transformação.

Assim, em resumo, o fracasso é uma boa coisa, desde que haja uma encruzilhada.

A encruzilhada

Comecemos analisando o termo "crucible" (em português, crucíbulo e também encruzilhada˙). O que ele é, do ponto de vista psicológico?

O *Oxford Dictionary of English Etymology* nos dá alguns elementos para reflexão:

crucible: receptáculo para fusão de metais. Xv (primeiras formas *corusible, kressibule*). –medL. *Crucibulum* candeeiro, crucíbulo f. L. *cruc-*, *crux* CRUZ; talvez originalmente lamparina pendurada diante de um crucifixo.[183]

---

[183] *Oxford Dictionary of English Etymology*, p. 231.

˙ Cada língua tem suas especificidades e, no caso do português, o Dicionario Etimológico nos mostra algumas relações interessantes entre as palavras crucial-encruzilhada-crucíbulo, todas derivadas, como o termo inglês *crucible*, do latim *crux*; *crucis* (cruz):

crucial: a origem desta palavra, que tem o mesmo significado e a mesma ortografia em inglês e português, é a palavra *crux* (*crucis* no genitivo) do latim. O uso dessa palavra com o sentido de decisivo, crítico, é uma metáfora criada pelo

Com essa definição de "crucible" como receptáculo para fusão de metais, vemo-nos envolvidos com uma metáfora metalúrgica e, o que para nós é ainda mais importante, alquímica. Podemos pensar na encruzilhada como sendo o *vas mirabile*, o receptáculo alquímico da transformação, sobre o qual Jung afirma:

> Maria, a Profetisa, diz que todo o segredo está em saber do receptáculo hermético. "*Unum est vas*" (um só é o receptáculo), ressalta-se sempre [...]. Naturalmente, imaginamos que esse receptáculo seja como uma espécie de retorta ou cadinho; mas logo percebemos que essa concepção seria inadequada, já que o receptáculo é antes uma ideia mística, um verdadeiro símbolo, como todas as ideias essenciais da alquimia. E, assim, descobrimos que

---

escritor e filósofo inglês Francis Bacon em 1620. A metáfora refere-se não à cruz, símbolo do cristianismo, mas ao cruzamento, à encruzilhada formada por duas estradas que se cruzam e onde viajantes, não familiarizados com o caminho, teriam que tomar uma decisão "crucial", que afetaria drasticamente seu destino. Disponível em: https://www.dicionarioetimologico.com.br/crucial/. Acesso em: 9 dez. 2020. Acesso em: 9 dez. 2020.

crucíbulo: s. m. || espécie de candeeiro de quatro braços em cruz, outrora usado. [...] F. lat. *Crux, crucis* (cruz). Disponível em: http://www.aulete.com.br/cruc%-C3%ADbulo. Acesso em: 9 dez. 2020.

Quanto à terceira acepção de *crucible*, a saber, cadinho ou crisol, temos na etimologia do segundo termo português uma relação explícita com a alquimia:

crisol: recipiente utilizado para experiências químicas em que se têm de misturar ou fundir substâncias, metais; cadinho.

Etimologia: esp. crisol (1492) 'recipiente para fundir metais a temperatura elevada', do cat. gresol, cat. ant. dial. cresol (1371) 'cadinho', de orig. obsc., talvez de uma base romance *crosiolu der. do adj. pré-romano *crosu 'oco', com alt. para crisol por infl. de voc. de alquimia em criso- (do gr. khrusós 'ouro', cf. cris(o)-). Dicionário Eletrônico Houaiss da Língua Portuguesa, Versão 1.0 – Dezembro de 2001 (N. do T.).

o *vas* é a água ou *aqua permanens*, a qual não é senão o Mercurius dos filósofos.[184]

Desse trecho, depreendemos que o *vas mirabile* é um símbolo que contém e transforma a *prima materia*. Os alquimistas não estavam falando de cadinhos e retortas de vidro só literalmente. Eles falavam por metáforas e símbolos. O *vas mirabile* é um miraculoso receptáculo de símbolos dotado de propriedades transformadoras. Ele é o local psíquico da transformação. Podemos concebê-lo como um espaço sagrado, ou seja, como um espaço psíquico protegido no qual Mercurius, que é a energia da transformação, está presente e ativo quando lá se coloca o material certo.

A etimologia da palavra inglesa *crucible* nos volta em direção ao simbólico quando liga esse receptáculo para fusão de metais a *crux*, cruz, um signo clássico de "fracasso", e nos faz relembrar este trecho da Bíblia: "E, chegada a hora sexta, houve trevas sobre toda a terra até a hora nona. E, à hora nona, Jesus clamou em alta voz: Eloí, Eloí, lama sabactâni?, que significa: Deus meu, Deus meu, por que me desamparaste?" (Marcos 15:33-34). A cruz marca o angustioso *locus* do fracasso e o lugar de sua transformação.

Crucibulum, palavra latina da qual derivam o termo inglês "crucible" e o termo português crucíbulo, designa uma lamparina, talvez originalmente pendurada diante de uma cruz em igrejas ou catedrais, de modo a lançar luz sobre o momento do "fracasso" de Jesus como messias secular e sua transformação em salvador espiritual. Ele é a lâmpada da consciência lançando luz sobre o fracasso e sua transformação.

A cruz é um símbolo de transformação do fracasso em triunfo. A experiência de rejeição e ridicularização foi aqui fundida e convertida em um sentido que une os opostos fracasso/sucesso e depois transcende essa dicotomia quando a leva a um nível simbólico e espiritual. O fracassa-

---

[184] Jung, 1954/1968, par. 338.

do Jesus da história foi interpretado (esse é o trabalho de Hermes e da hermenêutica) para seus seguidores e transformado, então e até os dias hoje, no Cristo vivo que une em si o humano e o divino. Cristo é um símbolo vivo do Amor Divino justamente por suas feridas, as marcas de seu fracasso terreno.

Assim, chegamos à compreensão de que a "encruzilhada" é um símbolo psiquicamente poderoso que pode transformar o fracasso em algo radicalmente diferente daquilo que as aparências sugerem no plano mundano. Ele nos leva a reconhecer: aqui há mais do que se pode ver de imediato.

Para fins de reflexão sobre este tema, suponhamos que a análise possa ser uma "encruzilhada" moderna para dissolver a sensação e a forte percepção do fracasso na vida e transformá-lo; que a análise possa ser um recipiente simbólico no qual a sensação e o julgamento do "fracasso" possam ser transformados em um momento crítico, até um ponto crucial, decisivo, na narrativa da atualização do *self* na vida de uma pessoa, isto é, da individuação. A análise pode ser o "receptáculo para fusão de metais", como consta na definição de "crucible" e, além disso, para sua transformação ao modo alquímico.

Digo "pode ser" porque não quero induzir a psicoterapia nem a psicanálise junguianas à decepção (ou seja, ao fracasso) ao fazer promessas excessivas. Nós, que praticamos esta moderna arte de "cuidar de almas", sabemos que nem todos os casos se tornam histórias de transformação e que, com frequência, somos obrigados a colocar nossa sensação de fracasso como analistas na encruzilhada da transformação. Mas também sabemos que, de vez em quando, a *sublimatio* ocorre no contexto da relação terapêutica. Na maioria das vezes, não sabemos exatamente como isso se processa. Os junguianos tendem a atribuir o "efeito encruzilhada" ao funcionamento espontâneo do inconsciente, de cujo útero criador emerge um símbolo que produz a transformação. Há muitos testemunhos disso. Citarei um publicado recentemente nas páginas do *Financial Times*, em um artigo escrito com muita argúcia psicológica pelo colunista Harry Eyers:

> Fico com o grande pianista chileno Claudio Arrau que, quando jovem, desesperado e contemplando o suicídio, encontrou a salvação na psicanálise junguiana. Cada vez mais livre de bloqueios físicos, emocionais e psicológicos, ele foi capaz de expressar-se como artista e como homem. Como escreveu Arrau sobre Mahler: "A angústia e o medo da morte deram lugar a uma firme convicção da indestrutibilidade da alma humana".[185]

Não conheço detalhes da biografia de Claudio Arrau (1903-1991), mas imagino que ele se sentia um fracasso irremediável naquele momento da vida em que se viu na encruzilhada da análise junguiana. A transformação foi decisiva e resultou em muitos anos de apresentações magistrais nas grandes salas de concerto do mundo inteiro. Em uma breve biografia *on-line*, encontramos o seguinte tributo à arte de Arrau:

> Enquanto outros pianistas famosos tocam por emoção, poder ou exibição, Arrau toca para sondar, adivinhar, interpretar. Segundo Arrau, "um intérprete precisa dar seu sangue à obra interpretada". O afamado decano da crítica musical londrina, Sir Neville Cardus, do *The Guardian*, explicou Arrau melhor que ninguém: "Arrau é o pianista completo. Ele pode deliciar-se no teclado pelo simples prazer do piano, interpretando para nós as possibilidades e a força do instrumento, mas também pode ir além do tocar piano quando sua arte nos leva às recônditas câmaras da imaginação criativa".[186]

---

[185] H. Eyers, *Financial Times*, 6 de maio de 2014.
[186] Disponível em: http://www.princeton.edu/~gpmenos/biography.html. Acesso em: 9 dez. 2020.

É bem possível que essa capacidade demonstrada por Arrau de entrar nas "recônditas câmaras da imaginação criativa" e explorá-las decorra de uma transformação na encruzilhada da análise.

"Fracasso"

Vejamos agora o "fracasso", o outro termo de nosso tema. Como devemos pensar sobre esse terrível assunto? Como vamos defini-lo? O *Oxford Dictionary of English Etymology* nos apresenta uma sugestão curiosamente psicológica ao definir a palavra *failure*, fracasso:

failure: inadimplência; carência de sucesso. Fracassar: ser falto ou insuficiente; perder poder, falhar ou carecer, inadimplir. XIII. – (O)F. *faillir* ser carente de – Pr. *falhir*:_ Rom. *fallire*, do L. *fallere*, enganar, é usado no sentido de "frustrar expectativa, ser imperfeito, falho ou falto de alguma coisa".[187]

A origem da palavra inglesa *failure* está no latim *fallere*, enganar.** O fracasso ocorre quando pensamos perceber algo, mas nos enganamos; quando esperamos algo e nos decepcionamos; quando projetamos nossos desejos e nos desiludimos depois de descobrir que os objetos ou objetivos nos quais colocáramos nossas imagens psíquicas de grandes expectativas são imperfeitos ou "faltos de algo que esperávamos". Essa definição evidencia que, na qualidade de seres intrinsecamente psicológicos, estamos destinados ao fracasso porque o desejo, a ambição, a projeção, a expectativa e a esperança estão arraigados em nosso psiquismo. A sensação de fracasso é inerente à vida humana.

---

[187] *Oxford Dictionary of English Etymology*, p. 342.
** E o mesmo ocorre com a palavra portuguesa "falir":
falir: faltar, minguar; não obter sucesso, fracassar, malograr
Etimologia: lat. falló, is, fefellí, falsum, fallère 'enganar; escapar a, de', ger. imp.; ver falec-; f.hist. sXIV falyr. Dicionário Eletrônico Houaiss da Língua Portuguesa, Versão 1.0 – Dezembro de 2001 (N. do T.).

Podemos experimentar o fracasso em qualquer das seguintes situações (ou mesmo em todas): a) quando nos frustramos (quando ficamos aquém das grandes expectativas que acalentamos em relação a nós mesmos com base em ambições pessoais motivadas pelo ego), b) quando as coisas ou as pessoas nos frustram (quando elas ficam aquém de expectativas que se baseiam em nossas projeções inconscientes e desejos conscientes), c) quando frustramos os outros (quando ficamos aquém de expectativas que temos de nós mesmos com base em uma autoimagem narcísica grandiosa). O fracasso é a sensação e o julgamento da inadimplência, da insuficiência, da perda de poder sobre nós mesmos e sobre nosso mundo. O fracasso é uma derrota para o ego e sua autoimagem narcísica.

O sucesso, oposto do fracasso, é a condição perfeita justamente para o fracasso. O sucesso aumenta as expectativas que nutrimos a nosso próprio respeito e a respeito dos outros e, por isso, quanto maior ele for, mais drástica será nossa sensação psicológica do fracasso. O preço da fama é o fracasso público. Por essa razão, Jung desconfiava do sucesso mundano (que, aliás, teve muito). Ao voltar para casa de uma viagem muito aplaudida ao estrangeiro, aos Estados Unidos, por exemplo, quando lhe perguntavam como tinha sido, costumava responder: "Bem, sofri outro sucesso!".[188] Ele estava se preparando para o efeito bumerangue.

Quando começamos a analisar cuidadosamente o "fracasso" como experiência psicológica, logo percebemos que ele é inevitável e onipresente. Todo mundo fracassa e, às vezes, se sente um fracasso. Isso pode facilmente transformar-se num clichê, é claro, mas, mesmo assim, é penoso e verdadeiro. Já nascemos em situações de fracasso humano, de mães sempre imperfeitas e, muitas vezes, bem jovens e inconscientes; em famílias disfuncionais e, às vezes, terrivelmente abusivas; em sociedades e culturas desiguais e em vias de falência ou já falidas. Além disso, estamos sempre criando, individual e coletivamente, novos fracassos. Temos sen-

---

[188] Barbara Hannah, comunicação pessoal.

sações de fracasso, em menor ou maior grau, todos os dias de nossa vida. Isso é da condição humana. A pergunta é: o que fazemos com nossos fracassos, como indivíduos e como sociedades? Se não podemos mudar aquelas características fundamentais de nossa natureza que invariavelmente levam ao fracasso, será que podemos usá-lo para nos tornarmos mais conscientes? Será a consciência do fracasso, com efeito, precondição necessária a uma maior consciência? Terá o fracasso uma função essencial no processo de individuação? Se assim for, qual é essa função?

Uma das principais causas dos fracassos que as pessoas sofrem na vida e, em especial nas relações interpessoais (e também nas trocas culturais e nas relações políticas), está na tipologia psicológica. Nós herdamos uma propensão essencial a privilegiar o tipo psicológico, e inevitavelmente o fazemos em maior ou menor medida, de modo que, no decorrer do desenvolvimento, a tipologia se torna exagerada e unilateral tanto individual quanto coletivamente. Isso é algo que está profundamente arraigado na natureza do desenvolvimento psicológico do ser humano. Talvez a inclinação do gradiente que conduz à unilateralidade do tipo possa ser atribuída a simples preguiça humana: não queremos nos incomodar com o que não fazemos bem ou com facilidade, com o que nos cansa e frustra, de modo que prosseguimos tranquilamente no caminho mais fácil de seguir o gradiente de nossas funções superiores. Só que, quando agimos com base apenas em nossas funções superiores, deparamos com todo tipo de fracasso: diante de nós mesmos, dos outros e de nossa autoestima. Somos humilhados e derrotados por nós mesmos e pelo o mundo à nossa volta por causa de nosso fracasso em atingir a plenitude tipológica.

Na verdade, o tipo psicológico contribui de forma importante para o caráter e, como disse tão sucintamente Freud, caráter é sina.

Transformação: Como reverter a perspectiva

E, assim, chegamos à pergunta crucial: tendo em vista que as experiências de fracasso estão inscritas em nosso destino como seres humanos, será que é possível transformá-las em uma encruzilhada e, assim, torná-las algo de valor para a individuação? Será talvez até sugestivo o fato de nós, seres psicológicos, estarmos fadados a sentir o fracasso?

Consideremos esta importante afirmação de Jung:

> O *self*, que gostaria de realizar-se, estende-se para todos os lados, ultrapassando a personalidade do ego; de acordo com sua natureza abrangente, ele é ora mais claro, ora mais escuro do que esta e, assim, coloca o eu diante de problemas aos quais ele gostaria de esquivar-se. Fracassa ou a coragem moral ou a compreensão, ou as duas ao mesmo tempo, até que o destino finalmente acabe por decidir a sorte. Jamais faltam ao ego razões opostas, de natureza moral e racional, que não podem nem devem ser postas de lado enquanto ainda puderem servir-lhe de apoio. Pois alguém só se sente no caminho certo quando o conflito de deveres se resolve como que por si próprio, e esse alguém se torna vítima de uma decisão tomada independentemente de sua cabeça e de seu coração. Nisso se manifesta a força numinosa do *self*, que dificilmente poderia ser experimentada de outra maneira. Por isso, *a vivência do* self *é sempre uma derrota do ego*.[189]

O contrário também é verdade? A derrota da vontade de poder e de sucesso do ego/eu é potencialmente (sempre!) uma vivência do *self* / si-mesmo? O fracasso encerra em si uma mensagem do *self*, como faz o sonho? Isso nos ocupará a atenção durante o restante dessa palestra.

Estou analisando o fracasso como um aspecto do processo de individuação. Só para lembrar, uma breve definição de individuação seria a gradual atualização do *self* na experiência de vida de uma pessoa ao longo de

---

[189] Jung, 1955/1970, par. 778.

toda a sua existência. Isso significa que a pessoa que se individua consegue atingir maior consciência do *self* e, até certo ponto, se liberta dos estreitos limites do ego e dos complexos que geralmente dominam e controlam as reações emocionais deste. Na definição de fracasso, vimos que as sensações de fracasso decorrem da dinâmica psicológica e de fatores como projeção, desejo e grandiosidade. Essas coisas tornam-se problemas para o ego porque levam o indivíduo a expectativas ilusórias em relação a si e a terceiros, inclusive não humanos, como a própria natureza. As pessoas se decepcionam e deprimem por ficarem velhas e decrépitas, por exemplo. A natureza lhes falha, e isso as decepciona. A natureza as trai. Ou podemos ver-nos como fracassos porque o mundo financeiro entra em colapso e não fomos espertos o bastante para prever que isso aconteceria ou para encontrar um corretor que nos guiasse até um porto seguro. Podemos considerar-nos verdadeiros fracassos como filhos de nossos pais expectantes, ou julgar-nos um fracasso como pais porque nossos filhos nos decepcionam. Todas essas coisas são derrotas do ego e, portanto, julgadas como fracassos. O fracasso é um julgamento do ego, seja em relação a si mesmo ou a outro. Mas quando a vontade do ego é derrotada e experimentamos o fracasso, o *self* está nos ensinando alguma coisa? Será que nos individuamos com o fracasso e por meio dele contra nossa vontade, fortuitamente e à nossa revelia? Essas experiências de fracasso nos permitem um vislumbre do *self* em ação, atualizando-se em nossas vidas aparentemente fracassadas?

Eis uma dica da alquimia. Escreve Jung:

> O velo de ouro é a meta cobiçada da nau, a perigosa busca que constitui um dos inúmeros sinônimos de atingir o inatingível. Thales faz este sábio comentário a respeito: "De fato, é isto que os homens mais buscam na terra: 'Só a ferrugem é que dá à moeda seu valor!'"
> [...]. Na visão alquímica, como o verdete, a ferrugem é a doença do metal. Mas, ao mesmo tempo, essa lepra é a *vera*

prima materia, a base para o preparo do ouro filosófico. Diz o *Rosarium*: "Nosso ouro não é o comum. Mas tua pergunta referia-se ao verdor [*viriditas*, presumivelmente verdete], considerando o bronze um corpo leproso devido ao verdor que o recobria. Por essa razão, digo-te que se alguma perfeição há no bronze é aquele verdor somente, pois aquele verdor é logo transformado por nosso magistério em nosso mais verdadeiro ouro". (*Art. aurif.*, II, p. 220: uma citação de Senior. *Viriditas* é ocasionalmente chamada *Azoth*, um dos inúmeros sinônimos da pedra.)

O paradoxal comentário de Thales de que só a ferrugem é que dá à moeda seu valor é uma espécie de gracejo alquímico que, no fundo, apenas diz que não há luz sem sombra nem plenitude psíquica sem imperfeição. Para transformar-se, a vida exige, não a perfeição, mas a completude; e para isso, é preciso o 'espinho na carne', o sofrer defeitos sem os quais não há progresso nem subida.[190]

Essas linhas estão carregadas de imagens e ideias, e não quero me apressar com elas. Primeiro, vejamos *vera prima materia* e *Azoth*, tão bem escondido nas notas de rodapé. A ferrugem ou verdor do bronze, que constitui a imperfeição do metal – seu "fracasso" no sentido de não estar à altura das expectativas, imperfeito, decepcionante, um defeito da natureza –, é equiparado a *vera prima materia* e a Azoth. Esse fracasso do metal em manter seu estado de perfeição "dá à moeda seu valor". Um paradoxo. Os alquimistas reverteram a perspectiva: o valor está no fracasso do metal. Conseguiremos entendê-los?

---

[190] Ibid., pars. 206-08.

Sabemos que é impossível ativar a magia transformadora da alquimia na ausência de materiais de trabalho essenciais, a saber, a *vera prima materia* (a coisa mesma, a matéria primordial, a base arquetípica da existência). Disso é que tratavam todas as receitas: como coletar a *prima materia* e prepará-la no crisol. O alquimista precisa de *prima materia* para seu receptáculo (o crisol) para que o *opus* possa ter início. O texto afirma que se pode encontrá-lo na ferrugem do metal, isto é, no seu fracasso em permanecer perfeito. É aí que se deve buscar aquilo que por fim propiciará o "ouro" alquímico e constelará a presença do *filius philosophorum*. Em termos psicológicos, o fracasso é o material que leva a individuação ao reino da possibilidade e conduz à realização do *self*. A *prima materia* está na "ferrugem", no "verdor" do bronze, no "corpo leproso". Essa *Viriditas* é às vezes chamada de *Azoth*.

Então quem, ou o que, é *Azoth*? Em termos simples, *Azoth* é outra designação de Mercurius, o agente da transformação na alquimia. Escreve Jung:

> A "Aurelia occulta" o chama [a Mercurius] de "Azoth", explicando o nome do seguinte modo: "Pois ele é o A e O presente em toda parte. Os filósofos [alquimistas] adornaram[-no] com o nome de Azoth, que se compõe do A e Z dos latinos, do alfa e ômega dos gregos e do aleph e tau dos hebreus [...].[191]

Mercurius está integrado ao "verdor" e é o elemento básico que subjaz ao processo de transformação e o propicia.

Podemos perguntar: por que é que "se precisa do 'espinho na carne'" para maior progresso na individuação? Uma resposta simples seria talvez: o fracasso o deixa de joelhos e, quando se está nessas condições, pode-se

---

[191] Jung, 1948/1967, par. 271.

refletir mais profundamente sobre a própria situação psíquica. Quanto maior o fracasso, mais profunda a reflexão.

Sem dúvida, o fracasso não leva automaticamente à autoanálise nem à individuação. Ele pode, em vez disso, levar à culpa, à amargura, à raiva e até mesmo ao desespero. Os terapeutas sabem perfeitamente que o fracasso muitas vezes leva a depressões crônicas, a autorrecriminação e autocrítica contínuos ou a intermináveis queixas e censuras diante dos supostos responsáveis.

Essa sugestão de transformação, da ferrugem no ouro, do inferior no superior e mais resplandecente, do fracasso no surpreendente desabrochar de potenciais ocultos, está representada nas imagens de um sonho, o sonho de uma mulher que estava em análise havia dois anos. No caso dessa mulher, esse sonho promoveu uma extraordinária guinada em sua atitude diante da vida:

> Eu estava à sombra de uma mangueira cuidando do jardim. A mangueira fica à beira de um riacho. Olho para a água e vejo meu reflexo. A água era muito límpida, e eu me sinto em paz. Então vejo no jardim uma planta que não me agrada. É uma erva daninha. Mas, mesmo assim, eu a arranco e planto num vaso. Aí, ela se transforma numa planta muito bonita, cheia de flores de todos os tipos.

Pôr a erva daninha no vaso é o segredo. Quando lhe permitem, a planta inferior e vil, uma erva daninha, considerada um fracasso em um jardim cultivado, consegue mostrar todo o seu potencial ao florescer em muitas cores. Na ferrugem está o ouro! Como disse Maria, a Profetisa, "*Unum est vas*" (um só é o receptáculo), sobre o que comenta Jung: "É uma espécie de 'matrix' ou 'uterus' do qual deve nascer o 'filius philosophorum', a pedra milagrosa".[192] Essa "pedra milagrosa" é o *self*. O papel

---

[192] Jung, 1944/1968, par. 338.

da encruzilhada é promover uma reversão de perspectiva: ver o fracasso do ponto de vista do *self*, não do ponto de vista do ego. Uma erva daninha inferior torna-se uma planta gloriosa e cheia de flores. Ela equivale, na alquimia, ao surgimento de todas as cores (*omnes colores*, "a cauda do pavão"), que emergem do estado de *nigredo* e precedem o *albedo*.

Ver o fracasso do ponto de vista do *self*, não do ponto de vista do ego, constitui a transformação essencial do fracasso em um evento de individuação. O *temenos* propiciado pela psicoterapia profunda é um dos poucos que oferecem um *locus* (um vaso, uma encruzilhada) para ensejar essa transformação. Ela é um recipiente em que a erva daninha inferior pode ser plantada, regada e autorizada a florescer. Aqui, o fracasso pode revelar seu potencial de transformação em algo surpreendente e distinto.

Digamos que a encruzilhada oferecida pela psicoterapia profunda seja uma relação intersubjetiva complexa que serve de contexto para a promoção de uma reversão de perspectiva e a transformação de uma "narrativa de fracasso" em uma "narrativa de individuação". *Azoth*, também chamado de *Mercurius*, como espírito do inconsciente e agente do *self*, entra na encruzilhada e mostra o caminho para reformular a história de fracasso e torná-la uma história de individuação ao ativar o "campo" e produzir *símbolos* em sonhos e na imaginação ativa, enquanto a arte hermenêutica do terapeuta auxilia na tessitura desses elementos simbólicos para formar uma narrativa de vida fundamentada e significativa.

Hermes participa em três aspectos: como agente de ativação no campo intersubjetivo, ao trazê-lo à vida como processo dinâmico, como mensageiro, ao extrair do inconsciente símbolos, e como hermeneuta, ao inspirar tanto terapeuta quanto paciente na hábil arte de traduzir símbolos em sentido. Terapeuta e paciente tornam-se coautores da nova narrativa.

A questão é: podemos chegar a uma reversão de perspectiva para vermos o ego e o fracasso do ponto de vista do *self*? Sua Santidade, o Dalai Lama, tem uma mensagem sucinta e precisa que ilustra como essa reversão de perspectiva seria: "Quando você acha que tudo é culpa de alguém, vai sofrer muito. Quando percebe que tudo provém apenas de você, vai aprender tanto a alegria quanto a paz". A reversão advém da constatação de que nossa consciência do ego vive em um mundo construído, feito de interpretações que se baseiam principalmente na projeção, no desejo e na expectativa, e em narrativas complexas controladas. A reversão da perspectiva começa com a percepção de que estamos em um mundo criado pelo ego e, portanto, vemos através de suas enganosas ilusões. Assim eclode a reversão.

Sem dúvida, foi isso que Jung também experimentou e registrou em *O Livro Vermelho*, pois diz algo muito parecido no início da década de 1930 nos comentários à história chinesa do fazedor de chuva, que lhe contara Richard Wilhelm:

> "[...] se pensarmos do ponto de vista psicológico, ficaremos absolutamente convictos de que as coisas naturalmente seguem esse caminho [falando da capacidade de criar chuva do homem]. Quando se tem a atitude certa, acontecem as coisas certas. Não se trata de torná-la certa; ela simplesmente é certa, e se sabe que assim precisa ser. É simplesmente como se estivéssemos dentro das coisas. Se sentirmos que estamos certos, essa coisa não pode deixar de acontecer, ela se encaixa. Só quando temos uma atitude errada é que sentimos que as coisas não se encaixam, que elas são estranhas. Quando alguém me conta que a seu redor só coisas erradas acontecem, eu digo: é você que está errado, você não está no Tao; se estivesse, acharia que as coisas são como precisam ser. Com efeito, às vezes estamos em um vale de sombras, acontecem coisas ruins, mas as coisas ruins são próprias

desse lugar, então o que tem de acontecer são essas coisas; mesmo assim, elas estão no Tao.[193]

Um breve exemplo clínico ilustra essa reversão de perspectiva da sensação de fracasso do ego para a perspectiva do *self* e sua atualização na narrativa da individuação. Um homem de seus 60 e poucos anos havia sofrido uma série de "fracassos" devastadores ao longo dos dez anos anteriores: fracassos na profissão (perda de empregos) e fracassos nos relacionamentos, aos quais se somaram as mortes de pessoas importantes em relação às quais sentia uma certa culpa. Após várias sessões e muita reflexão sobre esses fracassos, mais uma série de sonhos e práticas de imaginação ativa, um belo dia ele disse "do nada": "Sabe de uma coisa, com esses fracassos, eu me libertei". Aquilo foi uma epifania. Com isso, queria dizer que se libertara para uma nova vida, separado da absorção unilateral e neurótica em sua narrativa anterior de fracasso e na mania de culpar a si mesmo e aos outros, a qual decorria do hábito de procurar um "responsável". A partir dali, poderia começar a construir uma narrativa bem diferente ao encarar o futuro e voltar-se para os anos finais de sua vida. De repente, vira sua vida da perspectiva do *self*, do Tao, e essa mudança na consciência faz toda a diferença.

Algumas pessoas deixam de reconhecer e sentir o fracasso quando deveriam. É outro tipo de fracasso. Nesse caso, a individuação falha. Se o processo de individuação tiver "leis", uma delas será reconhecer que o fracasso é o começo da individuação. A história da individuação tem características luminosas e características sombrias e, nesse contexto, a emergência do *self* torna-se o tema principal do desenvolvimento da vida. Isso não quer dizer que jamais volte a surgir nenhuma sensação de fracasso na vida, mas sim que cada fracasso será tomado na narrativa da individuação como mais uma manifestação do *self*.

---

[193] Jung, 1997, p. 335.

O coletivo

Vimos por que cada fracasso é necessário à individuação no nível pessoal: ele pode levar a uma reversão de perspectiva e deixar-nos ver a vida como o complexo desabrochar do *self*. Mas e o nível coletivo: nações, culturas e o mundo como um todo? É a individuação uma possibilidade para a coletividade e a humanidade como um todo? Nesse caso, devemos começar pela sensação de fracasso, pois é aí que começa a individuação. E, depois de desenvolvermos uma ideia adequada do fracasso (quando virmos "a ferrugem no metal"), devemos encontrar um crisol para sua transformação, para reversão da perspectiva do ego coletivo para a do Self coletivo.

Quais, então, são os fracassos que devemos levar em consideração?

Muitas vezes, contou-se a história do progresso que a humanidade atingiu ao longo dos milênios de sua existência na Terra. Mas, nas últimas décadas, essa narrativa reverteu-se em uma lista de derrotas e fracassos. Aqui vão alguns. Em escala global: o sucesso de nossa manipulação tecnológica da natureza na modernidade ameaça criar um fracasso catastrófico para a humanidade e o planeta; o sucesso médico e reprodutivo da espécie humana expõe ao fracasso todas as demais espécies e, por fim, também a própria humanidade; o sucesso político e militar do colonialismo ocidental em séculos anteriores acarretou estados falidos mundo afora; o sucesso mundial dos nacionalismos tem ensejado guerras intermináveis; o sucesso das religiões mundiais tem instigado o ódio e a agressividade. Esses aparentes sucessos são ao mesmo tempo a causa de imensos fracassos e levam-nos a perguntar se a humanidade conseguirá se salvar das consequências de seus grandiosos sucessos.

Aqui, temos uma lista de fracassos significativos, mas a pergunta é: a humanidade tem condições de usá-los para a individuação coletiva?

Nosso planeta é um ínfimo grão de pó em um vasto universo de estrelas e galáxias, que pode, ele também, ser uma minúscula parte de um multiverso. Normalmente, pensamos em nós mesmos como o centro, e não como um pedacinho do todo. Essa é a perspectiva do ego. Com a humanidade como coletividade, também é assim. Nosso planeta é o centro em torno do qual tudo o mais gira. Precisamos de uma visão da plenitude que exceda nossa visão limitada. Precisamos de uma visão que coloque nosso ego humano coletivo em uma perspectiva cósmica. Quem somos nós, humanos, e por que estamos aqui?

Após esse reconhecimento, o fracasso pode ser colocado no crisol de um símbolo, se o tivermos. Podemos ter sonhos que nos falem do assunto. Será que esse fracasso coletivo de nossa espécie pode tornar-se o ponto de partida para o desenvolvimento de uma sensação de sentido na perspectiva de uma narrativa cósmica? A humanidade precisa reverter sua perspectiva do ego para o *self*, das ideias cegas de crescimento, expansão e controle tecnológico sobre a natureza movidas pelo ego para uma visão de nosso lugar e nosso papel entre os poderes transcendentes que estão acima de nosso controle. Como podemos reverter a perspectiva do ego coletivo para o *self* coletivo?

Em sua última palestra pública, intitulada "C. G. Jung's Rehabilitation of the Feeling Function in our Civilization", Marie-Louise von Franz expõe o que seria seu crisol para reversão de nossa perspectiva fundamental em escala global: "Mas, então, que temos de fazer? Mudar as políticas e, em um nível mais profundo, mudar nosso código de leis? Pois esse código obviamente trata dessas questões [...]. Provavelmente, essa não é a maneira certa de lidar com o problema. Creio que [...], primeiro, precisamos mesmo é reconhecer a realidade do inconsciente (de Deus, isto é, do Self e de outro mundo espiritual) para, depois, podermos fazer qualquer outra coisa".[194] Criar leis que limitem o desejo egoico de expansão e controle é um começo, mas isso significa também que ainda não chegamos a uma real compreensão. Com visão verdadeira e símbolos adequados, não se precisa de leis. É preciso um símbolo que funcione como o crisol necessário. Então os fracassos seriam vistos como precurso-

---

[194] Von Franz, 2008, p. 12.

res indispensáveis de uma consciência mais ampla e se tornariam estágios no caminho da individuação da humanidade enquanto espécie. A crise é uma oportunidade de dar esse passo à frente na consciência coletiva.

Há alguma chance de promover essa transformação da consciência entre os povos e culturas da Terra? Talvez tenhamos uma chance se persistirmos, com a psicoterapia profunda no plano individual e, no plano coletivo, com publicações e conferências e com a mídia. Talvez assim cresça a percepção de que estamos fracassando como espécie; talvez todos caiamos de joelhos e comecemos a refletir e a consultar o inconsciente em busca de símbolos transformadores; talvez encontremos na ferrugem dos fracassos coletivos o meio que até agora esteve oculto de ganhar uma perspectiva transformada de nós mesmos e do mundo. Quaisquer que sejam as probabilidades, temos de tentar.

Capítulo Nove
A *Imago Dei* no Plano Psicológico

Em uma coluna de outubro de 2015 no *International New York Times*, David Brooks soltou este comentário provocador: "Somos os únicos animais inacabados por natureza. Cabe a nós a tarefa de chegar à integração e à coerência". Os seres humanos, todos nós, somos obras em construção. Isso parece aplicar-se mais a nós que a outros animais, os quais parecem encontrar depressa sua forma final e, sem mais delongas, a vivem fielmente (ou, como disse Jung, devotadamente). Os humanos, por sua vez, por serem inacabados e terem uma certa liberdade para escolher seu rumo e seu destino, precisam de um modelo por que almejar e uma meta que perseguir. Culturas, tradições religiosas e filosofias oferecem imagens que nos orientam e, conforme argumentarei, o mesmo faz a psicologia junguiana. Jung fala muito do Anthropos e da mandala como símbolos da plenitude humana, e isso pode ser vinculado à ideia bíblica de que somos criados à imagem de Deus (*imago Dei*).

É essa ideia do humano como *imago Dei*, só que da perspectiva psicológica, que gostaria de discutir neste ensaio. A pergunta é a seguinte: podem os seres humanos modernos e seculares deixar-se orientar por uma noção de desenvolvimento que seja equivalente à extrema nobreza do ensinamento bíblico de que a humanidade foi criada à imagem de Deus, como *imago Dei*? Essa imagem com certeza incluiria o que Brooks denomina integração e coerência, mas também implicaria muito mais. E, para os modernos, seria preciso traduzir a noção de *imago Dei* para uma língua condizente com os tempos, além de alterá-la e redefini-la um tanto, tendo em vista nosso presente estado de compreensão psicológica e nossos valores modernos.

Os seres humanos criados à imagem de Deus (*imago Dei*)

Universalmente, existe da parte dos seres humanos uma clara percepção de que alguma qualidade ou combinação de atributos torna o *Homo sapiens* diferente de algum modo importante das demais criaturas do planeta. Mas o que é, precisamente, que nos torna diferentes? Será apenas, como diz David Brooks, o fato de sermos nós criaturas inacabadas que precisam dedicar-se ativamente à busca de integração e coerência? E será que nossa percepção de sermos muito diferentes dos outros animais não é exagerada por um viés de motivação narcísica?

Para a cultura ocidental tradicional, existe uma resposta clássica. Segundo o mito bíblico, a humanidade foi criada à imagem de Deus, mas outras criaturas, não. A Bíblia traça uma distinção nítida. Os seres humanos são especiais entre todas as criaturas da Terra porque refletem Deus, que lhes infunde em todo o ser uma aura de Divindade que outros seres criados não têm. A ideia de que os seres humanos são feitos à imagem da Divindade bíblica foi guia e orientação para o povo judaico-cristão ao longo de séculos, embora em nossos seculares tempos modernos essa ideia tenha se desvanecido em uma versão humanística e, para alguns, demasiado diluída para reter o forte senso de que a essência do ser humano é uma alma sagrada.

Implícita nessa doutrina bíblica da criação está a profunda percepção psicológica de que os criadores moldam as criações à sua própria imagem. Deus não é visto como exceção. Há uma espécie de relação de transferência (ou seja, uma relação "geminada") tal entre o artista divino e o objeto criado que o objeto reflete uma característica essencial do artista. Essa é a justificativa da leitura de sentido psicológico biográfico nas obras dos artistas. Jung falaria de *participation mystique* ao descrever esse tipo de identidade oculta, porém definidora, entre psique e objeto.

Essa é a percepção do autor bíblico. Quando faz o céu e a terra, o mar e a terra firme, o dia e a noite e todas as plantas e criaturas que existem neste mundo criado, Deus exprime algo acerca da Divindade em si. E, quando chega ao sexto dia, Ele dá à Sua criação o toque supremo e, aqui, especialmente, cria Sua obra mais íntima e autorreveladora ao retratar-Se no objeto de Sua criação.[195]

Em Adão e Eva, Javé pinta um autorretrato. Embora toda a criação seja reflexo de Sua glória, é sobretudo em Adão que Ele é mais perfeitamente retratado; Deus Se dá à Sua criação nas figuras de Adão e Eva. Eles trazem a marca da Divindade.

A *imago Dei* na teologia

As origens da doutrina bíblica da *imago Dei* estão no Gênesis 1:26-27:

> E disse Deus: "Façamos a humanidade à nossa imagem, conforme a nossa semelhança; tenha ela domínio sobre os peixes do mar, sobre as aves dos céus, sobre o gado, sobre todos os animais selvagens da terra e sobre todo réptil que se mova sobre a terra".
> E criou Deus a humanidade [em hebraico, *adam*] à sua imagem, à imagem de Deus a criou; homem e mulher os criou.

Algo que desperta estranheza nesse trecho e foi apontado por vários comentaristas é a forma plural dos pronomes. O uso do pronome da terceira pessoa do plural, "nós", não implica outros criadores? Tanto o

---

[195] Neste capítulo, uso substantivos, pronomes etc. masculinos em respeito à linguagem tradicional da Bíblia, cujas imagens de Deus são todas representadas por meio do gênero masculino.

Criador quanto o Criado são designados como plural e, como a parte humana é macho e fêmea e reflete o Criador, então Ele também possui essa característica. Para alguns comentaristas, a forma plural do verbo sugere um grupo de deuses, o *Elohim*; para outros, essa forma é uma afirmação da primazia da relação no mito da *imago Dei*, como se fossem precisos dois, um casal heterossexual, para abarcar a imagem bíblica de Deus. A implicação disso para a psicologia seria a de que a singularidade não basta, e poderíamos tomá-la no sentido extroverso (o casal como imagem do *self*) ou no sentido introverso, tendo ego e anima/animus como a expressão do *self*. De qualquer modo, o mito da criação nos diz algo acerca de quem somos como seres humanos. Dualidade ou multiplicidade poderiam definir essa doutrina do ser humano. Isso está de acordo com a ideia de que a psique humana constitui-se de uma multiplicidade de fatores; que não é simples nem singular.

Podemos inferir desse relato bíblico da criação que a relação entre os humanos e a Divindade é inerente à própria natureza humana. Ela é inata e ela é, ao menos em potencial, estreita, reflexiva e extremamente íntima. Há uma relação de espelhamento; pode-se distinguir um tom amoroso nas palavras do escritor bíblico. A relação entre o Criador e o Criado é a princípio muito positiva, como a de pais amorosos para com seus recém-nascidos. Como sabemos agora, com a neurociência, os neurônios-espelho estão presentes desde o início da vida, e sua ativação no recém-nascido é essencial ao desenvolvimento social e psicológico saudável no futuro. Na tradição cristã da reflexão teológica, há várias diferentes opiniões sobre como interpretar o mito da *imago Dei*. Serei breve na delimitação de algumas delas. A "semelhança" entre Deus e a humanidade já foi considerada

a) Física: Adão, um espécime fisicamente perfeito, e o corpo humano, de algum modo, um espelho do "corpo" espiritual divino que se deve preservar puro e santo (São Paulo, Santo Irineu).

b) Mental: a mente humana, em especial sua racionalidade, como representação da Divindade na humanidade e como aquilo que nos separa dos outros animais (São Tomás de Aquino).
c) A base para a comunhão com Deus: uma espécie de potencial interpessoal compartilhado para o diálogo e a troca espirituais (Karl Barth).
d) Assenhoreamento do mundo: domínio sobre as demais criaturas da Terra, refletindo assim o domínio de Deus sobre a criação.
e) Potencial para uma profunda reciprocidade e amor no relacionamento humano, refletindo as relações amorosas internas no seio da Santíssima Trindade (Karl Barth).

Dessas diferentes interpretações da imagem, podemos ver que há muitos aspectos a considerar nessa relação de espelhamento. Tomadas todas juntas, em um sentido psicológico, elas representam todo o potencial do futuro ser humano como *imago Dei*, destino do Criado conforme se reflete no Criador. Segundo o mito, os primeiros humanos eram plenos e perfeitos e, portanto, representam a perspectiva ideal do potencial humano.

A teologia bíblica, sobretudo em suas versões cristãs clássicas, criou para si um grave problema nos séculos que seguiram ao advento quando o dogma definiu Deus como puro Amor e nada senão nem nada menos que o Bem Maior (*Summum Bonum*). Do ponto de vista humano, todas as definições tornam-se problemáticas em algum momento, pois inevitavelmente excluem algumas características essenciais daquilo que tentam definir. A vida e a experiência ultrapassam a mente afeita a definições. Entretanto, além dessa limitação epistemológica, a doutrina do *Summum Bonum* pretende resolver o problema do mal em relação ao Divino. Mas, conforme o registro bíblico, a experiência vivida da Presença transcendente na história foi seriamente limitada por essa definição por excluir os aspectos mais sombrios e problemáticos das revelações e eventos divinos inscritos na tradição. Seguiu-se, então, um quebra-cabeças lógico: se Deus é puro bem e puro amor, e a humanidade é criada à imagem de Deus, por que os seres humanos são tão radicalmente diferentes? Lá, só luz e, aqui, tantas trevas! Por quê? Sem dúvida, a revelação da *imago Dei* fracassou como representação fidedigna da humanidade ou então foi erroneamente interpretada. A história humana mostra fartas provas de egoísmo e pecado ao lado das virtudes associadas ao amor e à bondade. Os seres humanos têm um lado sombra e lutam com o problema do mal, e Deus aparentemente não. Então, o que aconteceu com a *imago Dei*, nossa herança divina? Deus perfeito, humanos imperfeitos: isso não faz sentido se a doutrina da *imago Dei* for considerada válida.

Pelo relato bíblico, ficamos sabendo que algo deu errado no Jardim do Éden. Adão e Eva exerceram sua liberdade de escolha, comeram do fruto da Árvore da Ciência do Bem e do Mal e, assim, desobedeceram a uma ordem do Criador. Por isso, foram expulsos do Paraíso, e a humanidade herdou dos pais originais o estigma do pecado original. A Bíblia não diz que isso manchou suas características a ponto de remover a *imago Dei* intrínseca. O que ela diz é que sua expulsão deu início à história humana com todas as suas ambiguidades e conflitos. A vida tornou-se difícil, e o crescimento e o desenvolvimento tornaram-se um desafio. A perfeição deixou de ser uma certeza. Mas, no entanto, a essência fundamental do ser humano permaneceu intacta.

Para resolver o problema lógico trazido pela nova definição de Deus como todo amor e *Summum Bonum* e o imenso contraste com a humanidade (que, embora criada à imagem de Deus, não demonstra esses atributos), é necessário afirmar que os humanos desviaram-se radicalmente da *imago Dei* com seu ato de desobediência no Éden. A maldição do pecado original intensificou-se de tal modo que não bastava nem mesmo a obediência à Lei dada a Moisés no monte Sinai. São Paulo argumenta que o pecado original desfigurou a *imago Dei* na humanidade a ponto de a humanidade, por si só, ser incapaz de viver sua imagem verdadeira mesmo com a ajuda da Lei. João Calvino, o grande teólogo do protestantismo, afirmou que a queda estilhaçou inteiramente o espelho, isto é, a *imago Dei* na humanidade. Ele só retornou à sua prístina perfeição na encarnação do Deus-homem, Jesus Cristo. Em sua vida de obediência e amor abnegado, Jesus Cristo refletiu com perfeição a imagem transcendente de Deus e a tornou imanente em carne e sangue humanos, de modo que, n'Ele, segundo Calvino, podemos ver a verdadeira imagem da Divindade e podemos também perceber quão longe estamos dela. Para os cristãos, Jesus Cristo passa a ser a nova representação da *imago Dei*, substituindo os primeiros humanos, Adão e Eva. Cristo é o novo Adão. O mito se torna realidade material na vida e na morte históricas de Jesus. Em Cristo, o Criador agiu mais uma vez para estabelecer Sua imagem no mundo da criação, desta vez com uma ênfase importante no amor: tratava-se de encarnar o lema "Deus é amor".

Os humanos podem estar muito longe desse tipo de perfeição, mas têm a capacidade de receber a graça, de ser "salvos". Essa seria a resposta dos teólogos ao problema colocado pela contradição entre a realidade humana e a doutrina da *imago Dei*. O ato da graça divina enseja a possibilidade de redenção da *imago Dei* original vista nos pais primevos, Adão e Eva, antes da Queda, só que agora expressa na nova versão da *imago Dei* manifesta na figura de Cristo. A graça atribui a perfeição de Cristo ao receptor humano, que, então, se identifica com Cristo aos olhos de Deus. Deus agora vê o ser humano como se ele fosse Cristo. A pessoa redimida faz jus ao benefício da *imago Dei* original, mesmo que na realidade, como a percebemos em tempo e espaço, isso possa não ser evidente. Em termos práticos, o projeto de se transformar em um espelho de Cristo deve fazer diferença no comportamento e nas atitudes da pessoa que o adota. Esse se tornou o projeto da *imitatio Christi* (imitação de Cristo) dos redimidos. Com a benção da graça e da identificação com Cristo, o espelho é restaurado em segunda iteração, já que na primeira se havia estilhaçado com a queda original do estado de graça. Nesse estado de perfeição restabelecida, agora a *imago Dei* passa a operar novamente, e os atributos integrados à criatura humana por meio de sua relação de espelhamento com a Divindade se ativam na comunidade dos redimidos, a Igreja. A Igreja é a imagem especular restaurada do Divino. Empiricamente, essa pode não ser a impressão de observadores externos humanos. Mas, conforme a vê Deus por meio de Cristo, ela desfruta dessa imagem transferida. Assim, a Igreja como o "povo restabelecido de Deus" é a terceira iteração da *imago Dei* na humanidade.

Porém, de acordo com a teologia tradicional cristã, esse estado de redenção não vale para muita gente no planeta. Dada a onipotência de Deus, isso é paradoxal e humanamente inexplicável. Ou os irredentos estão fora das áreas geográficas em que o Evangelho está disponível e, por isso, continuam em estado de pecado original, ou não recebem os benefícios da graça divina por algum outro motivo. Como coletividade, a humanidade permanece muito mergulhada no pecado e continua vítima da corrupção e da influência do mal. Para a maioria das pessoas na Terra, a *imago Dei* não atua como deveria, e a queda no pecado continua a dominar a história humana. Para a teologia, o motivo desse estado de coisas na humanidade continua sendo um mistério oculto na mente inescrutável de Deus. As respostas só serão reveladas no Dia do Juízo Final.

O que a psicologia analítica tem a dizer sobre a *imago Dei*

No conjunto de escritos de Jung, encontramos profundas reflexões sobre o sentido psicológico da imagem de Deus em relação ao arquétipo do *self*, inclusive sobre a nova expressão da *imago Dei* em Cristo, sobre Cristo como símbolo do *self* e sobre a unilateralidade da perfeição de Cristo e da doutrina de Deus como *Summum Bonum*. Embora Jung insistisse várias vezes em que nada poderíamos dizer sobre o Divino como arquétipo *per se*, podemos recorrer às imagens que expressam o arquétipo para depreender alguma coisa acerca do criador do padrão por trás da imagem. Por identificar a *imago Dei* com o *self*, Jung a interpretava como um fator psicológico fundamental: "Para a psicologia, o *self* é uma *imago Dei* e dela não se pode distinguir empiricamente".[196] A importância de reconhecermos que Jung identificava a *imago Dei* com o *self*, e não com o ego, é absolutamente crítica. O ego é um substituto do *self* na consciência, mas precisa desenvolver suas capacidades no decorrer do processo de individuação. Aqui, concordaríamos com David Brooks: os humanos são mesmo criaturas inacabadas; precisam desenvolver-se, integrar pedaços do *self* e criar interiormente algum simulacro de coerência. A identidade de uma pessoa não é um dado. É uma construção. Porém o *self* é um dado desde o início da vida, como a *imago Dei* que é plantada pela Divindade na natureza humana. Sugestivamente, então, há uma estrutura tripartite: o implantador (o arquétipo em si), o implantado (a imagem arquetípica) e o representante secundário (a imagem manifesta na consciência e na vida vivida). Isso é um esquema psicológico do seguinte conceito teológico: Deus, o Criador; a *imago Dei*, na criatura; a humanidade decaída, em luta por integração e coerência.

A história do desenvolvimento do ego corresponde à de Adão e Eva: eles caem de um estado original de graça, são expulsos do Paraíso no qual nasceram e, por fim, veem-se obrigados a encontrar uma maneira de reconectar-se à *imago Dei* interior por meio de um longo processo de desenvolvimento psicológico. Na narrativa bíblica, esse relato de reconexão tem lugar nos livros subsequentes da Bíblia, nos quais profetas como Moisés têm contato direto mais uma vez com a Divindade e, até certo ponto, a refletem e, por fim, no Novo Testamento, quando a *imago Dei* se torna brilhantemente manifesta na encarnação de Deus em Jesus Cristo. Jung liga de maneira explícita a individuação à noção da *imitatio Christi*, mas no sentido de buscar o próprio caminho para a plenitude por meio da disposição a correr riscos semelhantes e da obediência à voz interior do *self*.

---

[196] Jung, 1952/1970, par. 612.

Jung propõe um modelo de desenvolvimento psicológico e espiritual que vai muito além de qualquer coisa advogada pelos pensadores da era secular no Ocidente, à exceção de Nietzsche, talvez. Jung traz de volta a *imago Dei* como meta de desenvolvimento humano para as pessoas em geral, só que essa é uma meta bem diferente da visão nietzscheana de um futuro super-homem, que se mostrou catastrófica: pessoalmente, para ele próprio, e culturalmente, para toda uma nação porque estimulava uma vasta inflação do ego.[197]

Na maturidade, Jung aprofundou essa versão do *self* como *imago Dei* por meio de sua vasta pesquisa e escritos sobre a alquimia. Como descobriu, os alquimistas pretendiam recuperar a *imago Dei* em sua expressão imanente oculta nas profundezas da matéria. Ao sondar a escuridão do mundo material, usando ativamente a imaginação e informados por uma tradição hermética pré-cristã que remontava ao antigo Egito, eles descobriram a *imago Dei* no símbolo do Anthropos. Jung argumentava que o símbolo do Anthropos abrange as representações de todas as asserções dogmáticas, inclusive a cristã, segundo a qual Cristo é o segundo Adão: "A figura do Anthropos alquímico se revela como autônoma em relação ao dogma".[198] Claro, ele argumentaria que aquilo que os alquimistas tinham descoberto nas profundezas do inconsciente era o *self*, e que este era uma representação maior e mais autêntica da *imago Dei* que a de qualquer tradição religiosa. Na verdade, ela era o arquétipo de todas as demais.

A doutrina do Anthropos era uma das favoritas de Jung, que sobre ela se debruçou profundamente em sua última grande obra, *Mysterium Coniunctionis*.[199] O projeto da alquimia, como descobriu, é resgatar essa imagem do Anthropos, que reside no interior da *prima materia*, um *increatum* e, como tal, equivalente à Divindade. Em outras palavras, essa

---

[197] Para uma discussão exaustiva do Zarathustra de Nietzsche, ver Jung, 1988.
[198] Jung, 1955/1970, par. 492.
[199] Jung, 1955/1970, capítulo V.

imagem da plenitude está integrada às profundezas do inconsciente e precisa manifestar-se no decorrer da obra da individuação. Ela é uma história de resgate da plenitude original, perdida em algum momento do desenvolvimento psicológico humano (do ego), mas não indisponível para sempre.

A *imago Dei* como emergente na história humana

Em sua psicologia profunda, como demonstrei, Jung propôs uma versão moderna da ideia da humanidade como *imago Dei* em sua teoria do *self*. Contudo, sair do mito bíblico para a modernidade exige que levemos em conta a história da evolução. Agora sabemos que a espécie *Homo sapiens* não surgiu repentinamente na Terra sem uma longa história prévia de preparação evolutiva. O registro arqueológico é imenso. E a história da consciência moderna também tem uma longa história, como delineou Erich Neumann em uma obra portentosa, *História da Origem da Consciência*. Jung olhou para trás, para a alquimia e o gnosticismo, para a mitologia e as antigas tradições religiosas e filosóficas, a fim de encontrar indícios da ideia da *imago Dei*, e Erich Neumann foi ainda mais longe, à história da evolução da espécie humana e até antes, para determinar as origens e a emergência da *imago Dei*. Agora podemos perguntar: como a *imago Dei* (ou, em nossa terminologia psicológica, o arquétipo do *self*) entrou na natureza humana e quando os seres humanos se conscientizaram dela? Embora sejam diferentes, essas duas perguntas estão relacionadas. Seguir essa linha de investigação nos dará a ideia de humanidade como *imago Dei* em uma versão moderna, não mais baseada exclusiva nem sequer principalmente no relato bíblico, mas também não inconciliável com ele. Esse é um mito novo e mais inclusivo de emergência do arquétipo da humanidade. A importância de ver a humanidade dessa maneira está no valor específico que ela atribui à presença da humanidade no universo. Ela prepara o terreno para um novo humanismo alicerçado em bases arquetípicas, além de reconhecer a santidade da alma humana e seu papel singular como parte do *unus mundus*.

Para dar uma impressão do tempo envolvido nessa evolução, cito um artigo do Professor Curtis Marean, publicado na *Scientific American* com o título "The Most Invasive Species of All".[200] Segundo recentes pesquisas paleoantropológicas, diz ele, o *Homo sapiens* surgiu na África do Sul uns 200 mil anos atrás e começou a expandir-se pelo planeta há cerca de 70 mil anos. Portanto, houve um hiato de 130 mil anos no qual nossa espécie ficou "incubada", por assim dizer, antes de emergir em plena forma e munida de seus poderes excepcionais. Equipado com dois dons singulares, o *Homo sapiens* passou a conquistar e finalmente dominar todo o planeta, como pretendia o Deus bíblico segundo consta no Livro do Gênesis ("tenha ele domínio sobre os peixes do mar, sobre as aves dos céus, sobre os animais domésticos, sobre toda a terra, e sobre todos os répteis que rastejam pela terra"). Quais eram esses dois dons singulares que, segundo Marean, possuía o *Homo sapiens*? "Uma propensão geneticamente determinada para a cooperação com indivíduos não aparentados e avançadas armas de energia cinética". Ampla sociabilidade e racionalidade instrumental eram as duas características essenciais que distinguiam o *Homo sapiens* das outras criaturas do planeta e deram à nossa espécie a vantagem necessária à expansão e ao domínio sobre as demais. Será isso uma das primeiras provas da emergência da *imago Dei* nos humanos? Algumas teologias poderiam defender o seguinte argumento: nossa espécie demonstra uma excepcional capacidade de relacionamento (v. teologias da *imago Dei* como capacidade relacional), bem como avançadas faculdades mentais (v. teologias que pregam a *imago Dei* como mente e racionalidade).

Porém, hoje, pensamos em um processo de emergência quando consideramos os arquétipos e seu surgimento na psique humana. Isso

---

[200] Marean, 2015.

se harmoniza com a teoria da evolução das espécies. Estruturas arquetípicas emergem gradual e espontaneamente das profundezas do inconsciente coletivo, até das profundezas do cosmos que subjazem ao nosso psiquismo e até de um passado mais profundo de energia e potencial de estruturação de *status* ontológico, e consolidam seu impacto ao longo de muitos milênios. E é ainda mais lentamente que os seres humanos se tornam conscientes da emergência de imagens e padrões arquetípicos na cultura e na vida pessoal. O arquétipo do *self* (*imago Dei*) não é exceção. Foi preciso muito tempo de preparo para que ele emergisse e configurasse sua presente forma na criatura humana.

Pode-se depreender a conscientização da visão da humanidade como *imago Dei* da leitura não só da Bíblia como também das histórias de religiões e mitologias antigas. Esse processo de entrada na consciência, em oposição ao processo de emergência da *imago Dei* como agência ativa, mas totalmente inconsciente, da espécie coincide com aquilo que conhecemos como tempo histórico, ou seja, os últimos 5 mil anos, mais ou menos. Agora, nos permitiremos especular que o arquétipo *per se* já existisse desde o início da criação (talvez mesmo inerente ao Big Bang) e certamente muito antes do início de nossa espécie em particular, mas que permaneceu em uma posição inconsciente e não se pôde refletir na consciência de seres sencientes. Para que o arquétipo se tornasse manifesto, inicialmente na forma de mito e símbolo, foi necessário primeiro que os seres humanos, como espécie, tivessem sido preparados pelo processo evolutivo. Depois disso, houve uma migração dos "Deuses lá de fora" (fosse na forma humana ou animal, mas muito distantes e acima do nível humano da existência, no além, e mais ou menos distanciados do humano) para o interior do humano, para a sensação de que a alma humana seria, ela própria, feita à imagem de Deus. E, assim, os seres humanos viram-se em uma relação especular especial com a Divindade: em outras palavras, desfrutando de participação no Divino e no projeto criador da Divindade no universo. Esse vínculo com o Divino deve ter ocorrido à raça humana gradualmente, a princípio como o dom especial de sacerdotisas, sacerdotes e reis que representavam a Divindade perante os demais e depois, em um grande passo à frente, em uma espécie de revelação, um brilhante lampejo de percepção segundo o qual Deus nos fez a todos à sua imagem. Posteriormente, a *imago Dei* democratizou-se no curso da história até desaparecer, no período da modernidade, como conceito e ser substituída pelas assim chamadas explicações científicas racionais e objetivas das capacidades e funções humanas.

Com o advento da psicologia junguiana, testemunhamos talvez uma nova possibilidade de consciência da *imago Dei* na humanidade. A constatação de um *self* arquetípico transpessoal agora está no plano psicológico e não no plano mítico, religioso ou filosófico. Em outras palavras, ela é empírica e baseada em evidências; ela é vivenciada pessoal, individual e democraticamente, e fundamenta-se em uma visão de mundo moderna; ela reconhece as profundezas e a numinosidade desse fator psicológico. A noção da base arquetípica do *self* confere enorme estatura e sentido à humanidade, estatura e sentido esses que ultrapassam em muito os que ela teria se reconhecêssemos apenas a sociabilidade e a inteligência implacáveis do *Homo sapiens* e seu sucesso na conquista da terra. Reconhecemos também a sombra, tão graficamente inscrita no ego moderno, como um aspecto do *self*. Esse ego voluntarioso, livre e potencialmente desobediente também pertence ao todo em que precisa encontrar seu devido lugar. Essa elevação do *status* humano ao sagrado traz consigo também uma responsabilidade ética especial pela totalidade da criação, pois coloca o homem ao lado da Divindade na criação da *anima mundi*. O *self*, uma *imago Dei,* é arquetípico e, por isso, nos liga ao cosmos como espelho refletor profundo e parceiro da própria criação.

Capítulo Dez
Os Arquétipos e as Divisões Culturais

Além de tentador e fascinante, viajar a países distantes para ensinar a teoria e a prática da psicologia analítica nos serve de alerta. A psicanálise e a psicologia analítica são produtos da modernidade ocidental. Suas descobertas e seus métodos de tratamento forjaram-se nas condições culturais específicas da Europa Central durante o fim do século XIX e o início do século XX. Sentados em nossos consultórios e salas de aula no Ocidente 100 anos depois, talvez nos esqueçamos dessa realidade: nossos valores e atitudes culturais modernos e seculares não são aceitos nem adotados igualmente no mundo inteiro. Embora a globalização tenha levado consigo muitos de nossos hábitos mentais no que se refere à tecnologia e à ciência e os tenha disseminado nas mais variadas regiões do mundo, os pressupostos sociais e psicológicos característicos da modernidade ocidental não necessariamente os acompanharam nessa viagem. Para muita gente de nações não ocidentais, a psicanálise e a psicoterapia parecem alheias e exóticas, até ameaçadoras a pressupostos básicos, em especial os religiosos e tradicionais que se basearem em antigos hábitos de viver e de pensar. Até que ponto isso inibe a possível transferência de nossos métodos analíticos e nossa perspectiva psicológica a outras partes do cenário global no século XXI?

Em nossos esforços de levar o ensino da psicologia analítica mundo afora desde 1990, estabelecemos contato com muitos povos que não são lá tão influenciados ou impressionados por nossas filosofias e compreensões sociais locais próprias. Em muitos casos, nós (refiro-me aqui aos esforços dos membros da Associação Internacional de Psicologia Analítica (International Association for Analytical Psychology – IAAP) encontramos diferenças significativas de mentalidade que não raro provocaram profunda resistência, por vezes vociferada, por vezes demonstrada em uma recusa silenciosa, contra nossos métodos e formas de conduzir a psicanálise junguiana. Quando trabalhamos com pessoas de culturas muito diferentes da nossa, seja na supervisão, na análise ou em seminários clínicos, fica gritantemente óbvio para nós que, em pontos importantes, não compartilhamos dos mesmos pressupostos sobre muitas coisas que pertencem de modo específico a nossos modos de pensar e trabalhar. Assim, embora possamos começar com a fantasia de ensinar, acabamos às voltas com a necessidade de dialogar.

A princípio, podemos ficar chocados e surpresos porque nossos pressupostos teóricos e clínicos nos parecem tão óbvios e evidentes em si mesmos. Mas a verdade é o contrário. Neles, não há nada de evidente em si mesmo. Eles não são universais. Eles se baseiam em convicções, crenças (religiosas e filosóficas) e hábitos culturais prévios, consolidados no Ocidente ao longo de séculos. E foi dentro desses padrões culturais estabelecidos que nós fomos treinados para trabalhar como analistas e terapeutas. Tendemos a crer que, para ser transmutativa, a psicoterapia precisa ser conduzida de uma determinada maneira, sob pena de não promover nenhuma mudança ou desenvolvimento no mundo interior do cliente. Para nós, essas regras da prática podem parecer, como os Dez Mandamentos, escritas em pedra. Mas, para outros que não conheçam nossas tradições, elas podem parecer socialmente inaceitáveis ou até bizarras. Questionar esses pressupostos nos coloca em uma linha de raciocínio que exige profundas considerações sobre a natureza fundamental da psique humana e suas possibilidades de transformação na população humana em geral. Ensinando em culturas muito diferentes da nossa, somos desafiados a questionar e talvez mesmo obrigados a relativizar nossas convicções, no mínimo até certo ponto, e a repensar muitas de nossas ideias preconcebidas e de nossas convenções da prática, tantas vezes adotadas irrefletidamente. Para ambos, aluno e professor, é difícil abandonar velhos hábitos. No fim, se tivermos sorte, podemos chegar, por meio de uma espécie de alquimia, a um composto satisfatório das posições.

Por que essas diferenças culturais existem? De onde elas vêm e como surgem e se incutem nos grupos sociais? Essa pergunta tem muitas respostas, dependendo do modo de entender as origens da cultura humana e suas variedades de expressão que preferirmos. Da perspectiva junguiana, aventamos a hipótese de que todas as formas humanas de cultura são manifestações de padrões arquetípicos universais de comportamento, cognição e imaginação subjacentes. Eles são, em parte, criações de seres humanos que precisaram adaptar-se a diferentes ambientes específicos e, em parte, manifestações de possibilidades subjacentes que provêm da matriz psíquica universal (arquetípica). Esses padrões são produtos da interação da psique com o mundo dos objetos. Portanto, todas as formas culturais de comportamento e atitude refletem constantes psíquicas, mas existem inúmeras variações desses temas subjacentes devido às diferenças ambientais e aos processos históricos de cada grupo social.

Neste capítulo, falarei de alguns dos problemas que surgem na supervisão, no treinamento e na análise de pessoas de culturas diferentes da nossa (ocidental) e o farei à luz de algumas constantes arquetípicas que podem influir para transpor as diferenças e resolver alguns dos dilemas que confrontamos ao tentar levar a psicologia analítica à comunidade global.

A superação de diferenças culturais tornou-se um pouco mais fácil graças a recentes avanços na mentalidade e nas atitudes do Ocidente. Hoje, a velocidade da mudança nas preferências culturais e a substancialidade das diferenças de opinião no que se refere a valores humanos e políticos estão se tornando a norma no Ocidente. Nas últimas décadas, a Europa, a América do Norte e seus descendentes diretos (que é basicamente o que quero dizer quando me refiro ao Ocidente) atingiram um grau de multiculturalismo sem precedentes, e isso trouxe em sua esteira uma necessidade urgente de relativizar todos os valores culturais religiosos e tradicionais e de encontrar uma forma de acomodar as diferenças culturais tradicionais em uma atitude cultural mais ampla, que seja inclusiva como uma mandala.

Na superfície do consciente racional, isso faz sentido. Porém, em níveis mais profundos de aculturações e pressupostos inconscientes, a coisa muda de figura. Podemos acreditar que a validade de nossos padrões de prática seja apenas relativa, mas em nós eles estão profundamente integrados e não refletiremos a seu respeito enquanto eles não forem postos em questão. Entretanto, até certo ponto estamos acostumados a viver culturalmente em fluxo e a ter como vizinhos pessoas diferentes de nós. Vemos isso como individuação no plano cultural, como um passo à frente na evolução rumo à plenitude no plano cultural. Percebemos que, no Ocidente, padrões e valores culturais são coisas que foram consideradas verdades absolutas em outros séculos, mas não agora. Por exemplo, quando o colonialismo estava no auge, as normas das nações imperiais, inquestionáveis, eram impostas aos povos a elas sujeitados sem que se pensasse duas vezes se sua validade seria universal para todos. Sem refletir muito, as potências coloniais acreditavam estar elevando os padrões e atitudes culturais dos povos colonizados ao melhorar sua escolaridade e até salvando suas almas pagãs ao batizá-las na fé cristã. Hoje, rejeitamos totalmente essa visão da influência civilizadora das potências coloniais; pelo contrário, a demonizamos por desconsiderar totalmente os valores e as convicções religiosas das culturas que elas colonizavam.

Jung afirmou o valor psicológico e espiritual de culturas muito diferentes das nossas, ocidentais.[201] Elas são, como argumentou, não apenas iguais às nossas em termos relativos, isto é, feitas de hábitos que, como os nossos, não têm estatuto ontológico; na verdade, elas dispõem de algo que nos falta. Em alguns aspectos, devem ser consideradas superiores. Elas podem permanecer em contato bem mais próximo com ideias e imagens arquetípicas (isto é, religiosas ou mitológicas) que lhes conferem enorme força e embasamento nos fundamentos da psique humana. De certo modo, Jung reverteu a posição colonialista e, em vez de colocar a cultura ocidental no alto, a rebaixou.[202] Atribuindo ao Ocidente um lugar bem mais humilde, ele nos obrigou a repensar nossas atitudes diante, por exemplo, das religiões orientais. Espiritualmente, somos paupérrimos e eles, ricos. Na visão de Jung, o Ocidente cortou relações com a natureza, algo que as culturas "primitivas" não fizeram;[203] o Ocidente perdeu o contato com o arquetípico e o espiritual, algo que não aconteceu com o Oriente. O que o Ocidente desenvolveu foi a ciência racional, positivista, e isso à custa da perda da percepção psicológica profunda do corpo e da alma. Quando outras culturas tradicionais veem o Ocidente, admiram a tecnologia, mas arrepiam-se diante de sua pobreza espiritual.

Ao mesmo tempo, Jung afirmou a existência de uma base psíquica comum a toda a humanidade naquilo que decidiu chamar de "inconsciente coletivo". Isso não era nenhum retorno a absolutos, posto que

---

[201] Neste trecho, resumo comentários espalhados em muitas das obras de Jung, entre as quais "Yoga and the West", 1936/1969, pars. 859-76.

[202] Essa opinião é afirmada por Jung com especial veemência no Berlin Seminar. Em *The Psychology of Kundalini Yoga* (Jung, 1999), Jung argumenta que o Oriente foi muito além do Ocidente no desenvolvimento da interioridade e da espiritualidade. O Ocidente pode gabar-se de superioridade científica e tecnológica, mas o Oriente foi mais longe espiritual e psicologicamente. Em outras palavras, o Ocidente tem muito a aprender com as filosofias, culturas e religiões orientais no que se refere ao desenvolvimento interior.

[203] Jung, 1931/1964, pars. 104ss.

estes haviam sido concebidos e adotados em fases anteriores da história ocidental, na Idade Média, por exemplo. Em vez disso, era uma percepção dos padrões e motivos (arquetípicos) em ação sob a superfície de todas as religiões e tradições culturais, uma fonte comum de inspiração e motivação. Inerentes a essa base psicológica da humanidade são as imagens arquetípicas que nos unem a todos, como: Mãe, Pai, Família, Herói, o Casal, Bem e Mal, o Centro e a Plenitude. Cada um desses padrões arquetípicos encontra algum modo de expressão em todas as culturas criadas por nossa espécie. Portanto, é a esse nível que nos referimos quando exprimimos a ideia de que todos os homens e mulheres são irmãos, de que todos nós pertencemos igualmente à humanidade e compartilhamos de uma herança psicológica comum. É com base nisso que podemos oferecer assistência psicoterapêutica a pessoas de todas as culturas. Nossa psicoterapia deve necessariamente conhecer a diferença cultural, mas basear-se na afinidade subjacente; do contrário, cairemos na armadilha do imperialismo cultural ou seremos totalmente supérfluos. Este é um daqueles dilemas em que nos vemos entre a cruz e a caldeirinha. A percepção dos padrões arquetípicos pode nos ajudar a vencer as divisões culturais.[204]

Trabalhar na análise com profundas diferenças culturais entre analista e paciente é um grande desafio. Não raro os analistas precisam confrontar seus próprios limites culturais e decidir se podem continuar trabalhando com uma pessoa que excede aquilo que eles julgam tolerável. Certa feita, supervisionei uma candidata em treinamento que estava trabalhando com uma mulher de meia-idade de ascendência europeia e cristã, como também ela, mas que havia se convertido ao islamismo e casado com um homem bem mais velho, cidadão de um país do Oriente

---

[204] Muitos autores junguianos refletiram sobre esse problema. Com seus 18 artigos de autores vindos de contextos culturais e "escolas" junguianas variadas, *The Cultural Complex*, organizado por Thomas Singer e Samuel L. Kimbles, constitui uma amostra representativa.

Médio. A terapeuta ficara chocada pela atitude da paciente diante do que em geral consideraríamos um grave abuso verbal (mas normalmente não físico) do marido. Por um lado, a paciente era uma acadêmica altamente conceituada. Mas, por outro, agia como uma filha dependente e submissa diante do marido mais velho. Na supervisão, trabalhamos partindo do pressuposto de que um complexo masoquista patológico, baseado na relação que a paciente tivera com o pai na infância, estava atuando para distorcer seu pensamento e seus sentimentos, levando-a a cindir-se e dissociar-se do abuso de que era alvo para poder manter o relacionamento e proteger a autoestima. Normalmente, isso poderia ter sido trabalhado, e possivelmente resolvido, no processo analítico, se paciente e analista compartilhassem da mesma perspectiva quanto ao que constitui um comportamento intolerável. Porém, sob a influência das expectativas e padrões culturais do marido, ela via o abuso como uma situação normal. Nos demais setores de sua vida, tal comportamento teria sido inaceitável. Além disso, no contexto cultural do casamento, o divórcio não era uma opção. Ela optou por viajar o máximo possível a trabalho e agir em casa como se fosse uma escrava. Acabei concluindo que esse era um impasse insolúvel no processo analítico porque não poderia ser de fato questionado. Ao que tudo indica, as possibilidades de individuação se haviam congelado diante de um padrão cultural que não considera as mulheres inteiramente humanas nem capazes de maturidade e plenitude. Contudo, no decorrer do tempo, minha aluna e eu percebemos que uma necessidade religiosa muito mais profunda estava sendo suprida com a adesão aparentemente irracional dessa mulher a padrões culturais tão diferentes daqueles que conhecemos e consideramos a norma. Na verdade, ela estava sacrificando as liberdades e a identidade cultural que herdara como mulher no altar daquilo que vivenciava como um valor transcendente da espiritualidade em uma tradição bastante distinta daquela na qual fora criada. Nós não poderíamos impor nossas convicções a ela sem prejudicar seu processo de individuação (a nosso ver, aparentemente bizarro).

Nunca me esqueci desse caso. Como nos ensinou Jung, a psique humana é um grande mistério e segue seus próprios caminhos. Precisamos ser humildes diante de tais paradoxos e procurar entendê-los de uma perspectiva mais profunda, que vá além de nossas preferências e pressupostos culturais pessoais. Felizmente, a candidata de que falo, uma mulher madura e muito experiente como psicoterapeuta, conseguiu continuar trabalhando com essa paciente com base no princípio junguiano de que o *self* está em ação mesmo quando não o compreendemos.

Mãe e Pai como imagens arquetípicas e culturais

Agora abordarei alguns dos padrões arquetípicos que subjazem a todas as culturas e tecerei uma reflexão sobre o modo como as diferenças de cultura para cultura, em suas manifestações e influências formativas, impactam a forma de conduzir ou problematizar o ensino e o treinamento da psicanálise e da psicoterapia. O primeiro deles é o da Mãe e do Pai, os Pais.

Todas as culturas do mundo conhecem mães e pais. Para além de sua significação biológica, eles são imagens e forças psíquicas. Jung e seus seguidores falam do arquétipo da mãe e do arquétipo do pai, os quais têm expressões mitológicas em muitas culturas. Jung escreveu acerca da mãe nesse sentido no ensaio "Psychological Aspects of the Mother Archetype",[205] e Erich Neumann é autor da obra de referência sobre essa imagem, *A Grande Mãe*. Cada cultura tem uma imagem, explícita ou não, mais ou menos aceita da maternidade. E essas imagens culturais tendem a ser bem semelhantes. A paternidade, por sua vez, tende a ser menos definida e mais variável de cultura para cultura, apesar da presença quase universal dos Deuses-Pais.

Porém "Mãe" e "Pai" geralmente mostram dois aspectos: um positivo e o outro, negativo. Normalmente, essas características contrastantes

---

[205] Jung, 1954/1969, pars. 148ss.

são representadas nos mitos, contos de fadas, artes e outras expressões imaginativas de cada cultura. A maioria das culturas tradicionais cria imagens de Mães e Pais divinos e os apresenta como modelos ideais ou temíveis. As culturas modernas representam as imagens de mães e pais ideais ou demoníacos em filmes, desenhos animados ou outros meios de comunicação populares. De modo geral, as definições do que constitui o materno ou o paterno na cultura não são questionadas; elas simplesmente são atualizadas e vividas. Também sabemos que, apesar de haver no pano de fundo um arquétipo da mãe e um arquétipo do pai, a maternidade e a paternidade reais, exercidas por mulheres e homens em diferentes contextos culturais, são bastante flexíveis e passíveis de uma ampla variedade de formas de expressão, por mais que se insiram em uma espécie de base instintiva que os humanos compartilham com outros mamíferos.

Do ponto de vista arquetípico, em seu lado positivo, a Mãe significa contenção (o útero e o colo) e nutrição (o peito); no negativo, restrição (sufocamento) e morte (a tumba). Ambas as imagens podem ser encontradas nas mitologias do mundo. O Pai, por sua vez, significa arquetipicamente a exigência de desempenho e sucesso, o primado da lei e a estrutura hierárquica social, com todas as suas características concomitantes, positivas e negativas. Toda cultura tem características maternais e paternais, mas o grau de predomínio de umas ou de outras varia de modo considerável.

Em nossos esforços para treinar psicoterapeutas em culturas diferentes da nossa, precisamos ter em mente as ênfases e preferências que a cultura de nossos alunos dá aos princípios da maternidade e da paternidade. Algumas culturas voltam-se mais que outras para o princípio materno e para os valores que provêm das imagens maternas. Podemos, inclusive, falar de culturas maternas, culturas em que as imagens da Grande Mãe predominam e contribuem enormemente para seus valores básicos como um todo. Nelas, as mulheres adultas exercem um papel de controle no lar e na comunidade, seja explicitamente ou nos bastidores. A psique coletiva dessas culturas recorre muito ao arquétipo da mãe em suas formas de interação humana, inclusive na vida social e política e em suas respectivas diretrizes. O Estado se constitui como um receptáculo nutriz para seus habitantes, instilando-lhes, assim, expectativas de apoio e nutrição.

Ao optar pela psicoterapia como profissão, as pessoas dessas culturas tendem a fortes atitudes maternais de contratransferência em relação aos pacientes. Os pacientes são vistos como objetos de nutrição e cuidados maternos, e existe uma minimização das interferências legais e outras interferências externas nessa relação diádica. Trata-se de um par estreitamente ligado, havendo pouco espaço para um terceiro dentro do abraço sagrado de mãe e filho. A terapeuta materna torna-se protetora dos clientes como uma ursa protege os filhotes. É uma relação extremamente pessoal. Nesse contexto cultural, pode-se ver a supervisão como uma tentativa de aplicar regras gerais a algo que, afinal, é uma relação pessoal singular. Rejeita-se a autoridade externa ou defende-se sutilmente a proteção da intimidade do par analítico. Aqui, a insistência em limites profissionais e o enquadramento no profissionalismo do trabalho tendem a ser um grande desafio que exige esforços rigorosos dos supervisores para corrigir as tendências à fusão de personalidades inerentes à díade mãe-bebê. O supervisor precisa entender que os aspectos maternos da psicoterapia, como o cuidado, a nutrição, o apoio e o estímulo, são importantes e se baseiam em fundamentos arquetípicos e culturais, mas não são tudo que deve haver no processo analítico ideal. Eles precisam ser compensados de outro ângulo. Os vieses culturais podem inibir o modelo de análise desenvolvido no Ocidente, devendo-se cogitar concessões. Essas concessões relacionam-se particularmente a questões de enquadre e limites: horário, *setting*, pagamento de honorários, interações fora do *setting* terapêutico etc. A supervisão dessas questões geralmente é vista como uma intromissão nos precintos sacrossantos que deve ser refutada ou ignorada.

Lembro-me de uma tentativa de supervisionar um aluno de um país latino-americano de cultura quase sempre muito identificada com a mãe, em que os homens fingem mandar e posam de "machões", mas, no fundo, são controlados por figuras femininas (maternas) fortes. A relação entre paciente e terapeuta, a princípio, pareceu-me excessivamente íntima. As sessões começavam com um abraço e muitas vezes terminavam com um presente; horários e pontualidade eram considerados coisas muito flexíveis; o pagamento dos honorários era ocasional e muitas vezes ignorado. Quando tentei questionar essas práticas, descobri, para meu espanto, que tudo aquilo era considerado normal. Fiquei sabendo, inclusive, que o terapeuta preferir apertar a mão do paciente a abraçá-lo seria tomado como uma rejeição ofensiva. A supervisão desse aluno obrigou-me a refletir sobre minhas práticas norte-americanas porque, como constatei, os resultados terapêuticos foram, na verdade, muito positivos. No fim, consegui pelo menos refletir um pouco sobre práticas tão diferentes das minhas e aceitar (até certo ponto) que as questões de enquadre sejam diferentes e, mesmo assim, possam conter o trabalho analítico. A cultura norte-americana, fundada por protestantes do norte da Europa, é muito mais centrada em regras patriarcais (do "Pai") que a América do Sul, onde as imagens religiosas predominantes são da Grande Mãe. Isso se evidencia nas estruturas sociais e políticas e, é claro, também afeta a relação analítica.

Nas culturas em que o arquétipo da mãe não está tão integrado às relações interpessoais habituais, a atmosfera do *setting* terapêutico é bem diferente. O Grande Pai domina o pano de fundo arquetípico. Pensamos em culturas fortemente moldadas pelo protestantismo do norte europeu, pelo judaísmo ou pelo confucianismo, por exemplo. Nessas culturas, os padrões de atitude e comportamento são bastante diferentes dos que imperam nas culturas da Mãe, como as do Mediterrâneo, por exemplo. A atitude do terapeuta será mais impessoal e profissional; ele manterá uma distância psíquica maior e se resguardará por trás de uma *persona* bem definida de médico ou especialista técnico. Talvez a supervisão de alunos nesse tipo de cenário cultural deva visar a fazê-los relaxar emocionalmente e incentivá-los a prestar mais atenção a sentimentos de contratransferência e a problemas e necessidades de intimidade que a concentrar-se no comportamento e na adaptação social de seus clientes. Aqui, o exame dos sentimentos de contratransferência, especialmente, será uma área de preocupação premente para a supervisão. Sem dúvida, isso provocará muita resistência, ao menos por um tempo, já que o viés cultural garante um alto grau de desconforto diante dessa instrução. Erguer uma muralha de silêncio constitui um meio de defesa típico.

Em uma conversa particular com um professor de psicoterapia em um país asiático, ouvi esta afirmação extraordinária: "Ensinamos a teoria em sala de aula, mas quando os alunos entram no consultório para conduzir sessões de terapia e fecham a porta, não temos a menor ideia do que acontece". Aparentemente, os alunos não estão dispostos a expor-se a constrangimentos na supervisão, e confessar os próprios sentimentos e reações de contratransferência, em especial, é considerado vergonhoso demais. As culturas muito patriarcais ressaltam os princípios da autoridade, da lei, do distanciamento emocional e das relações hierarquicamente estruturadas. Há pouco espaço para o íntimo e o pessoal na vida profissional; isso é deixado para depois do expediente.

Portanto, a atmosfera no consultório tende a ser formal. Há expectativas de mudanças de comportamento do paciente e, talvez, de punição por fracassos. Em culturas assim, a supervisão tenta diminuir o distanciamento emocional em relação aos pacientes e a fomentar uma atitude de maior atenção às nuances emocionais na relação terapêutica. O treinamento na percepção da contratransferência ganha importância primordial. Em nossa visão padrão no Ocidente, o crescimento psicológico na análise é extremamente facilitado pela relação pessoal entre cliente e terapeuta. Mais uma vez, os hábitos culturais podem impor limites ao grau em que a supervisão pode afetar a abordagem do terapeuta aprendiz em uma cultura do Pai. Emoção é uma coisa incômoda, sobretudo quando comentada em um contexto profissional. Em casos extremos, a psicoterapia, conforme a conhecemos no Ocidente, seria impossível devido a inibições culturais.

Nos treinamentos junguianos que conduzimos no mundo inteiro, confrontamos ambos os tipos de cultura. Cada uma tem suas dificuldades próprias, e em cada uma tivemos que procurar meios-termos. O que gostaríamos de ver é um equilíbrio entre os princípios materno e paterno em nosso trabalho analítico. Porém, no fim das contas, um analista não pode eximir-se de trabalhar em um determinado contexto cultural. Alguns analistas junguianos, especialmente os formados em instituições ocidentais, tornaram-se críticos ferrenhos da unilateralidade de suas próprias culturas. Entretanto, eles precisam ter o cuidado de não se excederem, sob pena de ficarem sem trabalho.

Individuação, um processo arquetípico de desenvolvimento psicológico

Um tema muito caro à maioria dos analistas junguianos é o da individuação, mas essa perspectiva do desenvolvimento psicológico certamente não deixa de ter um aspecto problemático quando viaja entre culturas. Bem mais que as imagens e padrões arquetípicos de Mãe e Pai, o processo arquetípico que conhecemos na psicologia junguiana como individuação é estranho a muitas culturas do mundo. Isso porque ele se concentra no indivíduo, e não no grupo ou na família. A individuação implica fortes tendências de separação psicológica entre indivíduos e grupos sociais nos quais eles se criaram e nutriram. Tradicionalmente, os grupos humanos (como tribos, inicialmente, e nações homogêneas, depois) organizaram-se em torno de práticas e valores coletivos rigorosos, definidos culturalmente e infundidos no ritual e na religião. Nesses contextos, os indivíduos são vistos mais como membros do grupo que como entidades em si mesmas; da mesma forma, os indivíduos se veem mais como partes de uma rede social que como individualidades autônomas. A identidade pessoal se define por sua relação com os mais próximos, como os pais, irmãos e antepassados. O impulso instintivo/arquetípico da individuação é estritamente regulado por normas culturais e sujeito a rigorosos limites e penalidades em caso de infrações. No Ocidente, liberado com o Renascimento, a Reforma e o Iluminismo, o espírito da individuação tem crescido em força e influência, para o bem ou para o mal, nos dois últimos séculos. Esse crescimento foi acompanhado pelo declínio da influência de autoridades religiosas e outras autoridades culturais que antes abafavam esse tipo de energia arquetípica. Jung fala dos perigos e dos valores positivos disso no clássico "The Spirit Mercurius".[206]

A análise junguiana constitui um meio de trabalhar com fortes energias e impulsos de individuação em um espaço relativamente fechado e contido, buscando metabolizar o lado sombra da individuação (o qual, se assumir o controle, gera excesso de individualismo) e ligá-lo ao projeto de criação de um senso pessoal de plenitude. Isso requer um complexo conjunto de métodos e técnicas, como a interpretação de sonhos e a imaginação ativa, que inicialmente promovem a sensação de separação e até de isolamento do indivíduo de comunidades e identidades coletivamente inspiradas antes de levar a um nível mais profundo de solidariedade para com a humanidade e sua evolução rumo a uma maior conscientização. Esse estágio inicial da individuação pode ser percebido como uma grande ameaça tanto pelas autoridades culturais quanto por aqueles que impõem as imagens culturais internalizadas pelos indivíduos.

A percepção da individuação pessoal como uma possibilidade para pessoas de todas as idades e de ambos os gêneros é nova e ameaçadora nas culturas tradicionais. Compreensivelmente, as energias heroicas da criança que emerge e se liberta das restrições parentais para tornar-se um indivíduo em seu sentido pleno, independente de autoridades exter-

---

[206] Jung, 1948/1967, pars. 239ss.

nas, provocam ansiedade e reações defensivas, não importa se a cultura é dominada pelo arquétipo da mãe ou do pai. Na supervisão, a compreensão e o apoio solidários dos processos de individuação em atividade nos clientes dos alunos podem ser lidos como antissociais e até mesmo imorais. Aqui, os professores junguianos precisam avançar com cuidado. É fácil despertar a homofobia, por exemplo, com reflexões diretas sobre a individuação de clientes homossexuais. As culturas tradicionais tendem a patologizar a individuação se ela deixar de se alinhar de algum modo com suas normas e convenções. Em alguns casos, elas até convocam associações profissionais para emitir pareceres adversos ou críticos contra atitudes e comportamentos que consideraram contrários ao consenso. Lembramos aqui o exemplo da psiquiatria soviética, usada pelo Estado para sufocar as dissensões políticas: a divergência ideológica era considerada uma forma de doença mental. Em seu sentido mais completo, a individuação requer a liberdade de tornar-se o que se é em todos os aspectos, incluindo as dimensões emocionais, espirituais e intelectuais.

Para não culpar os outros sem reconhecer as inibições e vieses de minha própria cultura, lembro-me de que, na década de 1970, quando o DSM-III* estava sendo formulado, houve um movimento na psiquiatria norte-americana para que a introversão fosse designada uma afecção patológica. Evidentemente, isso representa uma atualização da sombra do consenso cultural norte-americano, que considera a extroversão saudável e a introversão, doentia. Porém a tentativa de "curar" introvertidos transformando-os em extrovertidos causaria graves danos a um processo de individuação normal, que segue seu curso de acordo com o padrão natural da orientação introvertida. Sem dúvida, espera-se que, ao fim, haja mais ou menos um equilíbrio entre introversão e extroversão, fruto de um processo de individuação assistido e consciente. Mas, em alguns

---

* Manual Diagnóstico e Estatístico de Transtornos Mentais, publicado pela American Psychiatric Association [Associação Americana de Psiquiatria]. (N. do T.)

estágios da vida, isso pode não ser adequado. Após veementes protestos de analistas junguianos (entre outros), a sugestão de patologizar a introversão foi retirada pelos criadores do DSM-III.

A individuação tem características específicas e características gerais. A vida de cada ser humano cria uma versão própria do modelo arquetípico que está alojado na matriz psíquica. Jung discutiu a complexidade desse processo em muitos de seus escritos[207] e, depois dele, outros psicólogos analíticos têm levado essa discussão adiante. A esta altura, está claro que a centralidade do processo de individuação é um aspecto inegociável do pensamento e da prática junguianos. Para os psicólogos analíticos, a individuação é uma característica universalmente válida do crescimento saudável da personalidade que não pode ser sacrificada em nome da adaptação cultural. Entretanto, em algumas áreas do mundo, os professores e supervisores podem silenciar alguns aspectos da individuação por motivos táticos, ainda que isso esteja implícito em sua atitude em relação à psicoterapia. Acreditamos que, a longo prazo, a individuação prevalecerá como característica central da evolução da consciência humana.

Relacionamentos: o casal como imagem arquetípica

Como os seres humanos são, em sua maioria, essencialmente criaturas sociais, os relacionamentos constituem um elemento fundamental para uma vida equilibrada e gratificante. Entretanto, curiosamente, o modo como os relacionamentos, em especial os íntimos, são construídos e vividos varia muito. Por exemplo, a monogamia é uma característica fundamental da vida social nas culturas ocidentais, mas isso não quer dizer que

---

[207] Ver especialmente o ensaio "Conscious, Unconscious, and Individuation" (Jung 1939/1969, pars. 489ss). Nele, Jung propõe uma definição sucinta: "Uso o termo 'individuação' no sentido do processo que gera um 'individuum' psicológico, ou seja, uma unidade indivisível, um 'todo'" (par. 490). Em seguida, ele passa a explicar as complexidades desse processo, que inclui a superação de cisões e divisões entre o ego consciente e o inconsciente.

ela seja arquetípica e, portanto, universal. Ela é uma construção social baseada na unidade arquetípica da díade: o casal. Essa unidade pode ser vivida de muitas maneiras. Nos países da modernidade e da pós-modernidade, a união em série tornou-se uma prática cada vez mais aceita. Em algumas culturas tradicionais, a poligamia é a norma, ou seja, várias uniões em torno de uma figura central masculina ou feminina. Os psicoterapeutas aprenderam a ser bem tolerantes diante das muitas variações possíveis no tema da união sem necessariamente as patologizar, embora não devam deixar de refletir acerca de suas qualidades e motivações. Em algumas culturas, o número de variações que pode haver no tema da união é bastante limitado e regido por costumes religiosos e sociais. Aqui, a supervisão requer cuidado e sensibilidade às normas culturais do local. Para fins psicoterapêuticos, o importante é que a união facilite o crescimento e a individuação do cliente, mas essa ressalva pode ensejar grandes dificuldades, sobretudo quando se trata de algo que os terapeutas em geral possam considerar comportamento abusivo no seio do casal.

A sombra

Uma questão que inevitavelmente surge na supervisão e no treinamento tem a ver com a percepção e a integração da sombra. Na psicologia junguiana, somos treinados a observar a sombra em nós mesmos, como terapeutas, e em nossos clientes. Refiro-me, com isso, ao cultivo de um determinado tipo de sensibilidade à falsidade das fachadas e pretensões humanas, a uma atitude autocrítica habitual que visa a uma maior conscientização. Jung afirmou que Freud foi o mestre da percepção e exposição da sombra.[208]

---

[208] Por ocasião da morte de Freud, em setembro de 1939, apenas algumas semanas após a eclosão da Segunda Guerra Mundial, Jung escreveu: "Ele despertava nas pessoas uma desconfiança salutar e, assim, aguçava-lhes o senso dos verdadeiros valores. Toda a verborreia sobre a bondade inata do homem, que obnubilou tantas mentes depois que o dogma do pecado original deixou de ser entendido, mordeu

A sombra é uma característica arquetípica da personalidade humana, o que significa que ela é universal e não pode ser eliminada por influências sociais, culturais nem religiosas. Porém, diferentes culturas têm diferentes métodos de lidar com ela. A maioria das religiões tem plena consciência do problema do mal e investe muita energia na tentativa de mantê-lo sob controle e a distância. Até hoje, nenhuma foi bem-sucedida nessa empreitada. Nem a análise, tampouco. Porém o que a consideração cuidadosa da sombra no espaço analítico pode e deve fazer é promover uma maior conscientização de sua existência e, assim, reduzir a tendência à cisão ou à atuação cega de seus impulsos.[209] O problema técnico que os analistas enfrentam é trazer a sombra à consciência sem despertar no cliente defesas violentas, de um lado, nem criar uma humilhação arrasadora, do outro. A esse respeito, Marie-Louise von Franz menciona a adoção de "rodeios" na abordagem da função inferior,[210] que equivale à sombra. Ou seja, levantar uma bandeira branca e dar indícios e garantias suficientes de que não há nenhuma pretensão de magoar nem humilhar. Essa linha que devemos trilhar é estreita e precária.

A supervisão deve usar da mesma delicadeza. Se não forem da mesma cultura que o supervisor, os alunos podem, sem perceber, interpretar mal as motivações do supervisor quando apontar seus erros e deficiências. Assim, os supervisores poderão expor-se a uma projeção de arrogância ou imperialismo cultural, mesmo que estejam só tentando corrigir o que parece ser uma técnica falha na abordagem de um cliente. Os superviso-

---

o pó com Freud. Provavelmente a barbárie do século XX há de expulsar definitivamente o pouco que por acaso ainda tenha restado. Freud não era um profeta, mas é uma figura profética. Como Nietzsche, ele prenunciou a derrubada dos gigantescos ídolos de nossa época. E, agora, só nos resta saber se o brilho de nossos valores mais sublimes é tão verdadeiro que possa resistir à inundação do Aqueronte" (Jung, 1939/1966, par. 69).

[209] Erich Neumann escreve com paixão a respeito deste tema na obra *Psicologia Profunda e a Nova Ética*.

[210] Von Franz, 1993, pp. 125ss.

res, por sua vez, podem igualmente projetar essas mesmas características da sombra nos alunos que se recusarem a levar suas sugestões em conta. Nos países latino-americanos, por exemplo, onde os norte-americanos costumam ser vistos como "gringos" imperialistas, essa dinâmica se verifica com frequência entre alunos e supervisores/professores. As dinâmicas são ferozes. O mal-entendido do supervisor pode ser a ideia de que os alunos estão com medo ou são inseguros, não arrogantes. O processo de aprendizagem transcultural está repleto de possibilidades de projeção mútua da sombra. Nele, o conhecimento de hábitos e atitudes culturais reveste-se de importância crítica. É difícil ler um ao outro com precisão na situação do treinamento quando professor e aluno vêm de contextos culturais diferentes. As fantasias tendem a derivar para estereótipos culturais e, com o tempo, podem solidificar-se em percepções errôneas inalteráveis. (Evidentemente, isso também ocorre nos programas de treinamento de culturas ocidentais devido à diversidade dos contextos culturais dos alunos.)

O arquétipo da plenitude: o *self*

No fundo, o que buscamos em todos os nossos esforços terapêuticos é criar e consolidar uma sensação consciente de plenitude psicológica. E também isso tem uma base arquetípica: a percepção cada vez maior do arquétipo do *self* à medida que o processo de individuação avança. Erich Neumann refere-se a essa fase da individuação como "centroversão", a qual implica uma maior conscientização daquilo a que chamou "eixo ego-*self*".[211] A sensação de plenitude significa aceitar nossa própria complexidade enquanto personalidade, inclusive em nossas divisões, contradições e conflitos internos. Isso excede o que geralmente representa a identidade, a qual se baseia na identificação com outras pessoas, com valores e mitos culturais, figuras religiosas etc. A plenitude é universalmen-

---

[211] Neumann, 1952/1989.

te representada pelo círculo, chamado por Jung de mandala conforme a prática adotada na Índia e no Tibete.[212] A mandala contém tudo que existe e o encerra em um receptáculo unificado. Além de ser o contrário da unilateralidade, a sensação de plenitude é a cura para a neurose, que se baseia na não aceitação da complexidade psicológica.[213]

Muitas culturas têm a unilateralidade como ideal: o ideal da santidade, da devoção inequívoca ao rei ou ao partido político ou da fidelidade incondicional do patriotismo ("o meu país, certo ou errado!"). No trabalho como supervisores e professores em culturas nas quais a unilateralidade prevalece e a plenitude é vista como indecisão, fraqueza ou até crime, precisamos ficar de olho nas sensibilidades culturais. De certa forma, a terapia é subversiva e solapa a hegemonia cultural sobre os indivíduos e seu desenvolvimento pessoal. Portanto, caminhamos às margens em nossas atividades como expoentes da prática e da teoria da psicologia analítica. Nesse esforço, descobri em Hermes um guia mitológico útil.[214]

Conclusão

Embora trabalhemos, como psicanalistas, professores e supervisores junguianos, para o autodesenvolvimento individual, trabalhamos também com a ideia de mudar culturas para que elas possam participar mais plenamente da emergente cultura global. Nossas iniciativas com pequenos grupos de profissionais interessados pelas ideias e métodos junguianos podem contribuir para infundir em suas culturas valores como a liberdade de buscar a individuação para todos. Nosso argumento não é em favor de medidas políticas nem mudanças sociais em si, mas queremos defender com veemência um espaço psíquico para realizar o mais plenamente possível os potenciais do *self*. Além disso, constatamos que, cumprindo nossa tarefa de ensinar a teoria e a prática da psicologia analítica mundo afora, nós

---

[212] Jung, 1950/1968, pars. 627-712; 1955/1969, pars. 713-18.
[213] Samuels, Shorter e Plaut, p. 99.
[214] Stein, 2015.

nos transformamos. A relação entre professores e alunos deve permanecer dialética para que ambos possam com ela aprender e crescer.

Capítulo Onze
Onde o Oriente Encontra o Ocidente: Na Casa da Individuação

Em memória de Hayao Kawai

A tese

O processo psicológico da individuação, como Jung descobriu por si mesmo e no trabalho com os pacientes ao longo de muito tempo, leva a estados de consciência que refletem avanços espirituais que perpassam muitas culturas e tradições religiosas. É nele que ocidentais e orientais podem chegar a um denominador comum; é nele que Oriente e Ocidente se encontram.

Muitos caminhos levam a esse lugar escondido nas profundezas da psique. Um deles, vindo do Ocidente, é o que nos propõe a psicologia profunda; outro é o caminho já bastante trilhado e conhecido por antigas práticas espirituais do Oriente como o zen-budismo. No essencial e no que diz respeito à meta final, há pouca diferença entre os vários caminhos que conduzem ao *self*, ainda que os traços culturais da paisagem possam ser díspares.

Nos últimos estágios da análise junguiana e da individuação e naquilo que Erich Neumann denominou "centroversão",[215] os aspectos pessoais e impessoais da personalidade se fundem e se acumulam em torno do eixo ego-*self* para formar uma identidade composta. Nessa estrutura complexa, em vez de desaparecer, o ego se liga aos níveis arquetípicos impessoais da psique e, assim, a identidade torna-se ao mesmo tempo individual e arquetípica. O pessoal deixa o centro do palco e o arquetípico emerge dos bastidores e junta-se a ele no proscênio. Isso é idêntico no terceiro estágio da conjunção, conforme a descreve Jung em *Mysterium Coniunctionis*, e no processo representado nas cenas finais dos poemas e desenhos dos *Dez Touros* do zen-budismo.

Obstáculos e bloqueios: Algumas diferenças psicológicas significativas entre Oriente e Ocidente

Antes de procurar pontos comuns entre Oriente e Ocidente, resumirei algumas importantes diferenças psicológicas. A questão ganhou para mim novo interesse graças a uma pergunta feita na discussão após uma recente apresentação que fiz em uma conferência em Taipé. Depois de muitos relatos de semelhanças entre Oriente e Ocidente, uma mulher no fundo da sala perguntou: "Mas e as diferenças?". A sala caiu em silêncio e a reunião logo se encerrou, mas a pergunta ficou no ar.

Hoje ela é uma pergunta em aberto devido à rápida globalização que vem dominando o mundo. Será que as diferenças psicológicas observadas em outros tempos continuam valendo? Ou agora serão outras? Terão desaparecido? Na superfície, ao que parece, as culturas estabelecidas estão se "liquefazendo", para usar o termo proposto pelo filósofo polonês Zygmunt Bauman, se fundindo e sendo remodeladas por forças globais em uma única forma idêntica. Marcadores culturais antes óbvios se diluem. Compreensivelmente, em várias partes do mundo, isso gerou

---

[215] Neumann, 1952/1989, p. 46.

muita resistência devido à ansiedade diante da perspectiva da perda de características consideradas essenciais a identidades culturais preciosas, construídas ao longo de séculos. Costumes, hábitos, pontos de referência históricos, motivações, educação: tudo está se dissolvendo, e o que resta se coagula em um conjunto de atitudes e comportamentos comuns. No mundo inteiro, as pessoas usam *jeans* e assistem aos mesmos filmes. O comercialismo e o consumismo são muitas vezes citados como os denominadores comuns das culturas mundiais hoje em dia. As artes e as ciências adquirem traços semelhantes, até idênticos. Ao que parece, graças à mídia, está-se formando também uma narrativa unificada do mundo. A religião, que parecia ser o último baluarte da resistência, também está sucumbindo.

Uma das consequências é que, ao abraçar inteiramente a modernidade, antigas e importantes regiões culturais, como Japão e China, perderam seu contato com o passado ou o reprimiram. Antigas crenças e hábitos culturais foram relegados a seu inconsciente cultural, enquanto a modernidade passa a ocupar o primeiro plano do consciente com seus valores, atitudes e projetos. Na pressa de alcançar o Ocidente tecnologicamente avançado, essas culturas tradicionais saltaram para o mundo moderno ignorando os séculos de avanços conquistados a duras penas no Ocidente e, assim, viram-se em situações estranhas e desnorteantes, nas quais a identidade cultural tradicional é irrelevante e as características que acompanham a modernidade têm pouca profundidade na psique coletiva. Por exemplo, Mari Yoshikawa escreve acerca do Japão:

> Por meio da modernização, o povo japonês cortou os laços com a natureza e a vida nas profundezas da psique. Para piorar as coisas, orgulha-se da rápida ocidentalização do Japão, sem refletir sobre o peso da consciência moderna: o permanente sentimento de culpa. O povo japonês foi levado ao perigoso precipício da prosperidade material

por seus próprios desejos incessantes. O resultado é a flagrante desconsideração das forças da natureza e de cautela diante de inovações tecnológicas como usinas nucleares.[216]

Essa é a situação problemática criada pela liquefação de culturas sem passar por um processo de desenvolvimento gradual. Ela cria cisões e complexos culturais, e não uma cultura baseada em uma nova síntese.

A psicanalista junguiana taiwanesa Shiuya Sara Liuh diagnosticou o impacto da modernidade na psique chinesa como traumático, e descreve a modernização da China como "um processo de recuperação de um trauma". Escreve ela: "[...] havia fortes sentimentos de vergonha, raiva, tristeza e humilhação por trás da motivação extremamente agressiva [da China] para a modernização".[217] O resultado foi a divisão da psique entre a cultura tradicional herdada e as atitudes culturais modernas: "Com a inserção nessa vida moderna, a psique pessoal enfrenta pressão constante para decidir qual o valor a escolher. Quando nos identificamos com valores modernos como o estilo de vida e outras coisas, a tradição perde sua vivacidade e criatividade em nossa psique".[218]

Assim, se hoje todos vivem, tanto no Oriente quanto no Ocidente, mais ou menos na modernidade e adotam atitudes que parecem bastante semelhantes, temos de perguntar: ainda há alguma coisa que possa distinguir o Oriente do Ocidente? Se assim for, qual? Apesar da modernização, globalização e liquefação, ainda é possível discernir várias diferenças importantes sob a aparente superfície de igualdade, porém elas são mais sutis e difíceis de detectar do que antes. Como perguntou a participante no fundo da sala de conferência: "Quais são as diferenças?" Tentarei descrever algumas exatamente como as coletei de fontes distintas.

---

[216] M. Yoshikawa, pp. 224-25.
[217] Liuh.
[218] Ibid.

Como os indivíduos, as culturas demonstram vieses e preferências típicos em termos de tipo psicológico. Isso não significa que todos os membros de uma dada cultura sejam do mesmo tipo psicológico. Os tipos das pessoas costumam divergir daquele que constitui o de suas culturas, e isso causa a angústia emocional que os psicoterapeutas muitas vezes deparam em seus pacientes. Embora dizer que o Oriente é introvertido, sensitivo e intuitivo (isto é, usa preferencialmente e, de fato, admiravelmente, as funções não racionais da percepção no modo introverso) e que o Ocidente é extrovertido, racional e emocional (isto é, prefere usar as funções racionais do julgamento de maneira extroversa) talvez seja simplificar demais, é um possível ponto de partida para a discussão. O antropólogo Claude Lévi-Strauss diz o mesmo em sua maravilhosa coletânea de palestras no Japão *O Outro Lado da Lua*:

> Enquanto a França, seguindo a tradição de Montaigne e Descartes, pode ter cultivado mais que qualquer outro povo sua vocação para a análise e a crítica sistemática na ordem das ideias, o Japão, por sua vez, cultivou mais que qualquer outro povo o pendor para a análise e um espírito crítico exercidos em todos os registros do sentimento e da sensibilidade. Ele distinguiu, justapôs e combinou a tal ponto sons, cores, aromas, sabores, consistências e texturas que tem em sua língua todo um arsenal de palavras expressivas (*gitaigo*) para representá-los.[219]

Em outras palavras, a estética (sensação, uma função da percepção que se alia à introversão) prevalece no Japão (o Oriente), ao passo que a ciência e a filosofia (as funções racionais apontadas para uma direção extroversa) predominam no Ocidente. As culturas chinesa e indiana tendem mais à intuição introversa que à sensação; daí o recurso ao acaso

---

[219] Lévi-Strauss, p. 32.

significativo no *I Ching* (taoismo) e aos elaborados construtos sociais (confucianismo) e metafísicos (especulação hindu) criados nessas áreas. A preferência ocidental pelo pensamento extroverso resulta no estudo da natureza (ciência) e em sua manipulação (tecnologia), e sua preferência pelo sentimento extroverso produziu uma aguda sensação de culpa, como menciona Mari Yoshikawa, e levou à valorização dos direitos dos seres humanos e, ultimamente, também de outras espécies de animais.

Para além dessa primeira aproximação a um contraste cultural baseado na tipologia, podemos identificar muitas outras diferenças mais profundas nas estruturas psíquicas ainda integradas aos povos do Oriente e do Ocidente. Nem todas elas foram diluídas pela globalização. Hayao Kawai, pai da psicologia junguiana no Japão e eterno estudioso das diferenças psicológicas entre a cultura ocidental e sua própria cultura, a japonesa, especificou diversas características contrastantes fundamentais em seus inúmeros escritos. Por exemplo, no comentário sobre uma história do Japão medieval, ele escreve:

> A maioria das pessoas consideraria estranho ou fraco um guerreiro assim, pois ele determinava sua identidade não pela própria vontade ou pensamento, mas sim por meio do sonho de um estranho, e estou certo de que muitos japoneses pensariam o mesmo. Porém essa tendência continua agindo em nível subconsciente na vida cotidiana dos japoneses. Prova disso está no uso das palavras japonesas que designam "eu". Há muitos termos para a primeira pessoa do singular, como *watakushi*, *boku*, *ore* e *uchi*. A escolha depende inteiramente da circunstância e da pessoa com quem se fala. Neste particular, pode-se afirmar que os japoneses só encontram o "eu" por meio da existência de outros.[220]

---

[220] H. Kawai, 1995, pp. 23-4.

O "eu" aqui descrito por Kawai é singularmente diferente do ideal ocidental do ego heroico como um complexo autônomo dotado de uma identidade própria e baseado apenas em si, e não em redes de relações. O desenvolvimento normativo do ego nas culturas ocidentais passa por vários graus de aguda diferenciação e separação psicológica dos demais (da família de origem e figuras parentais, de objetos culturais e até de objetos internos) para tornar-se o mais exclusivamente singular e único possível.[221]

Em testemunho pessoal à veracidade da percepção de Kawai, darei uma prova anedótica. Em nosso programa de treinamento no ISAPZurich, temos alunos vindos de cerca de vinte países, orientais e ocidentais. Recentemente, em um dado momento os alunos começaram uma discussão acalorada sobre as diferenças entre os modos como os povos do Oriente (nesse caso, principalmente alunos do Japão) e os povos do Ocidente (Europa e América do Norte) vivenciam o ego em si e nos outros. Os alunos do Ocidente eram vistos como individualistas e agressivos nas discussões; os alunos do Oriente tendiam ao silêncio, à reserva e à cautela na expressão de suas opiniões. A razão disso: os orientais tinham necessidade de sondar o que o grupo poderia estar pensando e sentindo antes de arriscar-se a externar uma ideia ou opinião, ao passo que os ocidentais consultavam apenas a si mesmos, internamente, antes de falar. Para os alunos do Oriente, o comportamento dos ocidentais parecia rude e insensível; para alunos do Ocidente, o comportamento dos orientais parecia retraído e demasiado cauteloso. E acabaram concluindo que os asiáticos possuem um ego comunitário ("ego-nós") e que os ocidentais possuem um ego individual ("ego-eu"). Isso está bastante alinhado com as observações de Kawai e também se reflete em um comentário de Lévi-Strauss:

---

[221] Stein, 2006, pp. 6-19.

A filosofia ocidental do sujeito é centrífuga: tudo começa com ela. O modo como o pensamento japonês concebe o sujeito, em vez disso, parece centrípeto. Assim como a sintaxe japonesa constrói sentenças por meio de determinações sucessivas partindo do geral para o específico, o pensamento japonês coloca o sujeito no fim da linha: ele resulta da maneira como grupos sociais e profissionais cada vez menores se encaixam. Assim, o sujeito recupera uma realidade; ele é, por assim dizer, o último lugar em que os grupos aos quais pertence se refletem.[222]

Tais observações sugerem uma diferença estrutural crítica entre Oriente e Ocidente em termos de ego e *persona* e como estes se relacionam. Essa diferença gera muitos mal-entendidos quando o Oriente encontra o Ocidente, o que compreensivelmente pode ter fortes repercussões emocionais.

Ao longo do desenvolvimento do ego no Ocidente, abre-se uma divisão entre a consciência e o inconsciente no interior da psique. Erich Neumann, a quem Kawai muitas vezes se refere, descreve detalhadamente esse processo em seu clássico *História da Origem da Consciência*. A separação dos outros (externa) se reflete em uma separação interna entre partes do *self*: surgem divisões em ambos os lados, interior e exterior. O mesmo não ocorre no Oriente, que não cria divisões tão radicais, sejam externas ou internas.

Essa diferença estrutural nas psiques do Oriente e do Ocidente explica o contraste gritante mencionado por Lévi-Strauss ao falar da relação entre mito e história. De origem judaico-francesa, Lévi-Strauss descreve o espanto que lhe causou a diferença entre as impressões que teve ao visitar Israel e o Japão. Aqui ele fala a uma plateia japonesa:

---

[222] Lévi-Strauss, pp. 37-8.

Em 1985, visitei Israel e os lugares santos. Então, mais ou menos um ano depois, em 1986, fui aos lugares em que supostamente ocorreram os eventos fundadores de sua mitologia mais antiga, na ilha de Kyushu. Minha cultura, minha criação, deveriam ter-me tornado mais sensível aos primeiros locais que aos segundos. Mas o que ocorreu foi exatamente o oposto.

O monte Kirishima, onde Ninigi-no-mikoto desceu do céu, e o santuário de Amanoiwato-jinja, em frente à caverna na qual Ohirume, a deusa Amaterasu, foi confinada, despertaram em mim emoções mais profundas que os supostos locais do Templo de Davi, da Gruta da Natividade, do Santo Sepulcro e da tumba de Lázaro.

Por que isso? Parece-me que a razão está na maneira muito diferente com que vocês e nós vemos nossas respectivas tradições. Talvez porque sua história escrita tenha começado relativamente tarde, vocês naturalmente situem as origens dessa história em seus mitos. A transição se processa suavemente, em especial porque o estado em que esses mitos chegaram até vocês ratifica a intenção consciente dos compiladores de torná-los um prelúdio à história propriamente dita. O Ocidente certamente também tem seus mitos, mas durante séculos esforçou-se muito para distinguir o que pertence aos mitos do que pertence à história: só fatos comprovados são considerados dignos de consideração [...].

Esse não é nem de longe o caso em Kyushu, onde tudo se imbui de uma atmosfera abertamente mítica. A questão da historicidade não sobrevém ou, mais exatamente, não é pertinente no contexto. Sem causar nenhum desconforto, dois lugares podem inclusive competir pela

>honra de haver recebido o deus Ninigi-no-mikoto após sua descida do céu [...].
>Para os ocidentais, um abismo separa a história do mito. Mas um dos encantos mais irresistíveis do Japão está, justamente, na íntima familiaridade que lá se sente tanto com a história quanto com o mito.[223]

Em termos psicológicos, isso sugere que o ego do Oriente é menos apartado que o do Ocidente do inconsciente arquetípico, onde o mito reside e tem suas origens. O Ocidente infligiu-se um corte psíquico radical que resultou em um construto de ego mais profundamente separado de sua fonte no *self* que o do ego do Oriente. Esse estado de exílio reflete-se classicamente na mitologia bíblica: Adão e Eva, expulsos do Jardim do Éden, perdem o contato diário fácil com o Criador. Esntão por conta própria e, desde então, um portão vigiado divide o humano e o Divino. Isso assinala o fim da consciência mítica e o início de uma percepção da história cada vez mais destituída de conexões arquetípicas subjacentes. Deus desaparece mais e mais até ser declarado "morto" no raiar da modernidade. Mas quem morreu: Deus ou a humanidade? Nós, no Ocidente, vivemos uma era de impiedade. E ao imitar a atitude "moderna", baseada no simples materialismo e na ciência positivista, o Oriente acompanhou o Ocidente nesse aspecto, embora com menos decisão. Isso é o que Lévi-Strauss percebeu em sua visita ao Japão. A linha entre mito e história ainda é imprecisa no Oriente, ao passo que no Ocidente ela é absoluta.

A história é uma criação do ego proveniente da retenção e da organização consciente de fatos do passado, enquanto o mito é uma criação da imaginação integrada a figuras e energias arquetípicas. A distinção clara entre eles é característica do Ocidente; a interação fácil e as fronteiras fluidas entre eles é característica do Oriente. A estrutura psíquica do

---

[223] Ibid., pp. 8-10.

Oriente permite um acesso muito mais fácil ao mito que o permitido ao ocidental. No Oriente, mito e história não são domínios radicalmente separados e a questão da facticidade não interfere na consciência, não cria rupturas nem perturba o fascínio exercido pelo mito. Isso pode ser visto nos romances do japonês Haruki Murakami, cuja narrativa transita facilmente sem interrupção entre fato e fantasia.

Essa diferença talvez seja a causa de muitos mal-entendidos e de confusão na comunicação entre Oriente e Ocidente. No Ocidente, perguntaríamos imediatamente ao ouvir uma história: "É verdadeira? Foi assim mesmo que aconteceu?". Essa questão da facticidade estilhaça aquilo que Jung chamou de "reino intermediário" conforme é criado pela "*imaginatio*", destruindo sua manifestação em "corpos sutis".[224] Na modernidade, em especial, o Ocidente perdeu o acesso a esse reino intermediário em suas culturas oficiais. A missão de Jung foi trazê-lo de volta. E será, em parte, nesse terreno imaginário que poderá haver contato entre Oriente e Ocidente em um nível psíquico mais profundo do que aquele com que ego e *persona* poderiam arcar.

Hayao Kawai apontou mais uma diferença afim entre Oriente e Ocidente em seu estudo dos contos de fadas (Kawai, 1995). Esta tem relação com a centralidade da figura do herói nos contos de fadas ocidentais e a ausência de uma figura clara de herói, ou mesmo de uma figura masculina forte, nos contos de fadas japoneses. Isso também está relacionado com a diferença entre culturas no que se refere ao desenvolvimento do ego e com o que Lévi-Strauss chama "a recusa do sujeito"[225] na cultura japonesa. Em uma parte do livro intitulada "The Aesthetic Solution", Kawai escreve:

> A beleza é provavelmente o elemento mais importante
> na compreensão da cultura japonesa [...]. Chistov, um

---

[224] Jung, 1944/1968, par. 394.
[225] Lévi-Strauss, p. 63.

etnólogo russo, certa vez contou a história de Urashia ao neto de 4 anos. Enquanto lia uma descrição bastante longa da beleza do Palácio do Dragão, Chistov percebeu que o garoto não demonstrava o menor interesse, parecendo, na verdade, esperar algo diferente. Então perguntou ao neto o que ele estava pensando. O menino lhe disse que esperava que o herói lutasse com um dragão no palácio. Não conseguia entender por que o herói não lutava com um dragão e não se casava com a princesa.

Ao ouvir o nome Palácio do Dragão, os ocidentais tendem a associá-lo a uma luta de dragões, enquanto os japoneses o associam à beleza do palácio [...]. Matar o dragão poderia significar a destruição da Mãe Natureza [na visão japonesa].[226]

Matar dragões é um ato que define os heróis nos mitos e histórias ocidentais, como se vê classicamente em histórias gregas como a de Hércules e o resgate de Hesíone. É uma afirmação da proeza masculina, símbolo do poder de superação do ego e do domínio sobre o inconsciente. Mas, no Oriente, os valores ligados à Mãe Natureza e ao Feminino prevalecem e pesam mais que esforços heróicos de dominação, minimizando assim a importância do desenvolvimento de um ego masculino heroico e a superioridade sobre o inconsciente (feminino). Isso representa uma diferença fundamental na relação entre o ego e o inconsciente: o Ocidente advoga controle e liberdade; o Oriente, conciliação e relações mais harmoniosas, além, talvez, a superioridade da Mãe e do feminino sobre o ego masculino. A propósito dessa última observação, Kawai conta a arrepiante história de Katako, cujo resultado é: "[...] a feminilidade dos

---

[226] H. Kawai, 1995, pp. 99-102.

japoneses tem um aspecto muito cruel: ela rejeita o próprio corpo para evitar a invasão por uma masculinidade forte".[227]

Kawai compara Oriente e Ocidente da seguinte maneira: "Neumann achava que o ego europeu moderno é simbolizado por um herói masculino que mata um dragão. Porém nós julgamos valoroso buscar nos contos de fadas japoneses uma figura feminina que desaparece [...]. Neumann simbolizava o ego de um homem ou de uma mulher por uma figura masculina [...]. O ego do japonês é devidamente simbolizado por uma mulher, e não por um homem".[228] De outro ângulo, ele escreve: "Uma das características do povo japonês é a ausência de uma distinção nítida entre mundo exterior e mundo interior, consciente e inconsciente".[229]

Pelo visto, aparentemente, Oriente e Ocidente não têm como encontrar-se com base em uma semelhança em desenvolvimento psicológico no nível do ego e da *persona*. As preferências de cada um são diametralmente opostas. O Ocidente cria distinções nítidas, o Oriente as esfuma; o Ocidente tem espírito patriarcal, o Oriente é matriarcal. As culturas ocidentais foram profundamente moldadas pelo patriarcado e por religiões monoteístas que privilegiam uma Divindade masculina em detrimento de qualquer outra que demonstre características do feminino. Como mostrou Erich Neumann em sua vasta obra sobre as origens e a história da consciência ocidental, isso promoveu um desenvolvimento específico da consciência do ego. O ego ocidental singular e independente é central para a consciência, distinguido por uma noção individual nitidamente definida de identidade e responsabilidade. Os vínculos e relações familiares e comunitários são secundários diante do centramento do indivíduo em si mesmo. O desafio do ocidental é superar esse estado de isolamento do ego e estabelecer um contato mais profundo com o *self* e com os outros. No Oriente, como mostra Kawai, é o contrário. Lá, o

---

[227] Ibid., p. 97.
[228] H. Kawai, 1988, pp. 25-6.
[229] Ibid, p. 103.

desafio é atingir maior separação, menor fusão psíquica com a família e a natureza, e estabelecer um limite entre a consciência do ego e o inconsciente. A individuação parece muito diferente para os dois, percorrendo caminhos radicalmente distintos.

Embora a cultura ocidental tenha promovido o desenvolvimento de um ego como estrutura psicológica defensivamente inviolável, independente, autossuficiente e responsável, esse não é o objetivo final da individuação como Jung a vê e Neumann o confirma. A psicologia analítica leva a individuação muito além. O desenvolvimento do ego é a conclusão de uma primeira fase importante da individuação, a qual Jung, bem como o alquimista Gerhard Dorn, chamam de *unio mentalis*.[230] Normalmente, esse desenvolvimento ocorre principalmente na primeira metade da vida. Porém há outros dois estágios, os quais tornam a pôr o ego em contato com aspectos inconscientes dissociados da psique e com o mundo material, primeiro no nível individual e comunitário e, em seguida, no nível global e cósmico. É nesses estágios da individuação que se pode vislumbrar um local de reunião com o Oriente legítimo e possível para o Ocidente.

O local de reunião

No adorável *Buddhism and the Art of Psychotherapy*, Hayao Kawai conta sua história pessoal: a desilusão juvenil com a cultura japonesa após o fim da Segunda Guerra Mundial, a idealização do Ocidente e a decisão de estudar nos Estados Unidos e na Suíça. E, por fim, em 1965, o retorno ao Japão para ensinar psicologia clínica depois de concluir o treinamento junguiano em Zurique. Ao voltar para casa, deparou-se com a necessidade de tornar o Ocidente inteligível para a mentalidade japonesa e de tornar a cultura e a mentalidade japonesa inteligíveis para si mesmo, já que se formara psicólogo no Ocidente. E a isso dedicou sua vida profissional, escrevendo muitos livros e, por fim, tornando-se uma figura importante

---

[230] Jung, 1955/1970, pars. 670ss.

na cultura do Japão. Em suas obras, ele aborda muitas vezes as diferenças entre as mentalidades do Japão e do Ocidente, com ênfase no desenvolvimento do ego conforme Neumann o definiu em seu primeiro trabalho, *História daa Origem da Consciência*.

Em sua discussão do conto de fadas japonês "A Casa do Rouxinol", Kawai traça um acentuado contraste entre as atitudes de japoneses e ocidentais no que se refere ao desenvolvimento psicológico. O conto de fadas termina onde começa, sem heróis, sem casamentos, sem tesouros conquistados. Um lenhador entra num bosque; é conduzido a uma fabulosa mansão por uma bela dama que lhe diz que não abra uma determinada porta; ele a abre e então vê formosas garotas, que imediatamente se transformam em pássaros e voam para longe, além de muitos tesouros; a dama retorna e, ao ver que ele abrira a porta proibida, transforma-se em um rouxinol e sai voando; no fim, o lenhador se vê novamente no bosque em que estava no início.

Nada se ganhou, nada se conquistou, nada se atingiu. Ao contrário dos contos de fadas europeus, o conto japonês não preconiza o desenvolvimento nem a obtenção de benefícios tangíveis, como riquezas ou um casamento com a pessoa amada. Kawai pergunta: "'O que aconteceu?' 'Nada'. 'O que é esse 'Nada'?' 'Uma ameixeira; um rouxinol'".[231] O diagrama que ele desenha para ilustrar o padrão mostra duas trajetórias: uma masculina, que desce da consciência até o inconsciente e depois torna a subir ao "espaço diário", e uma feminina, que sobe do inconsciente, vivencia durante algum tempo o "espaço diário" e depois retorna ao inconsciente, o lugar de origem.

---

[231] H. Kawai, 1988, p. 26.

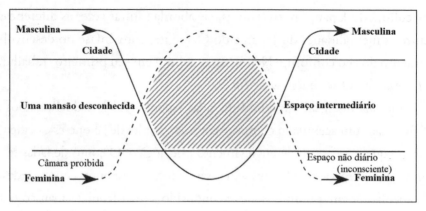

Diagrama 10: Baseado em *The Japanese Psyche*, de Hayao Kawai, p. 6.

Enquanto luta para compreender o sentido desse padrão, Kawai de repente tem a ideia de ver a história com "olhos femininos".[232] Com isso, o que ele quer dizer: "Positivo e negativo, sujeito e objeto estão contidos no círculo de nadidade que jaz além de toda diferenciação, de modo que se torna impossível objetificá-lo [...]. 'A Casa do Rouxinol' é uma expressão folclórica japonesa da 'Nadidade' primordial. A primeira e a última cenas da história são idênticas".[233] Creio que outra maneira de dizer isso é: Kawai está vendo com os olhos do *self*, não com os do ego. E aí vê um círculo, uma mandala.

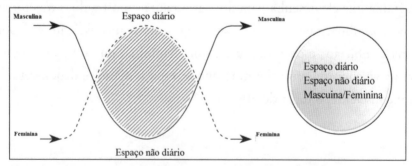

Diagrama 11: Baseado em *The Japanese Psyche*, de Hayao Kawai, p. 21.

---

[232] Ibid.
[233] Ibid., pp. 20-1.

Claude Lévi-Strauss, ao falar da cerimônia japonesa do chá, que tem inspiração zen, descreve algo semelhante: "[...] eles buscaram emancipar-se de todos os dualismos, no intuito de chegar a um estado em que a oposição entre o belo e o feio deixa de ter qualquer sentido. O budismo chama esse estado de 'quididade' ou 'talidade', uma existência anterior a todas as distinções, impossível de definir, exceto como sendo assim ou tal".[234] Ela é análoga à descrição do Pleroma que consta em *Septem Sermones ad Mortuous*, de Jung:

> Começo pela nadidade. Nadidade é o mesmo que completude. No infinito, o cheio vale tanto quanto o vazio. A nadidade é vazia e cheia. [...] O que é infinito e eterno não tem qualidades, pois tem todas as qualidades. A esta nadidade ou completude, chamamos *Pleroma*. Nela, cessam o pensar e o ser, pois o eterno e infinito não possuem qualidades.[235]

A "*gnosis*" (gnose) de Jung, conforme a comunicou Filemon em *O Livro Vermelho*, e o zen-budismo parecem encontrar-se em um estado de consciência que não admite divisões, cisões, diferenciações nem polaridades. A posição de destaque concedida à "nadidade", que Kawai também encontra no conto de fadas japonês "A Casa do Rouxinol", será uma característica central do local de encontro entre Oriente e Ocidente. Ele é um lugar de origem, anterior ao desenvolvimento do ego, e também um estado de plenitude quando a ele se chega nos últimos estágios da individuação.

Há uma experiência de plenitude compartilhada por muitas culturas no Oriente e no Ocidente. A individuação, à medida que avança, ruma em direção a um lugar de possível convergência.

---

[234] Lévi-Strauss, p. 96.
[235] Jung, 2009, p. 346-47.

Jung inicialmente teve conhecimento disso ao estudar o tratado alquímico-taoísta *The Secret of the Golden Flower* (*O Segredo da Flor de Ouro*), que lhe enviou seu amigo Richard Wilhelm enquanto o traduzia.

> Devorei imediatamente o manuscrito, pois o texto me fornecia uma confirmação inesperada no tocante às minhas reflexões sobre a mandala e à deambulação em torno do centro. Este [...] acontecimento [...] rompeu a minha solidão porque me revelou um parentesco que me dizia respeito. Em lembrança dessa coincidência, dessa "sincronicidade", escrevi sob a mandala [que pintara e] que [tinha] um ar tão chinês: 1928. Enquanto estava pintando esta imagem que mostra o castelo de ouro, Richard Wilhelm me enviava de Frankfurt o texto chinês milenar que trata de um castelo amarelo, o germe do corpo imortal.[236]

Presumivelmente, aqui Jung aproximava-se do terceiro estágio da individuação, por ele descrito anos mais tarde na interpretação dos três estágios de Dorn: a união da consciência com o *unus mundus*. Nesse momento da vida (1928, quando tinha 53 anos), estava tocando no inconsciente coletivo e no *self*, algo previsivelmente acompanhado de sincronicidades.

A imagem da mandala tornou-se o símbolo do *self* mais frequentemente citado por Jung. Convém lembrar que tanto "mandala" quanto "*self*" são termos emprestados do oriente, "mandala" do budismo tibetano e "*self*" da escola vedanta do hinduísmo ("Atman"). Ambos designam uma realidade psíquica anterior ao desenvolvimento do ego e transcendente ao ego, um terreno psíquico no qual o ego cresce como a floração

---

[236] Jung, 1961/1989, p. 197.

em um rizoma.[237] Jung começou a pintar mandalas em 1916, quando escrevia *O Livro Vermelho*. E chamou a primeira delas de *Systema munditotius*. Acerca do símbolo da mandala, ele escreveu:

> Seu motivo básico é o pressentimento de um centro da personalidade, por assim dizer um lugar central no interior da alma, com o qual tudo se relaciona e o qual ordena todas as coisas, representando ao mesmo tempo uma fonte de energia. [...]. Esse centro não é sentido nem pensado como o ego, mas [...] como o self. [...] A [essa totalidade], em primeiro lugar, pertence a consciência, depois o assim chamado inconsciente pessoal e, finalmente, um segmento de extensão indefinida do consciente coletivo, cujos arquétipos são comuns a toda a humanidade.[238]

O *systema munditotius* de Jung é, na verdade, um exemplo bastante anterior (1916) disso que descreve no trecho acima. Ele atingiu a culminância do desenvolvimento interior em 1928, quando pintou a mandala em estilo chinês anteriormente mencionada e, logo depois, recebeu de Richard Wilhelm a tradução do tratado chinês de alquimia.

Em outro lugar, mencionei semelhanças e paralelos entre a jornada interior descrita por Jung em *O Livro Vermelho* e os Dez Touros do zen-budismo.[239] Ambos os textos culminam na mandala, embora ela não seja a ilustração final de nenhum deles. A imagem nº 8 da série de touros é a do *Ensō*, que simboliza no zen-budismo a experiência da iluminação.

---

[237] Ibid., p. 4.
[238] Jung, 1950/1968, par. 634.
[239] Stein, 2014, pp. 111-26.

Imagem do *Ensō*

Hayao Kawai associa essa imagem à "experiência da morte, da Nadidade Absoluta [...]. Nesta escola de prática, não há estado mais elevado que se possa almejar atingir".[240] O texto dessa imagem da série de touros diz o seguinte:

> Tudo desapareceu: o chicote que tinha na mão,
>   As rédeas, até eu mesmo e também meu boi.
> O céu azul estende-se por toda parte,
>   Não se pode encontrar resposta alguma.
> Como pode a neve sobreviver numa fornalha ardente?
> Finalmente, compreendo o ensinamento
>   Do antigo patriarca.

Kawai afirma que desenhar o *Ensō* é uma prática espiritual de que se pode lançar mão no caminho da iluminação. Em seu percurso de individuação, foi exatamente isso que fez Jung, como nos diz ele mesmo em *Memórias, Sonhos, Reflexões*:

---

[240] H. Kawai, 1996, p. 43.

> Em 1918-1919, eu estava em Château-d'Œx, na função de comandante da Região Inglesa dos Internados de Guerra. Todas as manhãs, esboçava num livro de notas um pequeno desenho de forma redonda, uma mandala, que parecia corresponder à minha situação interior. À base dessas imagens podia observar, dia após dia, as transformações psíquicas que se operavam em mim.
> [...] Meus desenhos de mandalas eram criptogramas que me eram diariamente comunicados acerca do estado de meu "Self". Eu podia ver como meu "Self", isto é, minha totalidade, estava em ação.[241]

Portanto, foi enquanto estava assim ocupado com mandalas e com o estado do *self* que Jung fez uma descoberta capital, que lhe mostrou que o ego está relacionado ao *self* superordenado e que "a meta do desenvolvimento psíquico é o 'Self'",[242] não o ego. Assim como Kawai diz que a mandala representa no zen-budismo a experiência suprema de iluminação e desenvolvimento espiritual, Jung conclui que a mandala, que simboliza o *self*, é a meta suprema da individuação. Em sua autobiografia, Jung afirma: "Atingira, com a mandala – expressão do '*self*' – a descoberta última a que poderia chegar".[243] Oriente e Ocidente parecem concordar neste ponto.

Erich Neumann esboçou esse processo de individuação em um gráfico exaustivamente comentado em seu ensaio "The Psyche and the Transformation of the Reality Planes".[244]

---

[241] Jung, 1961/1989, p. 195.
[242] Ibid, p. 196.
[243] Ibid., p. 197.
[244] Neumann, 1952-1989, p. 19.

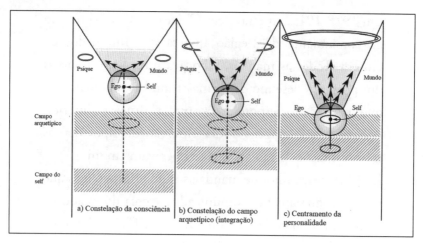

Diagrama 12: Baseado em "The Psyche and the Transformation of the Reality Planes", de Neumann, p. 19.

No alto do gráfico, temos o movimento de um estado de divisão, à esquerda, para um círculo fechado (uma mandala), à direita. O diagrama do lado esquerdo representa o mundo do ego patriarcal, cujo desenvolvimento Neumann descrevera em uma obra anterior, *História da Origem da Consciência*. Essa é a estrutura egoica a que se refere Kawai quando compara o ego japonês ao ego ocidental. Segundo Neumann, o ego é essencialmente masculino e tem como principal função discriminar e diferenciar: interior de exterior, subjetividade de objetividade, consciência de inconsciente, psique de mundo. É uma consciência de distinções e separações abruptas. Com base no argumento de Jung em *Mysterium Coniunctionis*, podemos chamar a isso a obtenção da *unio mentalis* (união mental),[245] um feito do ego ocidental que caracteriza a primeira metade da vida.

Indo para a direita, agora avançando para o desenvolvimento do ego pós-patriarcal, o processo de individuação prossegue até uma nova união entre consciência e inconsciente, antes radicalmente separados. Ao mesmo tempo, como se vê no nível superior do gráfico, psique e mundo

---

[245] Jung, 1955/1970, pars. 673ss.

começam a ficar mais próximos. Neumann chama essa posição intermediária de "constelação do campo arquetípico". Na descrição feita por Jung do processo de individuação pós-*unio mentalis*, há também uma união, chamada "reunião com o corpo". Segundo sua própria interpretação, ela equivale a: "transformar os *insights* adquiridos em realidade".[246] Verifica-se a integração de partes da psique que haviam sido separadas (consciência e inconsciente) e de um envolvimento mais profundo com o mundo. Em outras palavras, psique e mundo se aproximam mais um do outro. Na versão proposta por Neumann para esse estágio, o nível arquetípico da psique também está envolvido, e isso significa que a sincronicidade entra em jogo de um modo importante, apontando para uma maior vinculação entre psique e mundo. Contudo, isso não representa uma regressão ao estágio anterior ao do desenvolvimento do ego da *participation mystique*; trata-se de uma conexão consciente, e não de identificação ou fusão entre sujeito e objeto.

Tanto para Jung quanto para Neumann, este estágio da individuação constitui uma preparação para o terceiro e último estágio, chamado por Neumann de "centramento da personalidade" e por Jung de união com o *unus mundus*.[247] No diagrama de Neumann, vemos no alto apenas um círculo em que se reúnem psique e mundo, uma mandala. Neste estágio de desenvolvimento, há consciência de uma unidade subjacente entre *self* e outro, indivíduo e comunidade, humanidade e natureza. Essa percepção da unidade é algo que Jung e Neumann compartilham com o zen-budismo.

O filósofo do zen-budismo Toshihiko Izutsu, também participante das Conferências de Eranos e muito citado por Hayao Kawai, fala desse movimento que a consciência empreende da separação à união no diagrama a seguir, onde ele também é representado em três estágios.

---

[246] Ibid., par. 679.
[247] Ibid.

O estágio 1 é a percepção empírica normal do ego observador. O sujeito registra um objeto na percepção. Essa é a observação simples, natural, de quem olha de dentro da própria psique para o mundo lá fora. É também a base da observação empírica na ciência, que busca remover ao máximo os fatores psíquicos (subjetivos). Na prática zen, à medida que o desenvolvimento da consciência ultrapassa este estágio, chega-se ao seguinte. Este consiste em um tipo de consciência que vê o eu subjetivo e o mundo empírico baseados em uma dimensão comum, a da "verdadeira individualidade" (*true Selfhood*), que Izutsu indica por meio da fórmula (S→) o. Esta deve ser vivenciada por meio da prática, e não simplesmente adquirida como compreensão mental ou cognitiva. A "verdadeira individualidade" não é apenas mais um objeto da cognição, e sim uma experiência que se integra e é um "estado de pura e absoluta subjetividade", de modo que o indivíduo "se torna" esse estado, em vez de meramente o "conhecer".[248] Ela corresponderia à "constelação do campo arquetípico (integração)" de Neumann e ao estágio de união entre *unio mentalis* e corpo de Jung e Dorn. Em todos os casos, trata-se de experiência e não apenas de conceito. Este estágio repousa na percepção de que nem ego nem objeto é autossuficiente e independente. Tanto sujeito quanto objeto baseiam-se em um campo comum, que constitui a preparação para a experiência de união com o *unus mundus*.

---

[248] Izutsu, p. 27.

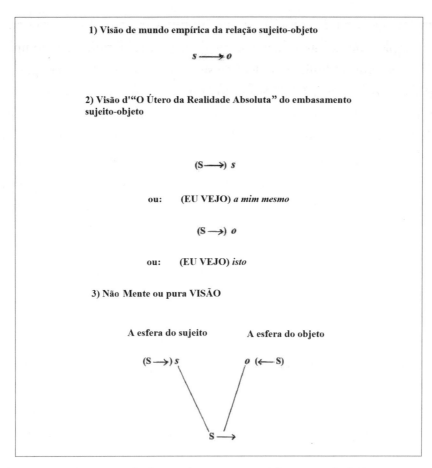

Diagrama 13: Diagrama do desenvolvimento rumo à "pura visão", de Izutsu.

Segundo Izutzu, o estágio 2 ainda contém algum "ego". Ou seja, ele ainda não é bem o estágio representado na imagem n° 8 da série de touros, o estágio do vazio. Esse momento chega no terceiro estágio de Izutsu, por ele chamado de "Nadidade". À unidade de corpo e mente atingida no estágio 2 segue-se o que o zen-budismo denomina "descarga". "A expressão: 'a descarga de corpo e mente' significa [...] que o indivíduo está vivenciando o estado metafísico-epistemológico da Nadidade com todo o seu ser".[249] Nesse ponto, a distinção sujeito-objeto se dissolve, e

---

[249] Ibid.

emerge um tipo de consciência que "se torna seu próprio eu profunda e completamente, até o máximo possível, [...] [e] termina por romper com seu próprio limite e ir além de sua determinação. Neste estágio, A já não é A; A é não-A".[250] Segundo Izutsu, isso se chama "pura visão". É o estágio designado por Neumann como "centramento da personalidade", equivalente ao que Jung chama de união com o *unus mundus*, o terceiro e derradeiro estágio da individuação. Em outras palavras, *self* e mundo são um. A identidade pessoal já não é só pessoal; ela é também arquetípica. Izutsu escreve a respeito: " Todas as coisas fluem umas para as outras, refletindo umas às outras e sendo refletidas umas pelas outras na vastidão ilimitada do campo da Nadidade. Aqui, a montanha não é mais uma montanha, o rio não é mais um rio, pois no lado subjetivo correspondente, 'eu' não sou mais 'eu'".[251]

Embora o ego pareça desaparecer completamente na imagem nº 8 e na descrição feita por Izutsu do estágio 3, "pura visão", esse não é bem o caso, como evidentemente também não o é para Neumann nem para Jung. Segundo Izutsu, "[...] a vivência da Nadidade não significa que nossa consciência se torne completamente vaga e vazia. Pelo contrário: a consciência aqui é ela mesma em sua prístina pureza, uma pura Luz ou pura Iluminação, iluminada por si e em si".[252] Neumann afirma a relação entre seu terceiro estágio e o zen: "Parece-me que essa unidade que centrou a experiência dos seres humanos é claramente perceptível, [...] no zen e nas asserções de seus mestres [...], na unidade entre interior e exterior, ego e *self*".[253]

Assim, fica claro que agora encontramos um lugar em que Oriente e Ocidente podem se encontrar na experiência do que, na psicologia junguiana, chamamos de *self*, ou eixo ego-*self* (Neumann), e no Oriente, no

---

[250] Ibid., p. 28.
[251] Ibid., p. 31.
[252] Ibid., p. 32.
[253] Neumann, 1952/1989, p. 61.

zen especificamente, se denomina Visão, ou Nadidade, para referência à consciência da unidade pleromática de tudo que é. Com isso, as diferenças observadas entre o ego do Ocidente e o ego do Oriente são superadas ou, melhor dizendo, transcendidas.

Em sua meditação sobre o conto de fadas japonês "A Casa do Rouxinol", Kawai também chega precisamente ao ponto da imagem nº 8 da série de touros, o círculo da conclusão, do qual compartilha Jung em suas pinturas de mandalas. Do ponto de vista psicológico, a individuação é o denominador comum. Na discussão de Kawai, a ênfase está no estético, enquanto nas versões zen e junguiana, ela está no místico ou espiritual. Porém, em última análise, elas são iguais: uma união do sentimento estético e da transcendência mística ancoradas na *anima mundi*.

O resultado prático

Na vida real, que diferença faz atingir o difícil ápice da individuação? Não é nada fácil atingir esse estado, como reconhece Jung em seu prefácio a *Introduction to Zen Buddhism*,* de D. T. Suzuki: É um "[...] caminho que apenas alguns dos nossos grandes trilharam; faróis, talvez, em montanhas altíssimas, lançando luz sobre o futuro sombrio".[254] Entretanto, ele é também uma experiência de plenitude compartilhada por várias culturas, no Oriente e no Ocidente, que hoje pode não se limitar à elite dos "grandes" graças, entre outras coisas, à análise junguiana. A individuação, à medida que prossegue, ruma em direção a um lugar de possível convergência entre todas as culturas do mundo, e isso certamente faz uma diferença importante para os que a vivenciam e para o mundo que os cerca. Ela contribui para a formação de uma cultura mundial possível para o futuro, uma cultura que se baseasse na própria compreensão do processo de individuação.

---

* *Introdução ao Zen-Budismo*, publicado pela Editora Pensamento, São Paulo, 1982. (fora de catálogo)
[254] Jung, 1939/1969, par. 906.

Em 1956, quando Jung já tinha 81 anos e era, como o vemos, um "velho sábio", seu amigo da Universidade Harvard, Henry Murray, pediu-lhe um conselho para definir como apresentar o conceito de individuação a seu público nos Estados Unidos. Como é a pessoa individuada? Jung respondeu-lhe: "O ser humano individuado é simplesmente comum e, portanto, quase invisível. [...] Como diz o zen-budismo, primeiro as montanhas são as montanhas e as águas são as águas. Depois, as montanhas não são mais as montanhas e as águas não são mais as águas até que, no fim, as montanhas serão as montanhas e as águas serão as águas. Ninguém pode ter uma visão e não ser transformado por ela. A princípio, o indivíduo não tem visão nenhuma e é o homem A; depois, é ele mais uma visão, ou seja, é o homem B; por fim, pode ser que a visão influencie sua vida, se ele não for obtuso, e eis o homem C".[255]

A experiência de Jung como terapeuta mostrou-lhe que a individuação pode fazer uma profunda diferença em termos de visão e atitude, ao menos em alguns casos, a respeito dos quais afirma: "Foram precisamente casos dessa natureza que afinal me convenceram de que o tratamento das neuroses toca num problema bem mais amplo, além do campo exclusivamente médico e diante do qual a ciência médica é de todo insatisfatória".[256] Esse assim chamado "problema", uma pedra que os construtores consideraram patologia e rejeitaram, tornou-se a pedra angular de um edifício, um "Hall da Individuação", que abrigaria todas as pessoas de todas as culturas que se deixassem motivar pelo esforço de tornar-se mais conscientes por meio do encontro com conteúdos e processos inconscientes. A individuação é um projeto humano que não se limita a alguns enclaves culturais específicos.

Na obra *The Buddhist Priest Myōe: A Life in Dreams*, que é, entre outras coisas, um tributo profundamente respeitoso e comovente ao bu-

---

[255] Adler, p. 324.
[256] Jung, 1944/1968, par. 4.

dismo, e também uma criteriosa consideração da individuação em um contexto cultural tradicional japonês, Hayao Kawai encerra o livro comparando as mortes de Myōe e de Jung. Kawai passou sua vida profissional entretecendo muitos fios do Oriente e do Ocidente para formar uma trama de atitudes e características psicológicas contrastantes e usando a psicologia junguiana como base de sua vasta obra intelectual. Ao fim do livro, ele coloca Myōe e Jung lado a lado em sua tapeçaria para nossa contemplação. A implicação clara é que, ao chegar ao fim da vida, ambos parecem ter descido em uma estação comum do processo de individuação. Ambos viveram em estreito contato com seus sonhos ao longo de toda a vida e, ao fim, ambos sonharam com um lar no "outro lado", no caso de Myōe, "ao lado de minha casa [em Takao]",[257] no de Jung, na "'outra Bollingen' banhada num halo de luz".[258] Myōe registra em sua crônica de sonhos: "Percebi que este sonho [previa] minha morte. As recompensas de meu próximo nascimento estavam se encaixando no presente".[259] No sonho de Jung, "uma voz lhe dizia que a construção agora estava concluída e pronta para ser habitada".[260] Kawai comenta: "É interessante observar que tanto para Myōe quanto para Jung, a morte foi sinalizada pela aparição de sua próxima morada".[261] Kawai então conclui com o relato de visões da vida além-túmulo de seus mestres feito por discípulos de ambos. Jōshin, discípulo de Myōe, o viu "subir por uma torre adornada com joias que se perdia entre as nuvens"; Laurens van der Post, discípulo de Jung, relatou uma visão do mestre "no cume de uma montanha como o Monte Cervino, dizendo ao amigo 'A gente se vê', antes de desaparecer em meio às montanhas".[262] Talvez não seja surpresa Kawai juntar essas

---

[257] H. Kawai, 1992, p. 198.
[258] Ibid., 199.
[259] Ibid., 198.
[260] Ibid., 199.
[261] Ibid.
[262] Ibid., 201.

duas histórias de individuação, pois elas confirmam a conjectura de Jung em 1928, após a leitura da tradução de Richard Wilhelm de *O Segredo da Flor de Ouro*, de que o processo de individuação é arquetípico.[263] Na casa da individuação, Oriente e Ocidente podem sentar-se e testemunhar uma experiência comum da psique, por maiores que possam ser as diferenças culturais. É aí que Oriente e Ocidente podem se encontrar.

---

[263] Jung., 1961/1989, p. 197.

Capítulo Doze
Do Símbolo à Ciência

Em um de seus primeiros trabalhos, *Psicologia do Inconsciente* (*Psychology of the Unconscious*), publicado em 1912 e traduzido para o inglês em 1916, Jung assim comenta um símbolo: "O cavalo conduzido na periferia corre muito rápido. Ele ostenta uma capa brilhante que tem os signos dos planetas e o Zodíaco". A nota de rodapé apensa a esse trecho diz o seguinte: "Esse é um motivo especial, que deve ter em si algo de típico. Minha paciente ('Psychology of Dementia Praecox', p. 165) também declarou que seus cavalos tinham 'meias-luas' sob a pele, como 'cachinhos'. Nas canções de Rudra do Rig-Veda, diz-se do javali Rudra que seu pelo era 'enrolado como caracóis'. O corpo de Indra é coberto de olhos".[264] Ao revisar o livro em 1950, Jung acrescentou o seguinte à nota de rodapé: "O I Ching foi supostamente levado à China por um cavalo que tinha na capa os sinais mágicos (o 'mapa do rio')".[265] Entre 1912 e 1950, o *I Ching* tornou-se para Jung um guia e companheiro constante.

No ensaio "Concerning Mandala Symbolism", também publicado em 1950, Jung tece mais comentários sobre o "Mapa do Rio": "O 'Mmapa do Rio' é um dos fundamentos legendários do *I Ching*, o Livro das Mutações, o qual em sua presente forma provém em parte do século

---

[264] Jung, 1991, p. 270.
[265] Jung, 1952/1970, p. 279, n. 21.

XII a.C. Segundo a lenda, um dragão trouxe do fundo de um rio o sinal mágico do 'Mapa do Rio'. Nele, os sábios descobriram o desenho e dentro deste, as leis da ordem do mundo. Em conformidade com sua idade milenar, essa representação se caracteriza por cordões com nós, significando números. Tais números têm o caráter primitivo usual de qualidades, sobretudo a masculina e a feminina. Todos os números ímpares são masculinos, ao passo que os números pares são femininos".[266] (Os números simbolizavam para Jung a ordem do mundo arquetípico.) Segundo um relato mitológico, o primeiro imperador da China, Fu Xi, ele próprio metade homem, metade dragão, viu sair do Rio Amarelo um cavalo-dragão em cujos flancos estava gravado o Mapa do Rio.[267] Esse mitologema mostra como o *I Ching* é, ele próprio, um fenômeno de emergência, surgindo do inconsciente primeiro como símbolo e, uma vez disponibilizado para a consciência, torna-se mais elaborado com o uso das ferramentas da consciência do ego. Essa elaboração se daria ao longo de séculos e teria diversos autores, entre os quais o mais importante seria o próprio Confúcio.

Do mesmo modo, Jung formulou suas teorias partindo de símbolos que emergiram do inconsciente e foram depois elaborados por ele com as ferramentas disponíveis à sua consciência do ego. Quero dar um exemplo desse processo. Ele demonstra como uma teoria emerge, começando com pistas em forma simbólica que depois são levadas à consciência e trabalhadas de forma a tornar-se uma estrutura teórica que apreenda a forma da realidade.

Partiremos de uma conversa com a Alma sobre "o dom da magia" na imaginação ativa que Jung registra em *O Livro Vermelho* (1914), seguiremos para o encontro com Richard Wilhelm e sua tradução do *I Ching*** (década de 1920) e, dele, chegaremos à formulação da teoria da

---

[266] Jung, 1950/1968, par. 642.
[267] Disponível em: https://en.wikipedia.org/wiki/Fuxi. Acesso em: 9 dez. 2020.
** *I Ching – O Livro das Mutações*, publicado pela Editora Pensamento, São Paulo, 1984.

sincronicidade (da década de 1940 ao início da de 1950, em colaboração com Wolfgang Pauli) e de uma proposta de revisão da representação do mundo.

Comecemos com o símbolo como se apresenta em *O Livro Vermelho*. Em 23 de janeiro de 1914, em meio à sequência de imaginação ativa que formaria o conteúdo de "Liber Secundus", segunda parte de *O Livro Vermelho*, Jung recebeu o Dom da Magia da figura Alma.

"O que eu faria com a magia?", pergunta ele.

"A magia fará muito por você", responde Alma.[268]

Perplexo, ele decide consultar O Mágico. Em 27 de janeiro de 1914, escreve em seu diário: "Após uma longa busca, encontrei a casinha no campo com um grande canteiro de tulipas na frente. É aí que Filemon, o mágico, mora com a mulher, Baucis".[269] Ele foi até lá para saber mais sobre magia. O que é a magia?

Com Filemon, ele aprende que a magia é o contrário da razão como normalmente a empregamos. Jung diz a Filemon: "É difícil existir sem razão". Ao que a Filemon replica: "E essa é exatamente a dificuldade da magia".

Jung: "Bem, nesse caso, o trabalho é árduo. Concluo que, para o adepto, é condição imprescindível desaprender completamente a razão".

Filemon: "Infelizmente, essa é a verdade".

Jung: "Mas que coisa, isso é sério".[270]

Posteriormente, em suas reflexões, Jung conclui: "A prática da magia consiste em tornar [inteligível] o que não é entendido de [um modo que, em si, não é compreensível] [...]. A magia é um modo de viver. Se fizermos o melhor para conduzir o carro e, então, percebermos que um outro maior na verdade o conduz, a operação mágica ocorre. Não podemos dizer qual será o efeito da magia, já que isso ninguém pode saber de

---

[268] Jung, 2009, p. 379.
[269] Ibid., p. 395.
[270] Ibid., p. 401.

antemão porque o mágico é o ilegítimo, o que acontece sem regras e por acaso, por assim dizer".[271]

O acaso é um tema que viria a preocupar Jung durante muitos anos. O que ele chama de "magia" em *O Livro Vermelho* emergiria depois na forma da teoria da sincronicidade. E o *I Ching* teve papel importante nessa transformação de símbolo em conceito.

Em 15 de dezembro de 1921, Richard Wilhelm fez uma palestra no Psychological Club, em Zurique, intitulada "*Der I Ging*" ("O I Ching"). Jung compareceu a essa palestra e pediu a Wilhelm que demonstrasse o uso do I Ching de forma prática: "[...] no mesmo instante, [ele fez] uma previsão que se concretizaria, ao pé da letra e com a máxima clareza, em menos de dois anos".[272] Essa não era a primeira exposição de Jung ao *I Ching*,[273] mas sem a ajuda de Wilhelm, ele certamente não teria sido um livro tão fundamental para seu pensamento nas décadas que viriam. Não há nenhuma referência ao *I Ching* em seus escritos anteriores a 1921.

É notório que a presença de Richard Wilhelm foi essencial ao desenvolvimento de Jung como pensador. Em um discurso proferido em memória de Wilhelm, Jung declarou: "Sinto-me, na verdade, tão enriquecido que tenho a impressão de ter recebido dele mais do que de qualquer outra pessoa".[274] A tradução do *I Ching* feita por Wilhelm teve o maior de todos os impactos, pois abordava o elemento do acaso ("a magia") e tornava "inteligível o que não é entendido, de um modo que não é, em si, compreensível". O *I Ching* continuou as lições ensinadas a Jung por Filemon, o Mágico, em *O Livro Vermelho*. A entrada no universo do *I Ching* oferecida por Wilhelm e sua brilhante tradução constituiu uma reviravolta feliz muito significativa para Jung. Ela era em si

---

[271] Ibid., pp. 404-05. Minha tradução entre colchetes.
[272] Jung, 1930/1966, par. 84.
[273] "Já estava bastante familiarizado com o I Ching quando conheci Wilhelm no começo da década de 1920 [...]." Jung, 1950/1969, par. 966.
[274] Jung, 1930/1966, par. 96.

uma espécie de milagre: deu-lhe um meio de usar a varinha de condão que lhe fora imposta por meio da imaginação ativa em 1914, antes que ele conhecesse muito da cultura e da filosofia chinesas. O *I Ching* demonstrou-lhe que uma tradição cultural antiga como a chinesa labutara com o mistério do acaso e conseguira encontrar um método inteligível de trabalhar com esse fenômeno de uma maneira extremamente desenvolvida e produtiva. Como diz Jung no prefácio à tradução inglesa do *I Ching*, publicada em 1950: "A mente chinesa, como a vejo trabalhando no I Ching, parece preocupar-se exclusivamente com o aspecto casual dos acontecimentos".[275]

A pergunta com que Jung se debatia: como incorporar o elemento do acaso a uma visão de mundo que no momento é dominada pelo método científico, que só trabalha com a causalidade rigorosa? Como já reconhecia ele próprio em 1914 nos diálogos registrados em *O Livro Vermelho*, a racionalidade (isto é, o método científico) não é o bastante para uma descrição completa de como a realidade se organiza. As leis da ciência não admitem a coincidência significativa, ou acaso. A ciência ignora esse aspecto da realidade, o qual é, na verdade, imensamente importante em nossa experiência de vida. O elemento da coincidência significativa estava em jogo em um determinado momento crítico da relação entre Jung e Wilhelm. Em 1928, Wilhelm pediu a Jung que escrevesse um comentário sobre o texto chinês que acabara de traduzir, *O Segredo da Flor de Ouro*, e quando lhe enviou o manuscrito, anexou a imagem de uma mandala tibetana. Ao abrir o pacote, Jung ficou atordoado com a semelhança das imagens do texto com uma pintura que acabara de fazer para seu Livro Vermelho, cujo estilo estranhamente lhe parecera chinês. Escreve ele: "Em lembrança desta coincidência, desta 'sincronicidade', escrevi sob a mandala que [tinha] um ar tão chinês: 1928. Enquanto estava pintando esta imagem que mostra o castelo de ouro, Richard Wi-

---

[275] Jung, 1950/1969, par. 968.

lhelm me enviava de Frankfurt o texto chinês milenar que trata de um castelo amarelo, o germe do corpo imortal".[276] Essa intervenção mudou enormemente o rumo de Jung. Ele deixou *O Livro Vermelho* e voltou-se para o estudo intensivo da alquimia, preocupação que o acompanharia pelo resto da vida. Foi um momento de mudança para Jung, o selo de uma verdadeira sincronicidade que é levado a sério por quem a recebe.

Para dar uma ideia da alta conta em que Richard Wilhelm tinha a compreensão de Jung da visão de mundo e da filosofia chinesas, citarei um breve artigo escrito por ele para o *Neue Zurcher Zeitung*, publicado em 21 de janeiro de 1929.[277] Wilhelm o escreveu depois de pedir a Jung um comentário psicológico para sua tradução de *O Segredo da Flor de Ouro*, porém nove meses antes de Jung o redigir.[278] O artigo se chama "Meu encontro com C. G. Jung na China" (*"Meine Begegnung mit C. G. Jung in China"*) e começa com Wilhelm confessando que jamais encontrara Jung na China (na verdade, Jung nunca viajou à China nesta vida!). Apesar disso, ele diz: "Entretanto – e de um modo mais intensivo do que com qualquer outro europeu – foi lá que eu o conheci". No artigo, Wilhelm fala da profunda consonância e afinidade entre os escritos de Jung sobre tipologia psicológica (introversão e extroversão) e gênero (anima e animus) e a antiga filosofia chinesa. Isso não se deve a uma coincidência acidental, mas sim a "uma profunda semelhança da mais íntima concepção da vida" ("eine tiefgehende Gemeinsamkeit der innersten Lebensauffassung"). "Como se pode explicar isso?", pergunta Wilhelm, e aventa três possibilidades: 1) reencarnação de um sábio chinês punido por contradizer a tradição erudita dos acadêmicos chineses no suíço Jung, que

---

[276] Jung, 1961/1989, p. 197.
[277] Em 29 de janeiro de 1929, Wilhelm fez uma palestra no Psychological Club, em Zurique, sobre "Einige Probleme der buddhistischen Meditation" ["Alguns Problemas da Meditação Budista"]. Essa seria sua quarta e última palestra no Club.
[278] Em uma carta datada de 10 de setembro de 1929, Jung diz a Wilhelm: "Agora, meu comentário está mais ou menos pronto". Jung 1973, p. 67.

abrigaria em si um tesouro de antiga sabedoria chinesa agora manifesto em sua teoria psicológica; 2) transmissão telepática entre a antiga filosofia chinesa e Jung; 3) uma fonte no inconsciente coletivo comum à sabedoria chinesa e à teoria de Jung, por este encontrada em suas explorações do mundo interior. Wilhelm considera a terceira opção a mais provável: "Ela confirmaria que a verdade pode ser atingida de qualquer ponto de vista caso se investigue o suficiente, e a consonância entre o pesquisador suíço, de um lado, e os sábios da antiguidade chinesa, de outro, então mostraria que ambos estão certos, já que ambos descobriram a mesma verdade. Não sei o que o Dr. Jung pensa a respeito, mas, por minha parte, estou satisfeito com essa explicação".[279]

O foco de Wilhelm nos conceitos de extroversão/introversão e anima/animus mostra que ele estava lendo as obras mais recentes de Jung (*Tipos Psicológicos* [*Psychological Types*], publicado em 1921, e *The Relations Between the Ego and the Unconscious*, publicado em 1928) e que estava estabelecendo relações entre os desdobramentos da teoria psicológica de Jung e a filosofia chinesa das polaridades, Yang e Yin. Os dois devem ter conversado muito, já que Wilhelm fez palestras no Psychological Club, em Zurique, em 1921 ("O I Ching" – "*Der Iking*") e 1926 ("A Prática do Yoga Chinês" – "*Chinesische Jogapraxis*" e "Psicologia Chinesa" – "*Chinesische Seelenlehre*"). Seria um eufemismo crasso dizer que Jung simplesmente apreciava o enorme esforço de Wilhelm para levar a filosofia e a sabedoria chinesas à Europa.

Na verdade, ele via sua relação com Wilhelm como uma parceria: "O destino aparentemente reservou-nos o papel de pilares que sustentam a ponte entre Oriente e Ocidente",[280] diz ele a Wilhelm em 25 de maio de 1929, quando começava a trabalhar no brilhante comentário que teceu à tradução de *O Segredo da Flor de Ouro*. Na visão de Jung, Wilhelm

---

[279] NZZ, segunda-feira, 21 de janeiro de 1929, página 1, nº 119 (tradução minha).
[280] Jung, 1973, p. 66.

e ele estavam promovendo e apoiando a possibilidade de contato entre o Oriente e o Ocidente, Jung como psicólogo receptivo de formação ocidental e orientação filosófica, e Wilhelm como pastor cristão receptivo e apaixonado pela tradução das obras clássicas da filosofia chinesa para a língua e a mentalidade europeias. Juntos, estavam promovendo a recepção da sabedoria chinesa tradicional no Ocidente. Wilhelm estava vertendo a língua chinesa para um vocabulário europeu, e Jung estava vertendo a filosofia chinesa para sua teoria psicológica ao buscar paralelos entre o processo de individuação que testemunhava em si e em seus pacientes europeus (no comentário a *O Segredo da Flor de Ouro*) e estendendo a acausalidade, que considerava tão essencial ao pensamento chinês representado no *I Ching*, por exemplo, à sua visão de mundo filosófica.

Também devemos lembrar-nos da atitude crítica e criteriosa de Jung diante da adoção indiscriminada dos modos de pensar do Oriente e do abandono dos princípios científicos do Ocidente, a duras penas conquistados. Ela o levou a usar uma segunda metáfora para descrever o esforço conjunto para disponibilizar a sabedoria chinesa à mentalidade ocidental que ele e Wilhelm estavam empreendendo. "Não é nada pequeno o serviço prestado por Wilhelm ao nos propiciar um quadro tão abrangente e colorido de uma cultura estrangeira. Mais importante, no entanto, é o fato de nos haver *inoculado* o germe vivo do espírito chinês, capaz modificar essencialmente nossa visão do mundo. Já não estamos reduzidos a observadores admirados ou críticos, mas tornamo-nos participantes do espírito oriental na medida em que experimentarmos a eficácia viva do I Ching".[281] Com que Jung estaria preocupado? Quando se fala em inocular, pensa-se imediatamente na vacina contra uma doença. Qual seria a possível doença do Oriente que preocupava Jung?

---

[281] Jung, 1930/1966, par. 78 (ênfase minha).

Ao longo de suas obras, Jung adverte seus leitores europeus contra os riscos da infecção pela substância alheia de religiões e filosofias não europeias. Ele era particularmente sensível à crise espiritual do Ocidente e a seu anseio e sua necessidade desesperada de alimento espiritual. No discurso em memória de Wilhelm, Jung afirma: "[...] O cristianismo está de tal modo debilitado a ponto de os budistas acharem que já passou da hora de enviarem missionários à Europa [...]".[282] E o que há de errado com isso?, poderíamos perguntar. (Hayao Kawai me disse certa feita: "Vocês [isto é, os norte-americanos] estão salvando o budismo para nós; nós [isto é, japoneses] estamos salvando o cristianismo para vocês!".) Jung tinha plena convicção de que o Ocidente deveria fortalecer sua própria cultura a partir de suas raízes históricas, em vez de enxertar brotos alheios no toco da vinha emurchecida da psique ocidental: "Dando uma esmola a um pobre, certamente não o estaremos ajudando, mesmo que seja isso o que ele quer. Nós o ajudaríamos muito mais se lhe mostrássemos o trabalho como meio de libertar-se definitivamente da mendicância. Infelizmente, os mendigos espirituais de nossos tempos estão demasiado propensos a aceitar as esmolas do Oriente e a imitar irrefletidamente seus costumes. Esse é um perigo sobre o qual nenhum alerta será demais [...]".[283] A doença contra a qual se deve imunizar é, então, a *imitação* indiscriminada de uma cultura alheia e de sua religião, o que levaria a um desenvolvimento psicológico e espiritual falso, sem raízes na mentalidade nativa do convertido.

Em *O Livro Vermelho*, Jung confronta esse problema por meio da imaginação ativa com uma figura oriental chamada Izdubar. Izdubar passeia pelas regiões do Ocidente e encontra Jung, que está tentando viajar para o Oriente. Izdubar está mortalmente ferido pela visão de mundo científica da cultura europeia, como Jung tenta explicar-lhe. Jung então

---

[282] Ibid., par. 87.
[283] Ibid., par. 88.

se propõe a ir ao Oriente para buscar ajuda para ele, reconhecendo que o Ocidente não tem mais nenhuma resposta religiosa que satisfaça as necessidades espirituais do estrangeiro do Oriente. Em outras palavras, ele admite que o cristianismo deixou de existir como caminho espiritual e, por isso, ele se propõe a recorrer ao Oriente. Mas Izdubar adverte-o contra essa possível solução: "O caminho até lá é longo e solitário. E, depois de atravessar as montanhas, quando chegar às planícies, você encontrará o poderoso sol, que o cegará".[284] Assim, Jung tem de encontrar outra forma de lidar com o problema espiritual de Izdubar e com o seu próprio. Ele tem de encontrar o próprio mito indo até a fonte de todos os mitos e de toda a espiritualidade, ou seja, ao mundo dos arquétipos e do inconsciente coletivo. Ele tem de seguir o Espírito das Profundezas até seu último reduto. (Isso é o que ressalta Wilhelm em seu artigo no NZZ, escrito uns 15 anos depois do incidente com Izdubar e, mais provavelmente, sem conhecimento consciente daquela conversa crítica entre Jung e Izdubar.)

O resultado é que Jung tem de encontrar um meio de trazer a sabedoria do Oriente (disponível nas traduções de *O Segredo da Flor de Ouro* e, sobretudo, do *I Ching* de Wilhelm) à própria visão de mundo sem perder suas bases na mentalidade ocidental que emergiu na modernidade. É fascinante ver como Jung fez isso. No início da década de 1930 e logo após a morte prematura de Wilhelm, Jung foi procurado por Wolfgang Pauli, jovem e brilhante cientista, figura de proa nos avanços da física moderna da época e até sua morte em 1960, que estava em busca de ajuda psicoterapêutica. A correspondência subsequente entre os dois está repleta de discussões sobre o princípio da sincronicidade, como denomina Jung o fenômeno da coincidência significativa, que seria para ele o elo entre a ciência ocidental e o *I Ching* e sua sabedoria chinesa tradicional.

---

[284] Jung, 2009, p. 282.

"Nosso caminho começa com nossa realidade, não com exercícios de yoga que só iriam desviar-nos dela. Se quisermos ser discípulos dignos do mestre, precisamos continuar o trabalho de tradução que Wilhelm fazia em um sentido mais amplo", diz Jung em 1930 no discurso em memória dele. "O conceito central da filosofia chinesa é o *tao*, que Wilhelm traduziu por 'sentido'. Assim como ele traduziu os tesouros espirituais do Oriente para uma visão ocidental, devemos transpor esse sentido para a vida. Fazer isso – ou seja, transpor para a vida esse sentido, realizar o *tao* – é em que consiste a verdadeira tarefa dos discípulos".[285] Portanto a tarefa que Jung chama a si, colocando-se no papel de discípulo digno de Wilhelm, foi considerar como o *tao*, ou o "sentido", poderia inserir-se na consciência ocidental e na representação de mundo e ser vivido. Como viver o *tao*, ou o "sentido", era uma questão que ele colocava para si pessoalmente e para seus pacientes.

A ciência ocidental não está bem equipada para lidar com a questão do sentido, ou plenitude. A ciência é basicamente um método de investigação das leis da natureza com base em sua manifestação em experimentos controlados: se a, então b. A ciência isola variáveis e pode ser usada para prever o futuro partindo das leis da natureza que regem as variáveis. Os experimentos podem ser replicados universalmente porque as leis da causalidade vigoram em toda parte, todas as vezes e exatamente da mesma maneira. O resultado é uma explicação de causa e efeito. Mas que dizer de eventos singulares, que ocorrem apenas uma vez por puro acaso, não são explicáveis pelas leis da natureza conhecidas e não podem ser repetidos em laboratório? Como bem demonstra a experiência, eventos singulares assim podem gerar um sentido extraordinário para as pessoas. Jogar o *I Ching* cria um desses eventos singulares. Uma pergunta é feita; três moedas são lançadas seis vezes; os números resultantes são associados a um dos 64 hexagramas; um sentido importante, que se

---

[285] Jung, 1930/1966, par. 89.

relaciona ao presente e ao futuro, é extraído das imagens associadas ao hexagrama: esse é um tipo diferente de "ciência". É esse método de empregar a coincidência para gerar sentido o que fascinava Jung no "Livro das Mutações".

> "A mente chinesa, como a vejo trabalhando no I Ching, parece preocupar-se exclusivamente com o aspecto casual dos acontecimentos. O que chamamos de coincidência parece ser o interesse primordial dessa mente peculiar, e o que cultuamos como causalidade passa quase despercebido [...]. A questão que interessa parece ser a configuração formada por eventos casuais no momento da observação, e de modo nenhum as razões hipotéticas que aparentemente justificam a coincidência. Enquanto a mente ocidental cuidadosamente examina, pesa, seleciona, classifica e isola, a visão chinesa do momento inclui tudo até o menor e mais absurdo detalhe, pois tudo compõe o momento observado. Assim ocorre quando são jogadas as três moedas, ou quando se contam as 49 varetas; esses detalhes casuais entram no quadro do momento da observação e formam uma parte dele – uma parte que, para nós é insignificante, porém para a mente chinesa é de suma importância".[286]

Jung tomaria esse foco no *momento único, singular*, no qual cadeias desconexas de eventos de determinação causal se concatenam, e desenvolveria uma teoria que acrescentou um fator à visão de mundo científica do Ocidente. Essa viria a ser a sua contribuição para uma visão de mundo pós-mitológica e pós-religiosa moderna que inclui o elemento do sentido, o qual foi tradicionalmente aportado pelas religiões como "a

---

[286] Jung, 1950/1969, pars. 968-69.

vontade de Deus" ou "o Destino". O *I Ching* era a demonstração perfeita da sincronicidade em ação.

Em uma entrevista com Mircea Eliade em 1952, Jung comenta: "Ultimamente, estou empenhado no estudo da sincronicidade (resumindo, a 'ruptura do tempo') e percebi que ela lembra muito as experiências numinosas em que o espaço, o tempo e a causalidade são abolidos".[287] O elemento do tempo está embutido no próprio termo, sincronicidade. Literalmente, ele significa "ao mesmo tempo", e Jung o usava para referir-se a eventos singulares, irrepetíveis, que unem duas ou mais cadeias independentes de eventos causados separadamente *ao mesmo tempo*. Darei um exemplo de minha própria experiência. Há alguns anos, passei uma tarde com amigos observando e analisando uma coleção de imagens em um estúdio de Zurique. Todas essas imagens tinham relação com a vida de Jung. Elas haviam sido reunidas para a comemoração do centenário de seu nascimento, em 1975. Deixamos o local muito animados com as conversas e descobertas suscitadas por esse material e, ao sair à rua, vimo-nos no meio de um pesado engarrafamento. Ao mesmo tempo, para nosso espanto, parado bem ali à nossa frente estava um táxi com o nome "Jung" pintado na lateral! O veículo pertencia a uma empresa muito pequena de Zurique, e eu nunca tinha visto (nem vi desde então) nenhum táxi dessa empresa. A probabilidade contrária a essa coincidência no tempo era, de fato, muito alta. Certamente, também não havia nenhuma relação causal entre nossa saída dos arquivos, tendo nas mãos fotos de Jung, e o surgimento daquele táxi chamado Jung. (Nem sequer tínhamos chamado um táxi.) Mas lá estava ele. Para nós, foi um evento numinoso (uma sincronicidade) e, para mim pessoalmente, teve enorme sentido na época.

Esther Harding fala de uma conversa particular na qual Jung fez o seguinte comentário sobre o fator do *sincronismo*: "Ele achava que os

---

[287] Jung, 1952/1977, p. 230.

fenômenos observados [parapsicológicos, ou sincronísticos] só poderiam ser explicados pela hipótese de que o tempo é um fenômeno psíquico, isto é, um condicionamento da psique ou da consciência. Caso se possa sair desse condicionamento do ego, o tempo se torna inteiramente relativo, e o momento presente é como se fosse eterno".[288] No momento sincronístico, é como se conseguíssemos sair do tempo. Nas palavras de Jung, isso seria uma "ruptura do tempo". A causalidade obedece ao tempo: é uma cadeia causal de eventos que se sucedem uns aos outros em um horizonte rigorosamente temporal. A sincronicidade é uma reunião de fatores desprovidos de relação causal em um só momento. O tempo não controla a configuração, já que é subsumido por outra coisa: o "sentido". Um pertence estritamente ao tempo; o outro, à realidade não temporal (ou eternidade). De certo modo, viver com o *I Ching* é o mesmo que viver em um mundo sincronístico de sentido, ou *tao*.

A questão de como arranjar estes dois elementos, tempo e sentido, foi abordada pelo cuidadoso e rigoroso matemático Wolfgang Pauli em uma carta de 1938 a Jung. Acerca da ideia de uma "ruptura do tempo", ou seja, de uma dimensão da realidade que suplanta o fator do tempo, Pauli questiona Jung quanto ao termo "sincronicidade", que inclui a noção de tempo em sua própria construção verbal: "Passei a aceitar a existência de camadas espirituais mais profundas que não encontram definição adequada no conceito convencional de tempo".[289] Em 1949, após a Segunda Guerra Mundial, quando retomam a correspondência, Pauli expande essa ideia: "[…] os eventos relacionados pelo sentido podem ser percebidos muito *mais facilmente* quando são simultâneos. Mas [...] a simultaneidade é também a característica que determina a unidade dos conteúdos conscientes. Portanto, na medida em que eventos 'sincronísticos' formam aquilo que você chama de estado inicial de consciência

---

[288] Harding, p. 182.
[289] Meier, p. 21.

'psicoide', é compreensível que (nem sempre, mas em muitos casos) eles também compartilhem a característica padrão da simultaneidade. Isso sugere também que, como agente primária, a conexão de sentido torne o tempo um agente secundário. [...] O que me parece satisfatório é que o fator de ordenamento – ou seja, 'que consiste em sentido', o qual contém o tempo (o cronos) como caso especial, como princípio masculino – esteja em contraste com o princípio feminino-indestrutível (causalidade no sentido mais estreito [...]), como também parece ser o caso na microfísica".[290] Sem dúvida (se é que podemos usar essa expressão em relação a essas frases!), Pauli está organizando os fatores da seguinte maneira: o sentido contém e suplanta o tempo, o qual é apenas um caso especial. O sentido é o supremo fator de ordenamento para a sincronicidade, definida por Jung como coincidência significativa. No caso do *I Ching*, isso implicaria que a consulta ao *Livro das Mutações* poderia ter como efeito a revelação do "fator de ordenamento" do sentido em operação nos bastidores e além do tempo.

Se transcende o fator do tempo, o fator do sentido não abole nem o tempo nem a causalidade. Relacionar essas duas dimensões e reuni-las em uma representação do mundo única e unificada tornou-se o grande desafio de Jung e Pauli. Ele é comparável a reunir Oriente e Ocidente em uma representação unificada do mundo, de um lado, e a reunir a consciência e o inconsciente no reino da psique, do outro. Os dois sistemas são incomensuráveis, como afirma claramente Jung em carta a Pauli.[291] No entanto, é preciso reuni-los em um todo unificado, caso se pretenda esboçar uma representação completa da realidade, seja esta psíquica ou cósmica. Do mesmo modo, quando se consulta o *I Ching* com uma mente científica treinada no Ocidente, os dois sistemas incomensuráveis são colocados em jogo. Na correspondência que trocaram, encontramos

---

[290] Ibid., p. 39.
[291] Ibid., p. 61.

propostas variadas para diagramar uma representação do mundo que incluísse tanto a causalidade quanto a sincronicidade.[292] Jung incluiu sua versão final dessas propostas no ensaio publicado com o título de "Synchronicity: An Acausal Connecting Principle".[293]

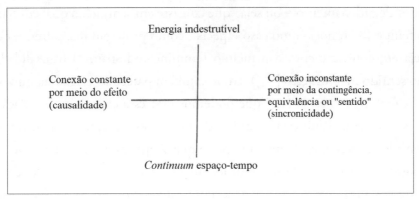

Diagrama 14: Diagrama criado por Jung e Pauli.

Foi de Pauli a sugestão de trocar a clássica oposição entre espaço e tempo pela oposição entre "Energia indestrutível" e "*Continuum* espaço-tempo". Esse eixo inclui no diagrama a física moderna. A oposição horizontal é a tentativa de Jung de incluir no quadro a causalidade e a sincronicidade. Reunida, essa quaternidade destina-se a descrever a totalidade de fatores, visíveis e invisíveis, que atuam no cosmos. Com a "Conexão inconstante por meio da contingência", Jung leva a mente chinesa (conforme é representada no *I Ching*) à representação do mundo.

Em sua obra definitiva sobre o tema, Jung acrescenta um termo importante em relação à sincronicidade: "criação". Ao longo das discussões com Pauli, ficou claro para Jung que seu conceito de sincronicidade como fenômeno extraordinário e singular pertencia a uma categoria mais ampla de fenômenos. Como depreendemos de nossa própria experiência, as coincidências significativas constituem um caso especial de "orde-

---

[292] Ibid., pp. 56-61.
[293] Jung, 1952/1969, par. 963.

namento acausal" em geral, um conceito muito mais amplo. Vale a pena lembrarmos que Jung via o "Mapa do Rio" como uma intuição chinesa preliminar das "leis da ordem do mundo" e que o *I Ching* se baseava nessa intuição. Escreve ele: "[E]ssa representação se caracteriza por cordões com nós, significando números. Tais números têm o caráter primitivo usual de qualidades, sobretudo a masculina e a feminina".[294] E volta a essa ideia no ensaio sobre a sincronicidade: "Nessa categoria [isto é, a teoria geral do ordenamento acausal] se incluem todos os 'atos de criação', os fatores *a priori*, como, por exemplo, as propriedades dos números naturais, as descontinuidades da física moderna etc".[295] A distinção entre a teoria geral do ordenamento acausal e uma instância especial de sincronicidade tem que ver com o fator do tempo: "Esta forma de ordenamento [isto é, a sincronicidade] se distingue daquela que organiza as propriedades dos números naturais ou as descontinuidades da física moderna pelo fato de que esta última existe desde toda a eternidade e ocorre regularmente, ao passo que as formas de ordenamento psíquico são *atos de criação no tempo*".[296] O que Jung está dizendo é que, na sincronicidade, o sentido irrompe no tempo, o arquétipo irrompe na consciência e, por isso, a numinosidade se associa à experiência da sincronicidade. A sincronicidade revela uma ordem de sentido que existe além de nossa percepção, uma ordem que não é criada pela consciência, mas sim apresentada a ela como uma espécie de "revelação" no evento sincronístico.

Aqui vemos o resultado final do processo que teve início como símbolo na imaginação ativa ("a varinha de condão") e chegou a uma expressão teórica de alta abstração e nível intelectual rigorosamente consciente. A trajetória de *O Livro Vermelho* até "Synchronicity: An Acausal Principle" é instrutiva para o estudo do modo como os conteúdos emergem do inconsciente na forma de imagens e intuições e podem, ao fim,

---

[294] Jung, 1950/1968, par. 642.
[295] Jung, 1952/1969, par. 965.
[296] Ibid.

assumir seu lugar na consciência como conceitos de significação para a compreensão do mundo.

No prefácio ao "I Ching", Jung afirma ou deixa implícitos todos os pontos teóricos acima mencionados até que, de repente, dá uma guinada e aborda o livro como se este fosse animado por "agentes espirituais" com os quais ele vai travar uma conversa. Isso, afirma ele, é tratar o livro como faziam os antigos sábios chineses, como se ele fosse animado por *shên*, isto é, seres vivos "semelhantes a um espírito".[297] Em outras palavras, ele vai promover uma imaginação ativa tendo o *I Ching* como interlocutor. Assim, faz uma pergunta ao livro e depois joga as moedas. O hexagrama obtido é o de número 50, Ting, "O Caldeirão". A pergunta que ele fez foi: Como se sente você, *I Ching*, diante de minha intenção de apresentá-lo à mente ocidental? Jung imagina estar apresentando um estranho a possíveis amigos e colegas, no caso, "sobretudo [em sua] tradução para o inglês", ou seja, ao mercado editorial norte-americano.[298] Como se sente o livro diante disso e qual a sua resposta? Com sentimentos um tanto contraditórios, conforme Jung lê o hexagrama *Ting*: "O *I Ching* parece estar lamentando que suas excelentes qualidades não sejam reconhecidas e, portanto, permaneçam inexploradas. Conforta-se com a esperança de recuperar, em breve, o reconhecimento".[299] Lendo atentamente as linhas destacadas, Jung descobre que, na verdade, o *I Ching* está satisfeito com essa apresentação ao público anglófono. A sexta linha diz: O Ting tem argolas de jade. Grande boa fortuna! Nada que não seja favorável.

Jung conclui: "Aqui, o *I Ching* expressa-se como estando não só muito satisfeito, mas também bastante otimista. Pode-se apenas esperar futuros acontecimentos e, até lá, contentar-se com a agradável conclusão de que o *I Ching* aprova a nova edição".[300]

---

[297] Jung, 1950/1969, par. 977, n. 5.
[298] Ibid., par. 998.
[299] Ibid., par. 981.
[300] Ibid., par. 993.

E assim, de fato, aconteceu: em pouco tempo (pelos padrões chineses), o *I Ching* tornou-se um *best-seller* no mundo inteiro e foi acolhido pela cultura global dominante. Pelo visto, Jung e Wilhelm saíram-se espantosamente bem no papel de pilares que sustentam a ponte entre Oriente e Ocidente. Pessoalmente, creio que Richard Wilhelm teria ficado muito satisfeito com todo o sucesso obtido por todo o seu trabalho dedicado na China várias décadas antes. Devemos reconhecer também o enorme esforço da tradutora da versão alemã de Wilhelm para o inglês, Cary Baynes. Jung lhe pedira que pensasse nesse projeto já na década de 1920, e em 1950 ele foi, finalmente, concluído. O resto é história.

Capítulo Treze
Trauma Cultural, Violência e Tratamento

O trauma cultural assume muitas formas: catástrofes naturais, como terremotos, secas e enchentes, ou horrores provocados pelo homem, como guerras, ataques terroristas e colapsos financeiros. Não há nenhum momento da história sem traumas culturais, e nenhum lugar na Terra foi poupado. Portanto, somos todos, sem exceção, vítimas de trauma cultural, embora, evidentemente, alguns bem mais que outros. Para encontrar o trauma cultural e seus efeitos, não precisamos sair de casa. A questão aqui é: será que alguns de nós somos capazes de nos tornar curandeiros feridos de traumas culturais?

O que é um curandeiro ferido de traumas culturais? Como seria ele ou ela? Começarei pela conhecida história contada a Jung por Richard Wilhelm, aquela cujo título é "O Fazedor de Chuva". Ela nos mostra um curandeiro de traumas culturais em ação. O que podemos aprender com ele? Extraí as citações do *Visions Seminar,* de Jung, 1930-1934.

> Houve uma grande seca no local em que vivia Wilhelm: durante meses não caíra um pingo de chuva, e a situação se tornara catastrófica. Os católicos organizaram procissões, os protestantes fizeram preces e os chineses queimaram incenso e deram tiros para espantar os demônios da

seca, mas tudo foi em vão. Por fim, os chineses disseram: "Vamos buscar o fazedor de chuva". Foi então que apareceu, vindo de outra província, um velho ressecado. A única coisa que pediu foi uma casinha tranquila em qualquer lugar, e lá trancou-se por três dias. No quarto dia, surgiram nuvens no céu e caiu uma nevasca de proporções pouco habituais, principalmente em uma época do ano em que não se espera neve alguma. Como não se falava na cidade em outra coisa que não o maravilhoso fazedor de chuva, Wilhelm foi até ele para saber como o fizera. De uma forma bem europeia, perguntou-lhe: "As pessoas o chamam de fazedor de chuva; pode me dizer como fez a neve?". O velhinho chinês disse: "Não fiz a neve, não sou o responsável". "Mas o que fez nesses três dias?" "Ah, isso eu posso explicar. Sou de outro país, onde as coisas estão em ordem. Aqui, elas não estão funcionando, não estão como deveriam estar pelo regimento do céu. Por isso, nenhuma outra parte do país está no Tao, e eu também não estou na ordem natural das coisas, pois estou num país em desordem. Por isso, tive que esperar três dias até voltar ao Tao e, aí, naturalmente a chuva caiu".[301]

Quando nós, na qualidade de aspirantes a terapeutas, enfrentamos traumas culturais generalizados, em qualquer que seja a forma, sem dúvida nos sentimos aturdidos e desamparados. Isso está muito além de nossos meios de tratamento, em geral voltados principalmente para indivíduos ou pequenos grupos. Não podemos sequer começar a resolver o grande problema, em seu nível gigantesco, coletivo. Então, o que podemos fazer? Podemos, é claro, tratar as pessoas individualmente, uma de cada vez, ou em grupos de cinco ou seis. Mas o que podemos fazer diante

---

[301] Jung, 1997, p. 333.

de um trauma cultural em larga escala? Aqui, creio que a história do fazedor de chuva sugere uma abordagem que podemos adotar. Ela ensina que devemos começar por nós mesmos: antes de qualquer coisa, devemos colocar-nos no Tao. Usando a terminologia psicológica, diríamos: devemos começar recuperando o eixo ego-*self* e entrando em harmonia com ele. Isso pode exercer um efeito sincronístico no ambiente cultural e na cultura como um todo e constitui, pelo menos, um começo para a terapia do trauma cultural.

Os livros de Donald Kalshed tiveram uma importante influência sobre a compreensão junguiana do trauma na infância e de seu tratamento. Ele ressalta que, quando as crianças sofrem um trauma, a psique reage com defesas primitivas que se destinam a proteger o núcleo do *self* infantil, seu centro espiritual. Por serem tão inconscientes e tão extremas (e até violentas), essas defesas continuam a agir na vida adulta e costumam criar sérios problemas interpessoais e intrapsíquicos. Na verdade, como uma espécie de doença autoimune, elas podem acabar atacando a própria psique. E o mesmo se verifica quando o trauma ocorre na idade adulta, como hoje em dia se vê amplamente nos Estados Unidos, no grande número de soldados que voltam de guerras alheias.

Thomas Singer e seu colaboradores tomaram esse modelo e o aplicaram ao trauma cultural (Singer, 2012; Singer e Kimbles, 2004; Singer e Kaplinsky, 2010). As mesmas reações psíquicas são demonstradas por grandes grupos de pessoas relacionadas quando o trauma as atinge coletivamente: defesas primitivas emergem para proteger o *self* grupal, sua alma coletiva, sua herança cultural e sua integridade. Instala-se uma patologia cultural de autodefensividade que impede que a cultura como um todo funcione de um modo saudável e, com isso, seus membros sofrem durante gerações. Na coletânea de ensaios que editei com Grazina Gudaite, *Confronting Cultural Trauma: Jungian Approaches to Understanding and Healing*, o tema dos efeitos do trauma cultural sobre várias gerações é discutido por 17 autores que representam 12 diferentes culturas do mundo inteiro.

Como observa o fazedor de chuva, quando entra em uma região perturbada, também ele se perturba. Isso acontece quando o aspirante a curandeiro é também um curandeiro ferido e conhece por dentro os problemas do trauma. Os padrões culturais de defesa contra o trauma coletivo têm efeito contagioso sobre quem quer que se aproxime da região, mas nem todos compreendem o sentido disso ou podem usá-lo. Essa é a função do curandeiro ferido. Ele pode usar aquilo que na psicologia junguiana chamamos de contratransferência sintônica. Jung percebeu esse efeito em si mesmo quando entrou na Alemanha, uma cultura traumatizada pela derrota na Primeira Guerra Mundial, e conseguiu ler o perigo a partir de sua própria experiência.

A primeira coisa que um curandeiro de traumas culturais tem de fazer é deixar-se contagiar até certo ponto pela doença da região. Esse contágio se torna a base para a compreensão dos problemas e de seu tratamento. Então o curandeiro realiza sua própria cura, como vemos no fazedor de chuva e, com isso, promove efeitos virtuosos na região. Isso é o que poderíamos chamar de "tratamento silencioso"; em outro trabalho, o chamei de contratransferência xamânica.[302]

Devemos reconhecer que defesas arcaicas se constelam fortemente no plano coletivo quando uma cultura entra em trauma. Isso leva a toda sorte de tentativas de remediação e reinstituição da sensação anterior de integridade cultural, como vemos também na história do fazedor de chuva (reparações de caráter religioso, procissões, atos ritualísticos etc.). Busca-se punição das injustiças cometidas pelo povo e a reconstrução dos danos decorrentes de catástrofes naturais. Porém nada disso basta, pois não trata o problema psicológico mais profundo criado por um grave trauma cultural, que é a ruptura do eixo ego-*self* no plano cultural. As

---

[302] Stein, 2015, pp. 59-61.

tradições diriam que a cultura perdeu o Tao, ou a graça de Deus, ou seja, perdeu o contato com o desígnio do Céu. Esse contato precisa ser restabelecido, e essa é a tarefa do curandeiro cultural, uma tarefa que é, além de cultural, espiritual.

Conformar-se e apoiar as defesas do *self*, como as descreve Kalshed, seria cair em uma armadilha. Esses métodos não curam; eles exacerbam o problema. A falsa empatia é pior que inútil; é nociva. Com falsa empatia, refiro-me à formação de uma aliança com as reações defensivas da vítima: culpar, retaliar, ter raiva ou depressão, revidar, retrair-se. Nada disso funciona para curar a ferida psíquica infligida pelo trauma. O curandeiro cultural precisa ter outra visão, outra abordagem. O curandeiro busca recuperar o eixo ego-*self* olhando para dentro. Esse é o método adotado pelo fazedor de chuva para abordar o problema. Não se trata de evitar o problema, mas de enfrentá-lo em outro nível. Essa abordagem começa pela introversão, e não pela extroversão. Apesar disso, nossas tentativas de terapia cultural também precisam de ação voltada para o exterior, só que posteriormente.

Há, a meu ver, uma distinção clara entre o curandeiro cultural e o líder político. Eles têm funções diferentes em uma cultura. O líder político precisa organizar uma resposta coletiva ao problema no plano da extroversão, trabalhando com comitês, representantes do povo, agências e todo tipo de organização social, inclusive forças militares. O risco é o líder político deixar-se guiar pelas defesas primitivas da psique coletiva e atualizá-las em um plano social amplo ou até mesmo global, como vimos após o ataque terrorista de 11/9/2001. Esse tipo de reação não resolverá os problemas psíquicos mais profundos gerados pelo trauma, ainda que superficialmente possam trazer alívio temporário ao mitigar necessidades de vingança e justiça punitiva. Porém é comum que a agenda política se torne parte de uma reação defensiva primitiva ao trauma e, assim, acabe tornando-o ainda pior. O líder político sábio teria a seu lado como consultor um curandeiro cultural para orientar-se acerca das medidas a adotar depois que a cultura sofre um trauma. Há um lado introverso que exige atenção. O projeto mais profundo da cura do trauma cultural é a restauração do eixo ego-self no plano coletivo, e não atos e medidas primordialmente extroversos. É preciso ressituar o centro cultural e restabelecer a confiança em uma noção cultural de destino e sentido que esteja profundamente arraigada na história. No início, isso requer contenção e centramento. Caso contrário, prevalecerá a violência, violência contra o exterior e contra o interior do corpo cultural.

A violência é a reação defensiva de uma pessoa, animal ou estrutura política. Às vezes, ela se dirige para fora; às vezes, para dentro; às vezes, as duas coisas. Podemos ver a atuação dessa defesa primitiva em culturas feridas ao longo de toda a história: na Alemanha após a Primeira Guerra Mundial, na Rússia após a Revolução, nos Estados Unidos após 11 de Setembro etc. A violência se projeta para o exterior, contra inimigos estrangeiros, e para o interior, contra supostos sabotadores internos. A violência retributiva gera também reações como auto-ódio e culpa histérica. Os ensaios do livro editado por John Beebe em 2003 são muito instrutivos nessas questões: *Terror, Violence and the Impulse to Destroy: Perspectives from Analytical Psychology*.

A abordagem do fazedor de chuva, que proponho para tratamento do trauma cultural, é totalmente diferente. Ela não cede à violência, seja exterior ou interior. Ela começa com o trabalho interior em um espaço contido.

Será que os psicoterapeutas junguianos podem tornar-se fazedores de chuva? Não sei de nenhuma outra psicologia que proponha teoria melhor para tal. E isso pode ser feito até a distância, do estúdio ou do salão de conferências.

No lado mais extroverso, os psicoterapeutas do trauma ouvem e processam com seus pacientes as histórias de eventos traumáticos no espaço da relação terapêutica. Traumatologistas de todas as escolas e especialidades fazem o mesmo. Pesquisas indicam que o fato de contar a história de um evento traumático ou usar algum outro modo para simbolizá-la (como, por exemplo, o jogo de areia) já promove um certo bem-estar quando isso é feito observando-se o limite de tempo adequado. Heyong Shen e Gao Lan escrevem de modo comovente sobre seu trabalho com vítimas de terremotos na China, usando a metáfora "jardim do coração e da alma" para falar do espaço de tratamento psicoterapêutico das vítimas de traumas, em sua maioria crianças de orfanatos.

Toshio Kawai observou que a cura tornou-se evidente nas vítimas do terremoto seguido de *tsunami* ocorrido em 2011 no leste do Japão quando as "grandes histórias" cederam lugar às "pequenas histórias". As grandes histórias eram os relatos dos eventos traumáticos feitos pelas vítimas; as pequenas eram os relatos sobre o cotidiano, restaurado a um estado menos anormal na solução de problemas e nas interações diárias dessas vítimas. Contar as grandes histórias era importante para as vítimas inicialmente, mas depois elas puderam começar a inserir os eventos do trauma na estrutura de uma narrativa mais longa e mais cotidiana. Isso demonstra integração, além da retomada de um funcionamento psíquico mais saudável.

O mesmo precisa ocorrer no plano cultural. A grande história do evento traumático, seja uma catástrofe natural, uma guerra, uma revolução, uma fuga de refugiados ou um ataque terrorista, precisa ser contada em um espaço seguro, em um "jardim do coração e da alma", para usar a metáfora de Heyong Shen e Gao Lan. A mídia é rápida em noticiar esse tipo de evento, mas falta-lhe o espaço para o tratamento. E os líderes políticos e culturais precisam abordá-los, tanto durante quanto após sua ocorrência. Porém, muitas vezes, isso só leva a reações defensivas (culpa, negação, dissociação e cisão, violência retributiva, autoflagelação etc.). Isso não basta para a cura. A grande história do trauma deve de algum modo encontrar um lugar na narrativa cultural maior como parte significativa do todo.

Um problema dos traumas graves, independentemente de serem individuais ou culturais, é que eles podem ficar isolados psicologicamente em uma espécie de dissociação. E o mesmo pode ocorrer com as vítimas, quando são dissociadas e segregadas do contexto social mais amplo. Isso é muito citado como um dos maiores problemas dos soldados que voltam de guerras no exterior; no caso dos Estados Unidos, do Vietnã, do Iraque, do Afeganistão e outras. Suas histórias pessoais não se integram à narrativa coletiva que vai se delineando em casa, tanto do ponto de vista deles quanto do da cultura em geral. Esses soldados tendem a permanecer excluídos, verdadeiros intrusos atormentados pelas estranhas histórias de extrema violência que tanto reveem em sonhos. Eles são tratados com drogas potentes em hospitais psiquiátricos, não com o relato de suas histórias a ouvintes compassivos em comunidades de concidadãos. Como isso não é suficiente para a cura, eles acabam se transformando em inválidos permanentes.

O mesmo pode ocorrer com as culturas. Elas se tornam culturas inválidas e isoladas da história mundial, anomalias aberrantes nas tendências globais de evolução e desenvolvimento cultural, exemplos de patologia e regressão cultural persistente. Esse foi o maior risco na Europa após a Segunda Guerra Mundial. O processo de integração da Alemanha à comunidade europeia constitui um exemplo instrutivo do modo como esse trabalho de restauração pode ser feito. Ele exigiu, da parte dos alemães, um exame de consciência ao longo de várias gerações e, da parte dos países vizinhos, muitos dos quais suas vítimas, disposição para estender a mão e estabelecer relações normais em prol de uma nova fase da história e do desenvolvimento europeus. O resultado foi uma narrativa coerente dos acontecimentos durante o século XX na Europa, que inclui muitos elementos da sombra de todos os envolvidos e plena responsabilização coletiva de todos. Essa narrativa ainda é uma obra em construção. As nações europeias estão tateando em busca de uma melhor noção de eixo ego-*self* coletivo, tanto no plano individual quanto no plano coletivo. Muitos psicoterapeutas da cultura vêm participando desse processo, inclusive os junguianos.

De um modo ou de outro, as histórias de vítimas e algozes precisam ser incorporadas honestamente às narrativas culturais de suas épocas. Levar as histórias de trauma cultural à narrativa geral da individuação cultural de uma dada cultura e da cultura mundial é uma das tarefas dos curandeiros culturais. É preciso imaginarmos uma mandala coerente.

Percorrer o Yad Vashem, o memorial do holocausto de Jerusalém, é entrar no coração do mal, das trevas e do trauma cultural infligido ao povo judeu da Europa. O percurso se torna quase insuportável: sala após sala, a violência se aprofunda em lembretes cada vez mais cruéis do chocante potencial humano de traumatizar os semelhantes. Discretamente, em algum ponto do caminho, a descida se transforma em uma subida gradual em direção aos raios de esperança que brilham no fim do túnel ao longe. Quando sai dessa casa de horror e trauma, você vê a terra de Israel. Um profundo suspiro de alívio, lágrimas de alegria, lampejos de esperança: tudo isso se vê no semblante daqueles que finalmente chegam a este portão para o futuro. O Yad Vashem conta a história de um trauma cultural extremo e apresenta uma possibilidade de cura. O eixo ego-self do povo judeu não foi destruído; ele recuperou sua herança na Terra Santa. A grande história desse trauma cultural ocupou seu lugar na longa narrativa histórica desse povo, a qual prossegue rumo ao futuro. Cabe a esse povo traumatizado encontrar seu lugar no mundo global e na narrativa da evolução cultural do mundo. É uma obra em construção.

Consultei o *I Ching*, e minha pergunta foi: qual a atitude adequada diante do trauma cultural e seu tratamento? Para meu assombro, obtive o seguinte resultado: Hexagrama 50, "O Caldeirão", com conversão para o Hexagrama 64, "Antes da Conclusão". Creio que ele ofereça um excelente conselho no caso dessa pergunta e que esteja em total consonância com a história do fazedor de chuva.

O *Ting* (Caldeirão) é um receptáculo de bronze usado para cozinhar e servir alimentos. Ele "era o utensílio que continha os alimentos cozidos no templo dos ancestrais e nos banquetes. Cabia ao anfitrião servir os alimentos do *Ting* nas tigelas dos convidados".[303] Trata-se de uma imagem maravilhosa do receptáculo oferecido pela cultura para a nutrição e integração psicológica de seus cidadãos em épocas de paz e criatividade cultural. O Julgamento do Hexagrama 50 é: "Suprema boa fortuna. Sucesso".[304] A Imagem afirma: "O fogo sobre a madeira: a imagem do CALDEIRÃO. Assim o homem superior, corrigindo sua posição, consolida seu destino".[305]

No contexto de nossas perguntas sobre o tratamento do trauma cultural, isso é de muito bom augúrio. O receptáculo necessário à transformação está presente e disponível. Essa imagem sugere uma abordagem. Contenção, preparo, transformação: no nível psicológico, isso é o que faz o fazedor de chuva quando entra na região perturbada e vai para a choupana a fim de colocar-se em ordem. Talvez seja possível prestar serviços culturais úteis se encontrarmos um caldeirão forte e apropriado para cozinhar e servir. Ele seria, a princípio, o próprio terapeuta trabalhando (como no yoga) para corrigir sua atitude íntima por meio do fortalecimento interior do eixo ego-self. Talvez então o curandeiro ferido possa passar a servir o conteúdo do *Ting*, tornando os recursos deste disponíveis às pessoas de uma forma mais extroversa.

Mas há uma linha móvel, e ela introduz o problema que o aspirante a terapeuta cultural vai enfrentar. "Nove na terceira posição significa: A alça do *Ting* está alterada. Ele é impedido em suas atitudes. A gordura do faisão não é comida. Quando a chuva cair, o remorso desaparecerá. A boa fortuna virá ao final".[306]

---

[303] Wilhelm, 1951, p. 193.
[304] Ibid., p. 194.
[305] Ibid.
[306] Ibid., p. 195.

Wilhelm assim escreve a respeito disso: "Isso descreve alguém que, em meio a uma cultura muito desenvolvida, encontra-se numa posição em que não é notado nem reconhecido. Isso é um grande obstáculo à sua atuação. Todas as suas boas qualidades e dons espirituais são assim desperdiçados. Mas o que realmente lhe deve importar é a posse de tais riquezas espirituais, pois, então, cedo ou tarde, virá o momento em que os obstáculos desaparecerão e tudo correrá bem. [...] A queda da chuva simboliza aqui o alívio de tensões".[307] Portanto, este é o dilema, e esse dilema muitas vezes se apresenta ao aspirante a psicoterapeuta da cultura: ele não é reconhecido pelo público, e suas percepções não podem ser usadas para cura e nutrição da alma da cultura. A influência que ele pode exercer na situação é ignorada ou rejeitada pelas forças da coletividade. Contudo, ele deve continuar seu trabalho em silêncio, intimamente, até chegar o momento em que será ouvido e fará a diferença. Sábia advertência contra o excesso de inflação e expectativa de poder ajudar imediatamente por parte do curandeiro ferido. É preciso tempo e paciência.

Essa nota de advertência continua no Hexagrama 64, "Antes da Conclusão", proveniente da conversão de uma das linhas de "O Caldeirão". Aqui, o Julgamento é: "Antes da Conclusão. Sucesso. Porém, se a pequena raposa, quase ao completar a travessia, deixa sua cauda cair na água, nada será favorável".[308] Wilhelm observa que "Na China, a cautela da raposa ao cruzar o gelo é proverbial. Seus ouvidos estão sempre atentos ao menor estalo de gelo partindo, enquanto procura, cuidadosa e intensamente, os lugares mais seguros. Uma jovem raposa que ainda desconhece essa prudência avança audaciosa e pode cair na água pouco antes de completar a travessia, molhando assim a cauda. Então, é claro, todo esse esforço terá sido inútil. Por isso, no período que precede a conclusão, os pré-requisitos do sucesso são reflexão e cautela".[309] E na interpretação

---

[307] Ibid., p. 196.
[308] Ibid., p. 249.
[309] Ibid.

da Imagem ("Fogo sobre a água: a imagem das condições antes da conclusão"), Wilhelm escreve: "[...] para que o homem possa manejar corretamente as forças externas, é necessário, antes de tudo, que ele próprio chegue ao ponto de vista acertado, pois só a partir desse posicionamento poderá agir da forma certa".[310] Mais uma vez, somos advertidos a não nos deixar levar pela empolgação e a prosseguir com cautela, sobretudo depois que chegarmos "ao ponto de vista acertado". Mais uma vez, voltamos ao fazedor de chuva, que começa trabalhando consigo mesmo para restabelecer a relação correta entre o ego e o *self*, entre a terra e o desígnio do céu. Além disso, ele nada faz. A sincronicidade intervém no assunto e promove um bom resultado.

Em resumo, podemos dizer que o trabalho do psicoterapeuta no tratamento do trauma cultural consiste em dois aspectos: o primeiro, introverso; o segundo, extroverso. O primeiro é primário: ele requer que o psicoterapeuta da cultura vivencie, pessoalmente e na imaginação, a doença cultural causada por aquele trauma cultural para, então, a resolver no plano interior e restabelecer em si mesmo o eixo ego-*self*. Eis o modelo do fazedor de chuva, o qual constitui a base de todas as atividades extroversas subsequentes. Tais atividades incluiriam escutar as histórias das vítimas e processá-las em um espaço que propicie narrativas culturais de natureza coerente e significativa. Isso pode ser feito em campo ou no estúdio, escrevendo livros e artigos, propondo reflexões e fazendo palestras. O importante é transmitir as mensagens de cura de toda e qualquer forma disponível. Nesse sentido, ao traduzir e comentar clássicos chineses como o *I Ching*, Richard Wilhelm foi um psicoterapeuta cultural para a China. Hoje, estudantes e estudiosos chineses podem usar a obra de Wilhelm para recuperar sua própria e profunda narrativa cultural histórica. Da mesma forma, Jung foi um psicoterapeuta cultural para o Ocidente cristão por meio de muitas obras que tiveram forte efeito terapêutico

---

[310] Ibid., p. 250.

sobre tantas pessoas de sua cultura ocidental. A influência de ambos ainda se faz sentir muito fortemente após suas vidas terem entrado para a história. A individuação avançada do curandeiro ferido pode assim, e muitas vezes por meio da sincronicidade, levar à cura e à individuação das culturas traumatizadas e seus cidadãos.

Capítulo Quatorze
Quando o Sintoma é Símbolo

Eu ouvi o artigo "Masochism: The Shadow Side of the Archetypal Need to Venerate and Worship" quando sua autora, Rosemary Gordon, o apresentou no 10º Congresso da IAAP, em 1986 em Berlim. O tema desse congresso foi "The Archetype of Shadow in a Split World". O artigo me fascinou, de modo que, quando ele foi publicado no *Journal of Analytical Psychology* em 1987, eu o li e pude apreciá-lo mais detidamente. E agora, quando preparava este ensaio, estudei-o em uma terceira "encarnação", no livro *Bridges: Psychic Structures, Functions and Processes*, de Gordon. Passados todos esses anos, ele continua a intrigar-me e a provocar mais reflexões, marca de uma obra especial.

Não estou inteiramente convencido de que a autora esteja certa em todos os aspectos de sua tese, mas há nela algo que soa verdadeiro. O que me interessou desde o início foi a reversão que ela propõe: da visão corriqueira que diria, muito depreciativamente, que a veneração e a adoração são uma forma de masoquismo disfarçada de prática religiosa à espantosa perspectiva contrária, segundo a qual o masoquismo é uma forma equivocada de veneração e adoração e, portanto, prática religiosa desencaminhada. Portanto, talvez a tese seja "de Freud a Jung", ou assim pensei inicialmente. Só que não é tão simples assim.

Conforme se declara na introdução, a proposta especulativa de Gordon é a seguinte: há "uma relação entre, de um lado, o masoquismo e, do outro, a crença, a adoração e a entrega a uma divindade, embora em sua forma pervertida, em sua forma sombra".[311] Isso poderia implicar duas coisas: que o masoquista está venerando uma divindade-sombra na contraparte sádica ou que o masoquismo é, como prática, uma forma pervertida de adoração e veneração religiosas. Ao colocar "isso" (o objeto ou a prática) na sombra, Gordon está dizendo que aqui há algo inconsciente que, por ser inconsciente, pode funcionar como símbolo. O masoquismo é simbólico, isto é, exprime algo inconsciente, algo misterioso. Em outras palavras, há nessa história mais que chicotes e algemas.

Farei uma análise dessa tese, acrescentando-lhe comentários e reflexões, e finalmente concluirei com a possibilidade suplementar ou complementar de uma interpretação junguiana do masoquismo como símbolo.

Gordon começa por uma confissão: "Este artigo é essencialmente especulativo".[312] Ela afirma que foram "as reações, o comportamento e as fantasias de vários pacientes"[313] que a levaram a propor a hipótese de uma relação entre o masoquismo e uma suposta necessidade arquetípica subjacente ou oculta de veneração e adoração. Em seguida, passa a uma breve descrição de alguns desses pacientes: Richard, professor de teologia de 50 anos de idade, que estava perdendo a crença em Deus e entregando-se a fantasias e atividades masoquistas com mulheres que abordava nas ruas de Londres; várias pacientes que tinham fantasias masturbatórias masoquistas nas quais os rituais religiosos tinham papel fundamental; Ralph, professor secundário, em cujas fantasias masturbatórias era violentamente espancado por um belo adolescente de uma de suas turmas. Gordon afirma que esses casos a levaram a especular "que o masoquismo está

---

[311] Gordon, 1993, p. 274.
[312] Gordon, 1987, p. 227.
[313] Gordon, 1993, p. 274.

intimamente associado à necessidade humana (provavelmente arquetípica) de venerar e adorar algum objeto, alguma existência, que transcenda o ser pessoal: porém o masoquismo, o impulso de querer expor-se à dor e ao sofrimento, é o lado inferior, o lado sombra, da necessidade de adoração e veneração".[314] Aqui, ela interpreta o significado simbólico do masoquismo ao afirmar que a necessidade de adoração e veneração, uma necessidade arquetípica, tenta encontrar sua realização no masoquismo, mas que este é uma versão inferior ou vicária do comportamento mais adequado, o qual seria propriamente religioso. Ela usa a palavra "pervertida" para descrever essa forma de veneração e adoração.

A título de informação sobre a classificação do masoquismo na psiquiatria contemporânea, o DSM-5 manteve a descrição do masoquismo sexual do DSM-IV como distúrbio psiquiátrico incluído entre os "transtornos parafílicos". O termo é melhor que "perversão", embora etimologicamente os dois não sejam tão diferentes assim, já que um significa "ao lado do amor" (para = ao lado; filia = amor; às vezes, também traduzido literalmente como "instinto erótico invertido") e o outro, derivado de perverter, é "perturbar a ordem ou o estado das coisas; depravar, desvirtuar". Desde que Gordon escreveu o artigo, tem havido muito debate sobre o *status* do masoquismo sexual. Ele deve ser considerado uma patologia, ou seja, uma anormalidade ou doença mental, ou simplesmente uma forma alternativa de sexualidade? A tendência tem sido a despatologização, contanto que ele seja voluntário e não ultrapasse certos limites de segurança física.

Porém o que Gordon está dizendo é que o masoquismo erra o alvo, só que não como geralmente se pensa, isto é, o alvo da sexualidade normal, e sim o alvo de uma necessidade arquetípica de venerar e adorar uma Divindade transcendente. Ela pergunta se poderia haver uma forma de identificar qual seria especificamente o alvo desse comportamento es-

---

[314] Ibid., p. 276.

tranho e contraintuitivo. Ou seja, a que ele poderia significar, em determinados casos. Sua convicção clínica é a de que, se o verdadeiro objeto da adoração for tornado consciente, o paciente será aliviado do sintoma. Em outras palavras, se o símbolo for interpretado e, com isso, suficientemente esvaziado de seus elementos inconscientes e trazido à consciência, acabará perdendo o domínio compulsivo que exerce sobre a pessoa. O símbolo se tornará um signo, e outro meio mais adequado (não "pervertido") de atender à necessidade arquetípica de veneração e adoração será encontrado. Pelo menos, essa é uma implicação que depreendo de suas palavras.

Enquanto refletia sobre o artigo de Gordon, aconteceu de eu fazer um passeio guiado a uma coleção particular de arte em Zurique, a da Fundação Buehrle. Bastante deslocada entre uma maioria obras de arte moderna, há uma sala dedicada a obras de arte sacra medieval, quase todas as quais representando a madona com o filho e a crucificação. As imagens da crucificação, representações altamente dramáticas de um sofrimento físico extremo, atraem os visitantes (inclusive nós) a um certo grau de identificação com a agonia do corpo devastado de Cristo (a depender de nossa disposição, é claro). Ele sujeitou-se ao desígnio de Deus e agoniza. Maravilhados, os visitantes fitam o sofredor e identificam-se com ele, deixando transparecer no rosto uma espécie de êxtase religioso. Subitamente, ocorreu-me que aquilo é uma resposta religiosa ao que Gordon está chamando de necessidade arquetípica de veneração e adoração. Nela, a necessidade arquetípica está sendo satisfeita por via religiosa, e não sexual, enquanto se vivencia um sofrimento extremo por meio da submissão ao desígnio de uma Divindade. Seguindo a linha de raciocínio de Gordon, vi-me tentado a concluir: aqui, a necessidade arquetípica de veneração e adoração de algo maior do que nós (com efeito, o Supremo, o Divino) acerta na mosca. Essas pessoas encontraram um objeto adequado, um objeto numinoso, um objeto sagrado, e o estão venerando e adorando, o tempo inteiro sofrendo vicariamente a agonia da dor física. O masoquismo, por outro lado, pode capturar o êxtase da autoentrega no sofrimento do abuso físico, mas falta-lhe o objeto divino. O masoquista não está se sujeitando ao desígnio de Deus, mas sim ao de outro ser humano que está atualizando o papel de sádico. Torna-se uma questão de sofrer penosas humilhações e renunciar a si mesmo para atingir o prazer sexual, uma espécie de distorção que (paradoxalmente) gera prazer, mas não tem nenhum sentido espiritual. É isso talvez uma forma perturbada do que Jung chamaria "o homem moderno em busca da alma"?

"Masoquismo" é um termo médico moderno. Ele foi introduzido na psiquiatria pelo neurologista alemão Richard von Krafft-Ebing, que o cunhou com base no nome do autor do romance *A Vênus das Peles*, Leopold von Sacher-Masoch. Esse conhecido romance descrevia vividamente uma forma submissa de sexualidade. No romance *Em Busca do Tempo Perdido*, de Marcel Proust, escrito meio século depois, o masoquismo sexual recebe aquela que talvez constitua sua representação literária mais gráfica e memorável na cena em que o narrador observa o exuberante poeta e *bon-vivant* Charlus ser chicoteado e espancado sem dó em um bordel, sem parar de implorar um só instante à sua jovem, bela e bem paga agressora por torturas ainda piores. O masoquismo também fez uma aparição recente no estrondosamente bem-sucedido romance *Cinquenta Tons de Cinza*, de E. L. James, que descobriu no interesse da parte do atual público leitor mundial uma verdadeira mina. Deve haver também uma forte atração pela assim chamada 'algolagnia", palavra do grego que significa "tesão pela dor".

Porém alguns praticantes da alternativa masoquista na sexualidade argumentam que, estranhamente, seu cérebro traduz neurologicamente a dor física como prazer. Em vez da dor, o que buscam é o prazer, não tendo responsabilidade consciente por essa reversão; não foram eles que a pediram. É involuntário. O cérebro é que faz isso com eles. Nesse caso, o masoquismo não é uma parafilia ou perversão; tampouco é uma algolagnia, um "tesão pela dor", mas simplesmente uma "lagnia", ou seja, tesão. E, como ocorre com todos os tesões, esta busca o prazer. Portanto, os masoquistas são apenas amantes do prazer que satisfazem a necessidade que têm dele com algo que a maioria das pessoas vivencia como dor. Só que eles são minoria e, por isso, recebem a projeção da sombra da maioria dos amantes do prazer, que não consegue entender o prazer que o masoquista sente na dor. A acusação de "masoquismo" em seu sentido degradante e pejorativo seria então o resultado de projeções da sombra sobre esse "outro" incompreendido e perturbador.

Haverá um problema religioso oculto em todas as nossas variadas formas de busca de prazer extremo? Serão todas elas sintomas em forma de símbolos? Rudolf Blomeyer, que respondeu no congresso de Berlim ao artigo de Gordon, fez um comentário espirituoso: "[...] um dos princípios fundamentais da psicologia analítica é: o paciente que chega com um problema religioso tem um problema sexual; o que chega com um problema sexual tem um problema religioso".[315] Presumo que ele tenha dito isso ironicamente, mas, ainda assim, pode haver aqui um elemento de verdade. Talvez a intensidade do prazer sexual em qualquer que seja a forma, convencional ou alternativa, e a intensidade da aproximação ao *Mysterium Tremendum*[316] em um momento forte de experiência numinosa estejam entrelaçadas em nossas psiques complicadas e não sejam fáceis de esclarecer.

Contudo, no artigo de Gordon, a gama de experiências abarcada pelo termo masoquismo estende-se, para além do sexual, a outro grupo de pessoas que aparentemente prefere viver com um tipo mais geral de sofrimento (ou seja, não explicitamente físico) e, inclusive, o procura e até adora falar a respeito. Gordon inclui aqui uma categoria de pacientes que conhecemos muito bem: aqueles que parecem nunca sentir alegria

---

[315] Blomeyer, p. 296.
[316] Otto, pp. 13ss.

ou gratidão, buscando apenas o lado escuro da vida e sempre sentindo apenas a dor da rejeição, do abandono, da ofensa e da crítica. Do fogo do maior sucesso e realização, eles conseguem arrancar o único tição da derrota e da humilhação. "De novo" é seu grito constante, enquanto revertem o prazer agressivo do "Nunca mais!" e ferem ainda mais seus já brutalizados corpos psíquicos. "Para que você precisa de todo esse sofrimento?", pergunta Rosemary a um desses pacientes em um momento de atualização irritada da contratransferência. E isso é exatamente o que nossa autora avalia. Ela fala de "anseio de entrega, de dependência, de desamparo, de autossacrifício ou de imersão e unidade em e com um 'outro'."[317] Esta é a história dos casos que ela discute em uma parte de um artigo intitulado "Masochism in clinical work", os de Bob e Leslie. Ambos se incluem entre os casos que parecem eterna e inevitavelmente atolados em um mau karma, metidos em experiências de derrota e humilhação que se repetem infinitamente, sem alegria nem gratidão, sem expectativa de um dia melhor. Para que precisam de todo esse sofrimento? Isso obviamente já não é uma questão sexual. O será que é? Não temos uma impressão de reversão neurológica como a que pode haver no masoquismo sexual; parece ser um problema puramente psicológico. Portanto, precisamos de uma resposta psicológica.

Segundo Adam Phillips, especialista nas ideias de Freud atualmente reconhecido, o problema da angústia e do pessimismo crônicos *é* uma questão sexual (claro) e, portanto, qualifica-se afinal como um tipo de masoquismo sexual. Isto é extraído de *Becoming Freud*: "O que Freud achava cada vez mais difícil de curar em seus pacientes era o desejo (essencialmente inconsciente) de não se curar. Em sua busca de curas, Freud descobriu justamente o quanto somos incuráveis, ou seja, ele descobriu quanto prazer podemos obter com nosso sofrimento por meio da al-

---

[317] Gordon, 1993, p. 278.

quimia psíquica daquilo que chamaria de masoquismo".[318] Isso descreve bastante bem os pacientes de Gordon. E outro trecho de Phillips: "Para muitas pessoas secularizadas da modernidade – e a maioria dos círculos pessoais e profissionais de Freud se compunha de judeus não praticantes –, o sofrimento da vida tornara-se vão. Se o sofrimento não tinha um sentido, o que tinha então? Qual, na terminologia das novas ciências biológicas, seria sua função? Por meio da psicanálise, para alívio de muitos e consternação de muitos mais, Freud conseguiu dizer duas coisas notáveis e oportunas: o sofrimento dava prazer e estava impregnado de novas surpreendentes (seculares) sobre nós. Ele descreveu a extraordinária prática cultural chamada masoquismo como nosso melhor truque implícito de sobrevivência; um meio de transformar nosso sofrimento desmedido em nosso mais profundo prazer, e nosso mais profundo prazer sexual. Ele descreveu nossa sexualidade como algo que sofríamos e, portanto, o sentido de nosso sofrimento era sexual".[319] Aqui, vemos uma extraordinária conversão de sentido perdido em prazer sexual.

Mas Gordon não está indo na direção oposta, ou seja, do prazer sexual ao sentido? Ela não pergunta: qual o possível prazer que esse sofrimento masoquista poderia estar propiciando? A pergunta dela é, a meu ver, mais notável: "O que o paciente está buscando como objeto de veneração válido?".[320] Mais uma vez, ela está perguntando o que o sintoma pode estar simbolizando. E então, seguindo essa linha de investigação, ela faz a boa pergunta junguiana: "Como podemos ajudá-lo a reconhecer ali seu próprio potencial frustrado?".[321] Agora o jogo começou, e a questão premente passa a ser: quem ou o que o paciente masoquista está realmente adorando nessa forma disfarçada de veneração? Podemos descobrir quem ou o que isso é no inconsciente e colocar esse compor-

---

[318] Phillips, p. 12.
[319] Ibid., p. 134.
[320] Gordon, 1993, p. 287.
[321] Ibid.

tamento abnegado em outro caminho, com menos compulsão e mais sentido para o paciente?

Quando buscamos, na maravilhosa expressão de Gordon, um "objeto de veneração válido", certamente há nessa busca um forte elemento de intensidade psíquica. O próprio Freud, em sua última obra, *Moisés e o Monoteísmo*, surpreendentemente escreve acerca da intensidade da experiência religiosa quando tal objeto é intuído: "Os sentimentos infantis têm intensidade e profundidade imensamente maiores que os dos adultos; só o êxtase religioso pode trazer de volta essa intensidade. Assim, o arrebatamento da devoção a Deus é a primeira reação ao retorno do Grande Pai".[322] Para Freud, a experiência numinosa inevitavelmente remontava ao arquétipo do Pai. Estar perto de Deus é estar perto da Vontade do Pai, de modo que o Pai é, para Freud, o (talvez único) "objeto de veneração válido" que atende e satisfaz à necessidade arquetípica de adoração. Para Freud, um monoteísta convicto, o Pai era a imagem oculta e profunda do estrato mais arcaico do inconsciente e objeto supremo de toda busca e de todo sentimento religioso. O sintoma do masoquismo, portanto, também está simbolizando, em última análise, a veneração do misterioso e imensamente distante Pai arcaico.

Jung deu um exemplo clínico muito conhecido dessa mesma imagem arquetípica e contou como a necessidade de veneração e adoração foi satisfeita quando o objeto simbólico foi encontrado e a necessidade, interpretada. Era o caso de uma jovem que o adorava como figura paterna na transferência. Jung ficou perplexo, pois isso ocorreu no início de sua carreira, e surpreso, já que o pai real da moça não fora lá um homem tão importante e ocupava na memória consciente dela uma posição apenas modesta.[323] Ao mesmo tempo, embora tivesse a si mesmo em muito boa conta, Jung sabia que não estava à altura daquele padrão, de modo

---

[322] Freud, pp. 210-11.
[323] Jung, 1939/1976, par. 634.

que obviamente, na realidade, não era a ele que ela estava venerando. E percebeu então que, na transferência, tinha sido misturado a uma figura paterna, só que não o pai pessoal e sim o Grande Pai arquetípico. Quando a paciente contou-lhe um sonho no qual era carregada em seus braços fortes (ou nos do pai dela), grande como um gigante, por um milharal que se curvava ao vento em meio a ondas sucessivas, ele teve um estalo: "[...] essa jovem precisa de um deus; seu inconsciente, pelo menos, precisa de um deus".[324] Ela estava adorando um Deus-Pai disfarçado de Jung, mas precisava encontrar uma imagem mais adequada, um objeto digno dessa necessidade de veneração e adoração. Ele respondeu dizendo-lhe: "Eu certamente não sou um deus, mas seu inconsciente precisa de um deus. Essa é uma necessidade séria e legítima". A solução estava em encontrar um "objeto de veneração válido": "Isso mudou completamente a situação; fez uma imensa diferença. Curei aquele caso porque atendi a necessidade do inconsciente".[325] Jung conclui que o inconsciente, na busca de uma figura transpessoal, uma imagem de deus verdadeira e, portanto, um "objeto de veneração válido", usava o médico como uma espécie de trampolim ou modelo para a imagem. Jung perdeu o *status* de símbolo e tornou-se um signo que podia direcionar a atenção da paciente para outro lugar; um objeto de veneração melhor fora encontrado. Em suas reflexões sobre o caso, Jung afirma: "Essa mudança ocorreu [...] graças ao desenvolvimento inconsciente de um ponto de controle transpessoal; uma meta virtual, por assim dizer, que se exprimisse simbolicamente de uma forma que só pudesse ser descrita como uma visão de Deus. Os sonhos inflaram a pessoa humana do médico a proporções sobre-humanas, tornando-o um pai primordial gigantesco que é, ao mesmo tempo, o vento, e em cujos braços protetores ela repousa como um

---

[324] Ibid.
[325] Ibid.

bebê".[326] Com a interpretação, a transferência começou a desintegrar-se, e a vida pôde seguir um curso normal.

Em seu artigo, Gordon coincide com a visão de que o sintoma simbólico pode tornar-se um signo no caminho para o sentido: "A necessidade de venerar, se for de fato uma necessidade arquetípica, intrínseca a todos nós, não pode ser esmagada ou erradicada rápida ou facilmente. Nem deveria, já que é a origem não só de muitos males como também de muitas coisas que são boas, belas e grandiosas e de tudo aquilo que conseguimos fazer e atingir. Esmiuçando o objeto venerado, o analista pode contribuir para lançar luz sobre aquilo que, para alguém [...], permaneceu na escuridão, na inconsciência".[327]

Gordon encerra o artigo com uma surpreendente referência à obra de Jung sobre a psicologia da figura do *trickster*, "The Psychology of the Trickster Figure". Ela apresenta o trecho relevante de Jung com a fecunda sugestão "de que há um vínculo entre o masoquismo e a busca do sentido, do espírito".[328] O trecho de Jung que ela cita é impressionante e sugere uma possibilidade de transformação: "[A] imprevisibilidade, [a] inútil mania de destruição e [o] sofrimento autoinfligido do '*trickster*', juntamente com o desenvolvimento gradual rumo ao salvador e sua humanização [...] [são] a inversão do sem-sentido para o pleno-sentido [...] que mostra a relação compensatória do '*trickster*' para com o santo [...]".[329]

Para evitarmos a conclusão de que o masoquismo conduz inevitável e imediatamente à santidade (ele pode, mas não precisa), não devemos perder de vista o fato de que estamos lidando com uma mistura de instinto e arquétipo, isto é, de sexualidade e sentido, que leva ao que Jung chama aqui de humanização ou, alhures, de plenitude psicológica. A

---

[326] Jung, 1935/1966, par. 217.
[327] Gordon, 1993, p. 287.
[328] Ibid., p. 288.
[329] Ibid.

questão não é cindir o mal e tornar-se inteiramente bom, mas sim manter a tensão da polaridade de que fala Blomeyer (corretamente, creio eu), na resposta ao artigo apresentado por Gordon em Berlim: "Na verdade, a hipótese de Gordon não diz respeito a uma oposição, mas sim a algo que, em níveis diferentes, é principalmente semelhante: a necessidade de se dar, de se sujeitar com humildade, de venerar e adorar. A satisfação é buscada no nível sexual ou ligada a produtos mentais extremamente desenvolvidos, no nível da religião. Mas a tendência original permanece contaminada pela mais sublime: o elemento sexual continua sendo parte do religioso. E, a despeito de um tormento contínuo e cuidadoso, em análise, nem todos os *tricksters* se tornam santos".[330]

Quero mudar agora a imagem de sombra para *coniunctio* e, desse modo, propor uma especulação alternativa, ou talvez suplementar, no tocante ao masoquismo. Estou seguindo a pista sugerida em um trecho do artigo "The Fear of Death", de Mary Williams, publicado em um dos volumes iniciais do Journal of Analytical Psychology e citado com apreço por Gordon no seu próprio. Mary Williams especulava acerca de duas maneiras de evitar o medo da morte, uma das quais o sadismo; a outra, o masoquismo: "O sádico identifica-se com o destruidor invulnerável e projeta a própria mortalidade em sua vítima. O masoquista identifica-se com a vítima mortal e projeta o destruidor invulnerável; assim, o destruidor é buscado como o salvador que o resgatará de sua própria mortalidade".[331] No casal sadomasoquista, temos um par contrastante: um é imortal e o outro, mortal, alega Williams. O mortal busca o imortal como aquele que detém a salvação contra a maldição da mortalidade, a morte. O aspirante a imortal (sádico) busca o mortal vulnerável (masoquista) a título de receber a atribuição de imortalidade na projeção, conquistando assim, ao menos por um instante, a vitória sobre a morte. Juntos como

---

[330] Blomeyer, pp. 299-300.
[331] Citada por Gordon, 1993, p. 277.

casal, eles têm o dom (ou, ao menos, a impressão momentânea, ou ilusão) da vida eterna.

Vista de uma perspectiva intrapsíquica, uma união como essa entre o imortal e o mortal dentro de nós é a meta da individuação. O casal sadomasoquista está atualizando um cenário de individuação em um nível extroverso talvez extremo e desconcertante de atualização sexual, movido ao máximo pelo instinto e pela compulsão (verdadeiramente *partie inférieure*), e atinge sua meta (consideravelmente inconsciente) no momento de maior excitação e intensidade. Essa seria uma expressão personificada da união mística com a Divindade (em nível de *partie supérieure*), tantas vezes celebrada durante a Idade Média na linguagem muito gráfica e também quase sexual dos santos quando descrevem suas experiências de união com o Absoluto. Como resume John Dourley: "A relação com o Divino se torna uma relação erótica na qual espiritualidade e sexualidade se abraçam".[332] A experiência sadomasoquista é talvez considerada "inferior" ou "sombra", em grande medida graças à herança cristã que transparece em nossa atitude cultural diante do corpo e do instinto. Em vez disso, ela pode ser vista, com mais neutralidade, como uma forma do arquétipo da *coniunctio* em ação no processo de individuação em um nível personificado. O DSM-IV e 5 alertam-nos para o fato de o masoquismo só dever ser considerado uma patologia se interferir na vida normal, mas não necessariamente em si enquanto prática: De acordo com o Critério Diagnóstico B, ele pode ser diagnosticado como "transtorno" quando "[as] fantasias ou comportamentos sexuais recorrentes e intensos [...] causam sofrimento clinicamente significativo ou prejuízo no funcionamento social ou ocupacional ou em outras áreas importantes da vida do indivíduo".[333] Para algumas pessoas, ele pode ser um caminho para a individuação, por mais bizarro que pareça a outras.

---

[332] Dourley, p. 38.
[333] DSM-IV, p. 529.

Conclusão

Em seu artigo, Gordon especula que o masoquismo seja a sombra dos familiares atos religiosos de veneração e adoração. Talvez seja sombra no sentido habitual da palavra, indicando um conteúdo psíquico reprimido por ser inaceitável aos valores conscientes do secularismo. Ou talvez ela queira dizer sombra no sentido de paródia perversa. Sua especulação vê no masoquismo uma atualização perversa da necessidade arquetípica de venerar e adorar uma Divindade.

Sem dúvida, Gordon não está sozinha quando percebe uma semelhança entre os rituais de submissão do masoquista à vontade de outrem, de uma figura mais poderosa, e a reverência e autonegação do devoto religioso diante de uma Divindade. Porém as diferenças também são significativas: um está explicitamente dedicado à estimulação sexual; o outro, a desejos explicitamente espirituais de adorar ou demonstrar submissão a um Ser transcendente. Os objetos para os quais se dirige a submissão são radicalmente diferentes: o primeiro é humano e visível; o segundo é divino e tem outra categoria de existência. Contudo, ambos incluem gestos de submissão à vontade de outrem. Mas por que o primeiro é uma "sombra" do segundo? Talvez isso seja mais um preconceito social e cultural que um juízo psicológico aprofundado e baseado em considerações arquetípicas. Talvez ambos sejam expressões igualmente "legítimas" de um padrão arquetípico inconsciente, mas eles ocorrem em níveis diferentes, a saber, o físico e o espiritual.

Suponhamos, a título de argumentação, que haja um arquétipo comum por trás ou debaixo do masoquismo e da veneração e adoração religiosas e que isso explique a semelhança. Ele seria um padrão, próprio da espécie humana, de curvar-se, de diminuir o ego individual, de sujeitar-se a uma figura mais forte ou superior e até de sofrer dor e humilhação para esse fim. Há nisso um prazer percebido porque satisfaz uma necessidade básica, um desejo arquetípico. Esse padrão arquetípico pode manifestar-se na matriz psíquica de inúmeras formas. Ele pode vir à tona dentro e por meio do instinto sexual, caso em que o chamamos de masoquismo, ou manifestar-se dentro e por meio do instinto religioso, isto é, do espírito, quando então o designamos veneração e adoração. E pode revelar-se em uma série de posições entre eles e emaranhado com ambos. Ou sem nenhuma relação com qualquer um dos dois, como na reverência perante os pais e avós ou figuras ancestrais, como vemos em muitas culturas tradicionais. É o mesmo arquétipo em diferentes imagens e manifestações, mas demonstrando fortes continuidades entre si.

As sociedades tradicionais cuidam dessa necessidade. É preciso curvar-se diante do faraó ou do rei ou do imperador. É preciso curvar-se diante deles porque eles representam a Vontade do Céu, para usarmos a formulação chinesa. Mas nas sociedades modernas democráticas e seculares, essa necessidade é abandonada à míngua. Todos são iguais e não há nenhum objeto religioso a venerar, nenhum ícone, nenhum símbolo sagrado convincente. Por isso, temos ideias, ideologias, celebridades, "astros" que nós compulsiva e inconscientemente veneramos e reverenciamos. E, quando temos um mínimo de consciência, resistimos a essa compulsão. Des-idealizamos o máximo possível. Com Jung, recusamo-nos a baixar a cabeça até o chão. Onde podemos encontrar um objeto digno de veneração? Não será o pai, não a mãe, não o rei nem a rainha, não ideias nem plataformas ou líderes políticos (nem o "Führer", por favor!). Se há um arquétipo por trás dessa necessidade de veneração, como poderemos satisfazê-la? Esse é o nosso problema. A cultura foi desmistificada e desconstruída, assim como todas as figuras culturais, todos os objetos de transferência (objetos do *self*, na simpática expressão de Kohut), todas as grandes ideias e ideais. O que nos resta? Dinheiro: talvez. Sexo: para alguns. Drogas: cada vez mais, a opção de muitos.

Hoje em dia, a Natureza está sendo levantada como objeto de veneração e adoração adequado: Gaia, Terra, Espírito da Terra. Como seres humanos, temos de nos sujeitar ou perecer; temos de venerar e adorar e sacrificar-nos e sofrer por amor a Ela. E há também o cosmos magnífico, cada vez mais aberto à nossa visão e compreensão, diante de cuja imensidão e grandiosidade só podemos maravilhar-nos e admitir nossa magnitude infinitamente inferior.

Ou, no lado introverso, podemos venerar o *self* superior, a Voz, o Deus interior. Também esse mundo interior, que Jung explorou e abriu para nós, é imensamente maior que o simples ego – na verdade, ele é infinito.

Sem dúvida, necessitamos de algo além de nós, algo ou alguém de dimensões cósmicas, uma energia, uma força, uma presença que comande a sincronicidade e dê forma a nossos destinos pessoais e coletivos.

Ou podemos simplesmente não interferir? Cantar "let it be", como diz aquela canção? Deixar ser o Ser e fazer diante d'Ele nossa reverência de veneração?

Se existe uma necessidade arquetípica, ela deve atender a uma finalidade. Essa necessidade arquetípica de veneração e adoração tem uma finalidade, um sentido? Por que a temos? Ela faz sentido de uma perspectiva evolucionária? Os arquétipos, como os instintos, não são aleatórios e inúteis. Eles têm uma razão de ser.

O ego deve sujeitar-se ao *self*, qualquer que seja a forma em que este se apresente. Por quê? Para que entre eles se crie uma relação apropriada. Isso é essencial para os seres humanos, pois realiza a forma humana da maneira que ela se destina a ser. O ego precisa encontrar seu devido lugar na relação com o *self* (no sentido que Jung dá ao termo) e, quando o faz, é abençoado. Isso traz satisfação e, sim, prazer também, em todos os níveis.

Referências

Adler, G. (org.). (1975). *C. G. Jung Letters,* Vol. 2. Princeton, N. J.: Princeton University Press.

Arzt, T. (2000). "Analytische Psychologie und Naturphilosophie". *Jungiana* A:9, 137-79.

Atmanspacher, H. (2013). "A structural-phenomenological typology of the mind-matter correlations". *Journal of Analytical Psychology,* 58:2: 219-45.

Atmanspacher, H. e Fach, W. (2016). "Synchronistic mind-matter correlations in therapeutic practice". *Journal of Analytical Psychology,* 61:1: 79-82.

Atmanspacher, H., Primus, H. e E. Wertenschlag-Birkhäuser, E. (orgs.), (1995). *Der Jung-Pauli Dialog und seine Bedeutung für die moderne Wissenschaft.* Berlim: Springer.

Bair, D. (2003). *Jung, A Biography.* Nova York: Little, Brown & Company.

Balint, M. (1968/1979). *The Basic Fault.* Nova York: Brunner/Mazel.

Barth, K. (1958). *The Doctrine of Creation.* In *Church Dogmatics,* III/I. Edimburgo: T. & T. Clark.

Bauman, Z. (2000/2012). *Liquid Modernity.* Cambridge: Polity Press.

Beebe, J. (org.), (2012). *Terror, Violence and the Impulse to Destroy: Perspectives from Analytical Psychology*. Einsiedeln, CH: Daimon Verlag.

Bernadini, R. (2016). "Neumann at Eranos". In E. Shalit e M. Stein (orgs.). *Turbulent Times, Brilliant Minds*. Asheville, N. C.: Chiron Publications.

Blomeyer, R. (1986). "Discussion". In M. Mattoon (org.), *The Archetype of Shadow in a Split World*. Einsiedeln, CH: Daimon Verlag.

Bloom, H. (2000). *How to Read and Why*. Nova York, Simon & Schuster.

_____. (2015). *The Daemon Knows*. Nova York: Spiegel and Grau.

Blumenberg, H. (1990). *Work on Myth*. Cambridge, MA e Londres: MIT Press.

Brandenburg, H. -C. e Daur, R. (1970). *Die Brücke zu Köngen – Fünfzig Jahre Bund der Köngener*, 1919-1969. Stuttgart: J. F. Steinkopf Verlag.

Brooke, R. "The soldier's heart as a moral and spiritual calling", palestra proferida na conferência conjunta IAAP/IAJS sobre Psique, Espírito e Ciência. Yale University, julho de 2015.

Brooks, D. "Lady Gaga and the life of passion". *International New York Times*, 24-25 de outubro, 2015.

Cambray, J. (2009). *Synchronicity: Nature and Psyche in an Interconnected Universe*. College Station. TX: Texas A & M University Press.

Campbell, J. (1973). Prefácio do Editor, *Man and Time*. Princeton, NJ: Princeton University Press.

Connolly, A. (2015). "Bridging the reductive and the synthetic: Some reflections on the clinical implications of synchronicity". *Journal of Analytical Psychology* 60,2: 159-78.

Corbin, H. (1951/1957). "Cyclical time in Mazdaism and Ismailism". In Joseph Campbell (org.), *Man and Time*. Princeton, NJ: Princeton University Press.

Curatorium of C. G. Jung Institute (org.) (1968). *Evil*. Evanston, IL.: Northwestern University Press.

Dalrymple, W. (1993). *City of Djinns*. Nova York: Harper.

Daur, R. *Bericht über die Arbeitswoche des "Köngener Kreises" in Königsfeld, vom 1 bis 6 Januar 1937, über Gundfragen der Seelenkunde und Seelenführung*. Heilbronn: Verlag Eugen Salzer.

Dourley, J. (2014). *Jung and his Mystics*. Londres e Nova York: Routledge.

Drob, S. (2010). *Kabbalistic Visions: C. G. Jung and Jewish Mysticism*. Nova Orleans: Spring Journal Books.

DSM-IV. (1994). Washington, D. C.: The American Psychiatric Association.

Dusinberre, E. (2016). *Beethoven for a Later Age*. Londres: Faber & Faber.

Edelman, S. P. (1998). *Turning the Gorgon: A Meditation on Shame*. Woodstock, CT: Spring Publications.

Eliade, M. (1958/1968). *Patterns in Comparative Religion*. Cleveland, OH: The World Publishing Company.

_____. (1959). *Cosmos and History: The Myth of the Eternal Return*. Nova York: Harper Torchbooks.

Fitzmeyer, J. (1993). *Romans. The Anchor Yale Bible*. New Haven e Londres: Yale University Press.

Freud, S. (1939). *Moses and Monotheism*. Londres: The Hogarth Press.

Fröbe-Kapteyn, O. (1940). "Introduction". In *Eranos-Jahrbuch 1940*.

Gordon, B. (2009). *Calvin*. New Haven e Londres: Yale University Press.

Gordon, R. (1987). "Masochism: the shadow side of the archetypal need to venerate and worship". *Journal of Analytical Psychology*, 32: 227-40.

_____. (1993). Bridges*: Psychic Structures, Functions, and Processes*. New Brunswick e Londres: Transaction Publishers.

Gudaite, G., Stein, M. (orgs.), (2014). *Confronting Cultural Trauma*. Nova Orleans: Spring Journal Books.

Hannah, B. (2000). *Jung: His Life and Work. A Biographical Memoir*. Wilmette, IL, Chiron Publications.

Hawking, S. "The beginning of time". http://www.hawking.org.uk/the--beginning-of-time.html.

Harding, E., (1948/1977). "From Esther Harding's Notebooks: 1948". In W. McGuire e R. F. C. Hull (orgs.) *C. G. Jung Speaking: Interviews and Encounters*. Princeton: Princeton University Press.

Hinton, L. (1999). "Shame as a teacher". In Mary Ann Mattoon (org.), *Florence 1998 – Destruction and Creation*. Einsiedeln, CH: Daimon Verlag.

_____. (2015). "Temporality and the torments of time". *Journal of Analytical Psychology*, 60,3: 353-70.

Hogenson, G. (1994). *Jung's Struggle with Freud*. Wilmette, IL: Chiron Publications.

Holy Bible, New Revised Standard Version. Oxford: Oxford University Press.

Homans, P. (1989). *The Ability to Mourn: Disillusionment and the Social Origins of Psychoanalysis*. Chicago e Londres: The University of Chicago Press.

_____. (1995). *Jung in Context: Modernity and the Making of a Psychology*, segunda edição. Chicago e Londres: The University of Chicago Press.

Izutsu, T. (1977). *Toward a Philosophy of Zen Buddhism*. Boulder, CO: Prajna Press.

Jarrett, J. L. (org.), (1988). *Nietzsche's Zarathustra: Notes of the Seminar Given in 1934-1939 by C. G. Jung*. Princeton, NJ: Princeton University Press.

Jehle-Wildberger, M. (2014). *C. G. Jung und Adolf Keller*. Zurique: Theologischer Verlag.

Jung, C. G. (1899/1983). "Thoughts on the interpretation of Christianity, with reference to the theory of Albrecht Ritschl". In W. McGuire (org.), *The Zofingia Lectures, The Collected Works of C. G. Jung*, Volume Suplementar A. Princeton: Princeton University Press.

_____. (1916/1969). "The transcendent function". In H. Read, M. Fordham, G. Adler (orgs.), *The Structure and Dynamics of the Psyche, The Collected Works of C. G. Jung*, vol. 8. Princeton: Princeton University Press. *1925*, Princeton: Princeton University Press.

_____. (1916/1976). "Adaptation, individuation, collectivity". In *The Symbolic Life, The Collected Works of C. G. Jung*, vol. 18. Princeton: Princeton University Press.

_____. (1918/1964). "The role of the unconscious". In H. Read, M. Fordham, G. Adler (orgs.), *Civilization in Transition, The Collected Works of C. G. Jung*, vol. 10. Princeton: Princeton University Press.

_____. (1926/1969). "Spirit and life". In H. Read, M. Fordham, G. Adler (orgs.), *The Structure and Dynamics of the Psyche, The Collected Works of C. G. Jung*, vol. 8. Princeton: Princeton University Press.

_____ (1930/1966). "Richard Wilhelm: In Memoriam". In H. Read, M. Fordham, G. Adler (orgs.), *The Spirit in Man, Art, and Literature, The Collected Works of C. G. Jung*, vol. 15. Princeton: Princeton University Press.

_____. (1931/1964). "Archaic Man". In H. Read, M. Fordham, G. Adler (orgs.), *Civilization in Transition, The Collected Works of C. G. Jung*, vol. 10. Princeton: Princeton University Press.

_____. (1935/1966). *The Relations Between the Ego and the Unconscious*. In H. Read, M. Fordham, G. Adler (orgs.), *Two Essays in*

Analytical Psychology, The Collected Works of C. G. Jung, vol. 7. Princeton: Princeton University Press.

Jung C. G. (1936/1964). "Wotan". In H. Read, M. Fordham, G. Adler (orgs.), *Civilization in Transition, The Collected Works of C. G. Jung*, vol. 10. Princeton: Princeton University Press.

_____. (1936/1969). "Yoga and the West". In H. Read, M. Fordham, G. Adler (orgs.), *Psychology and Religion: West and East, The Collected Works of C. G. Jung*, vol. 11. Princeton: Princeton University Press.

_____. (1938/1969). *Psychology and Religion*. In H. Read, M. Fordham, G. Adler (orgs.), *Psychology and Religion: West and East, The Collected Works of C. G. Jung*, vol. 11. Princeton: Princeton University Press.

_____. (1939/1966). "In memory of Sigmund Freud". In H. Read, M. Fordham, G. Adler (orgs.), *The Spirit in Art, Man, and Literature, The Collected Works of C. G. Jung*, vol. 15. Princeton: Princeton University Press.

_____. (1939/1969). "Foreword to Suzuki's 'Introduction to Zen Buddhism". In H. Read, M. Fordham, G. Adler (orgs.), *Psychology and Religion: West and East, The Collected Works of C. G. Jung*, vol. 11. Princeton: Princeton University Press.

_____. (1939/1969). "Conscious, unconscious, and individuation". In H. Read, M. Fordham, G. Adler (orgs.), *The Archetypes of the Collective Unconscious, The Collected Works of C. G. Jung*, vol. 9i. Princeton: Princeton University Press.

_____. (1939/1976). "The symbolic life". In H. Read, M. Fordham, G. Adler (orgs.), *The Symbolic Life, The Collected Works of C. G. Jung*, vol. 18. Princeton: Princeton University Press.

Jung, C. G. (1944/1968). *Psychology and Alchemy*. In H. Read, M. Fordham, G. Adler (orgs.), *The Collected Works of C. G. Jung*, vol. 12. Princeton: Princeton University Press.

_____. (1948/1967). "The spirit Mercurius". In H. Read, M. Fordham, G. Adler (orgs.), *Alchemical Studies, The Collected Works of C. G. Jung*, vol. 13. Princeton: Princeton University Press.

_____. (1948/1969). "A psychological approach to the dogma of the Trinity". In H. Read, M. Fordham, G. Adler (orgs.), *Psychology and Religion: West and East, The Collected Works of C. G. Jung*, vol. 11. Princeton: Princeton University Press.

_____. (1950/1968). "Concerning Mandala Symbolism". In H. Read, M. Fordham, G. Adler (orgs.), *The Archetypes of the Collective Unconscious, The Collected Works of C. G. Jung*, vol. 9i. Princeton: Princeton University Press.

_____. (1950/1968a). "Concerning rebirth". In H. Read, M. Fordham, G. Adler (orgs.), *The Archetypes of the Collective Unconscious, The Collected Works of C. G. Jung*, vol. 9i. Princeton: Princeton University Press.

_____. (1950/1969). "Forward to the 'I Ching'". In H. Read, M. Fordham, G. Adler (orgs.), *Psychology and Religion: West and East, The Collected Works of C. G. Jung, vol.* 11. Princeton: Princeton University Press.

_____. (1952/1969). "Synchronicity: An acausal connecting principle. In H. Read, M. Fordham, G. Adler (orgs.), *The Structure and Dynamics of the Psyche, The Collected Works of C. G. Jung, vol.* 8. Princeton: Princeton University Press.

_____. (1952/1969a). *Answer to Job*. In H. Read, M. Fordham, G. Adler (orgs.), *Psychology and Religion: West and East, The Collected Works of C. G. Jung, vol.* 11. Princeton: Princeton University Press.

Jung C. G.(1952/1970). *Symbols of Transformation*. In H. Read, M. Fordham, G. Adler (orgs.), *The Collected Works of C. G. Jung*, vol. 5. Princeton: Princeton University Press.

_____. (1952/1977). "Eliade's Interview for 'Combat'". In W. McGuire e R. F. C. Hull (orgs.), *C. G. Jung Speaking: Interviews and Encounters*. Princeton: Princeton University Press.

_____. (1954/1969). "Psychological aspects of the mother archetype". In H. Read, M. Fordham, G. Adler (orgs.), *The Archetypes of the Collective Unconscious, The Collected Works of C. G. Jung*, vol. 9i. Princeton: Princeton University Press.

_____. (1954/1969a). "On the nature of the psyche". In H. Read, M. Fordham, G. Adler (orgs.), *The Structure and Dynamics of the Psyche, The Collected Works of C. G. Jung*, vol. 8. Princeton: Princeton University Press.

_____. (1954/1969b). "Transformation symbolism in the Mass". In H. Read, M. Fordham, G. Adler (orgs.), *Psychology and Religion: West and East, The Collected Works of C. G. Jung, vol.* 11. Princeton: Princeton University Press.

_____. (1955/1969). "Mandalas". In H. Read, M. Fordham, G. Adler (orgs.), *The Archetypes of the Collective Unconscious, The Collected Works of C. G. Jung*, vol. 9i. Princeton: Princeton University Press.

_____. (1955/1970). *Mysterium Coniunctionis*. In H. Read, M. Fordham, G. Adler (orgs.), *The Collected Works of C. G. Jung*, vol. 14. Princeton: Princeton University Press.

_____. (1957/1967). "Commentary on 'The Secret of the Golden Flower'". In H. Read, M. Fordham, G. Adler (orgs.), *Alchemical Studies, The Collected Works of C. G. Jung, vol.* 13. Princeton: Princeton University Press.

Jung C. G. (1961/1989). *Memories, Dreams, Reflections*, reunidas e editadas por A. Jaffé. Nova York: Vintage Books.

_____. (1973). *C. G. Jung Letters* 1: 1906-1950, G. Adler e A. Jaffé (orgs.). Princeton: Princeton University Press.

_____. (1975). *C. G. Jung Letters* 2: 1951-1961, G. Adler e A. Jaffé (orgs.). Princeton: Princeton University Press.

_____. (1987). *Children's Dreams*. L. Jung e M. Meyer-Grass (orgs.). Princeton: Princeton University Press.

_____. (1988). *Nietzsche's Zarathustra: Notes of the Seminar Given in 1934-1939 by C. G. Jung,* James L. Jarrett (org.). Princeton: Princeton University Press.

_____. (1989). *Analytical Psychology: Notes of the Seminar Given in 1925,* W. McGuire (org.). Princeton: Princeton University Press.

_____. (1991). *Psychology of the Unconscious, CW* B, W. McGuire (org.). Princeton: Princeton University Press.

_____. (1997). *Visions. Notes of the Seminar Given in 1930-1934*, C. Douglas (org.). Princeton: Princeton University Press.

_____. (1999). *The Psychology of Kundalini Yoga: Notes of the Seminar Given in 1932*, S. Shamdasani (org.). Princeton: Princeton University Press.

_____. (2009). *The Red Book – Liber Novus*, S. Shamdasani (org.). Nova York: W. W. Norton & Company.

Jung, C. G. e Pauli, W. (1952/1955). *The Interpretation of Nature and the Psyche*, Nova York: Pantheon Books.

Jung, C. G. e Neumann, E. (2015). *Analytical Psychology in Exile: The Correspondence between C. G. Jung and Erich Neumann*, M. Liebscher (org.). Princeton, NJ: Princeton University Press.

Kafka, F. (1981). *The Complete Stories*, N. Glatzer (org.). Nova York: Schocken Books.

Kalshed, D. (1996). *The Inner World of Trauma*. Londres: Routledge.

Kalshed, D. (2010). "Working with trauma in analysis". In M. Stein (org.), *Jungian Psychoanalysis*. Chicago: Open Court.

_____. (2013). *Trauma and the Soul*. Londres: Routledge.

Kaufman, G. (1989). *The Psychology of Shame*. Nova York: Springer Publishing Company.

Kawai, H. (1988). *The Japanese Psyche*. Dallas, TX: Spring Publications.

_____. (1992). *The Buddhist Priest Myōe: A Life in Dreams*. Venice: The Lapis Press.

_____. (1995). *Dreams, Myths & Fairy Tales in Japan*. Einsiedeln: Daimon Verlag.

_____. (1996). *Buddhism and the Art of Psychotherapy*. College Station, TX: Texas A & M University Press.

Kawai, T. (2015). "Big Stories and Small Stories in the Psychological Relief Work after the Earthquake Disaster: Life and Death". In L. Huskinson e M. Stein (orgs.), *Analytical Psychology in a Changing World*. Londres: Routledge.

Kerenyi, K. (1976). *Hermes – Guide of Souls*. Woodstock, CT.: Spring Publications.

Kirsch, J. e Stein, M. (orgs.), (2013). *How and Why We Still Read Jung*. Londres e Nova York: Routledge.

Klein, D. B. (1985). *Jewish Origins of the Psychoanalytic Movement*. Chicago & Londres: University of Chicago Press.

Klitsner, Y. S. (2015). "Synchronicity, intentionality, and archetypal meaning in therapy". *Jung Journal* 9/4: 26-37.

Laplanche, J. e Pontalis, J. B. (1973). *The Language of PsychoAnalysis*, Nova York: W. W. Norton & Co.

Lévi-Strauss, C. (2013) *The Other Face of the Moon*. Cambridge, MA e Londres: The Belknap Press of Harvard University Press.

Laude, P. (2011). *Louis Massignon: The Vow and the Oath*. Londres, The Matheson Trust.

Liuh, S. S. "The Impact of Modernity on the Chinese Psyche", artigo inédito apresentado na Segunda Conferência Europeia sobre Psicologia Analítica, "Borderlands", em São Petersburgo, Rússia, 2012.

Magid, S. (2015). *Hasidism Incarnate: Hasidism, Christianity, and the Construction of Modern Judaism*, Stanford, CA: Stanford University Press.

Main, R. (2004). *The Rupture of Time: Synchronicity and Jung's Critique of Modern Western Culture*. Hove & NY: Brunner-Routledge.

Manguel, A. (1996). *A History of Reading*. Londres: Penguin Books.

Marean, C. W. (agosto de 2015). "The most invasive species of all". *Scientific American.*

Mattoon, M. A. (org.), (1986). *Berlin 1986: The Archetype of Shadow in a Split World*. Einsiedeln, CH: Daimon Verlag.

McCormick, F. (1962). "In Memory of C. G. Jung". In *Carl Gustav Jung, 1875-1961, A Memorial Meeting*. Nova York: The Analytical Psychology Club.

McGuire, W. (org.), (1974). *The Freud-Jung Letters*. Princeton: Princeton University Press.

McGuire, W. e Hull, R. F. C. (orgs.), (1977). *C. G. Jung Speaking: Interviews and Encounters*. Princeton: Princeton University Press.

McGuire, W. (1982). *Bollingen. An Adventure in Collecting the Past*. Princeton: Princeton University Press.

McClean, A. (org.), (1980). *The Rosary of the Philosophers*. Edimburgo, Magnum Opus Hermetic Sourceworks.

Meier, C. A. (org.), (2001). *Atom and Archetype: The Pauli/Jung Letters 1932-1958*. Princeton: Princeton University Press.

Murakami, H. (2009). *1Q84*. Nova York: Vintage.

Neumann, E. (1949/1964). *The Origins and History of Consciousness*, Nova York: Pantheon Books. [*História da Origem da Consciência, publicado pela Editora Cultrix, São Paulo, 1990.]* (fora de catálogo)

Neumann, E. (1950/1994). "The moon and matriarchal consciousness. In *The Fear of the Feminine*. Princeton: Princeton University Press.

_____. (1952/1989). "The psyche and the transformation of the reality planes: A metapsychological essay". In *The Place of Creation*. Princeton: Princeton University Press.

_____. (1954/1959). "Creative man and transformation". In *Art and the Creative Unconscious*. Princeton: Princeton University Press.

_____. (1954/1959). "A note on Marc Chagall". In *Art and the Creative Unconscious*. Princeton: Princeton University Press.

_____. (1959/1979). "Georg Trakl: The person and the myth". In *Creative Man*. Princeton, NJ: Princeton University Press, pp. 138-231.

_____. (1959/1989). "The experience of the unitary reality". In *The Place of Creation*. Princeton: Princeton University Press, pp. 63-130.

_____. (1960/1989). "The psyche as the place of creation". In *The Place of Creation*. Princeton: Princeton University Press.

_____. (1969). *Depth Psychology and a New Ethic*. Nova York: G. P. Putnam's Sons.

_____. (1973/2002). *The Child*. Londres: Karnac Books.

Neumann, J. (2016). Carta a Olga Fröbe-Kapteyn, dezembro de 1960. In E. Shalit e M. Stein (orgs.), *Turbulent Times, Brilliant Minds*. Asheville, N.C.: Chiron Publications.

Nietzsche, F. (2006). *Thus Spoke Zarathustra*. Cambridge, Cambridge University Press.

Otto, R. (1950). *The Idea of the Holy*. Oxford: Oxford University Press.

Oxford Dictionary of English Etymology, The. (1966). C. T. Onions (org.). Oxford: The Clarendon Press.

Pauli, W. (1954/1995). "Die Klavierstunde. Eine aktive Phantasie über das Unbewusste'. In H. Atmanspacher, H. Primas, E. Wertenschlag-Birkhäuser (orgs.), *Der Pauli-Jung Dialog und seine Bedeutung für die moderne Wissenschaft*. Berlim: Springer.

_____. (1954/2002). "The piano lesson". *Harvest*, 49:2, 122-34.

Phillips, A. (2014). *Becoming Freud: The Making of a Psychoanalyst*. New Haven e Londres: Yale University Press.

Roloff, L. (1992). "Living, ignoring, and regressing". In M. A. Mattoon (org.), *Chicago 92*. Einsiedeln: Daimon Verlag.

Samuels, S., Shorter, B., Plaut, F. (1987). *A Critical Dictionary of Jungian Analysis*. Londres e Nova York: Routledge & Kegan Paul.

Schellinski, K. (2014). "Horror inherited: Transgenerational transmission of collective trauma in dreams". In G. Gudaité e M. Stein (orgs.), *Confronting Cultural Trauma*. Nova Orleans, LA: Spring Journal Books.

Schweizer, A. (2003). "'Fare hin mit deinem geist an Galgen!' – Martin Luther und C. G. Jung". In E. Hornung e A. Schweizer (orgs.), *Der Mensch und sein Widersacher, Eranos 2001 – 2002*.

Shamdasani, S. (org.), (2012). *Introduction to Jungian Psychology: Notes of the Seminar on Analytical Psychology Given in 1925 by C. G. Jung*. Princeton: Princeton University Press.

Sharp, E. J. (2005). "The Study of Religion in Historical Perspective". In J. R. Hinnells (org.), *The Routledge Companion to the Study of Religion*. Londres e Nova York: Routledge.

Shen, H. e Lan, G. (2012). "The garden of the heart and soul: Psychological relief work in the earthquake zones and orphanages in China". In *Environmental Disasters and Collective Trauma. Spring Journal 2012*. Nova Orleans: Spring Journal, pp. 61-74.

Sherry, J. (2010). *Carl Gustav Jung – Avant-Garde Conservative*. Nova York: Palgrave Macmillan.

Singer, T. (2012). "The cultural complex and archetypal defenses of the group spirit'. In J. Beebe (org.), *Terror, Violence and the Impulse to Destroy: Perspectives from Analytical Psychology*. Einsiedeln, CH: Daimon Verlag.

Singer, T., e Kimbles, S. (2004). *The Cultural Complex*. Nova York: Routledge.

Singer, T., Kaplinsky, C. (2010). "Cultural complexes in analysis". In M. Stein (org.), *Jungian Psychoanalysis*. Chicago: Open Court.

Smith, D. M. (1997). "World as event: Aspects of Chipewyan ontology". In T. Yamada e T. Irimoto (orgs.), *Circumpolar Animism and Shamanism*. Sapporo, Japão: Hokaido University Press.

Sorge, G. (2012). "Jung's presidency of the International General Medical Society of Psychotherapy: New insights". *Jung Journal* 6:4.

Stein, M. (1985). *Jung's Treatment of Christianity – The Psychotherapy of a Religious Tradition*, Wilmette, IL: Chiron Publications.

_____. (1993). *Solar Conscience/Lunar Conscience*. Wilmette, IL: Chiron Publications.

_____. (1999). "Introduction". In M. Stein (org.), *Jung on Christianity*. Princeton: Princeton University Press.

_____. (2004/2006). "The IAAP in midlife – Where are we now? Where are we going?". In L. Cowan (org.), *Barcelona 2004: Edges of Experience: Memory and Emergence. Proceedings of the Sixteenth International Congress for Analytical Psychology*. Einsiedeln, CH: Daimon Verlag.

_____. (2006). "On the importance of numinous experience in the alchemy of Individuation". In A. Casement e D. Tacey (orgs.), *The Idea of the Numinous*. Londres e Nova York: Routledge.

_____. (2006). *The Principle of Individuation*. Wilmette, IL: Chiron Publications.

Stein, M. (2013). "A lecture for the end of time – 'Concerning Rebirth'". In J. Kirsch e M. Stein (orgs.), *How and Why We Still Read Jung*. Nova York e Howe: Routledge.

_____. (2014). *Minding the Self: Jungian Meditations on Contemporary Spirituality*. Londres e Nova York: Routledge.

_____. (2014a). "Not just a butterfly'. In *Minding the Self*. Londres: Routledge.

_____. (2015). *In MidLife*. Asheville, N.C.: Chiron Publications.

_____. (2015). *Soul: Treatment and Recovery*. Londres e Nova York: Routledge.

Tillich, P. (1948). *The Shaking of the Foundations*. Nova York: Charles Scribner's Sons.

Van Erkelens, H. (1995). "Kommentare zur 'Klavierstunde'". In H. Atmanspacher, H. Primas, E. Wertenschlag-Birkhäuser (orgs.), *Der Pauli-Jung Dialog und seine Bedeutung für die moderne Wissenschaft*. Berlim: Springer.

_____. (2002). "Introduction to 'The Piano Lesson'". *Harvest* 48:2, pp. 120-21.

Van Erkelens, H. e Wiegel, F. W. (2002). "Commentary on 'The Piano Lesson'". *Harvest* 48:2, pp. 135-41.

Von Franz, M. L. (1974). *Number and Time*. Evanston, IL: Northwestern University Press.

_____. (1978). *Time: Rhythm and Repose*. Nova York: Thames and Hudson.

_____. (1988). *Psyche und Materie*. Einsiedeln: Daimon Verlag.

_____. (1988). "Psyche und Materie in Alchemie und moderner Wissenschaft". In *Psyche und Materie*. Einsiedeln: Daimon Verlag.

_____. (1992). *Psyche and Matter*. Boston e Londres: Shambhala.

_____. (1994). *Psychotherapy*. Boston e Londres: Shambhala.

Von Franz, M. L. (1995). "Reflexionen zum 'Ring I'". In H. Atmanspacher, H. Primus, E. Wertenschlag-Birkhäuser (orgs.), *Der Jung-Pauli Dialog und seine Bedeutung für die moderne Wissenschaft*, Springer.

_____. (2002). "Interview with H. van Erkelens, 'Wolfgang Pauli, the Feminine and the Perils of the Modern World'". *Harvest* 48:2, 142-48.

_____. (2008). "C. G. Jung's Rehabilitation of the Feeling Function in our Civilization". *The Jung Journal*, Vol. 2:2, 2-16.

Wilhelm, R. (trad.) (1951). *The I Ching or Book of Changes*, Londres: Routledge & Kegan Paul. [*I Ching – O Livro das Mutações*, publicado pela Editora Pensamento, São Paulo, 1984.]

Williams, M. (1958). "The Fear of Death". *The Journal of Analytical Psychology*, Vol. 3:2.

Wirtz, U. (2014). *Trauma and Beyond*. Nova Orleans: Spring Journal Books.

Yiassemides, A. (2014). *Time and Timelessness: Temporality in the Theory of Carl Jung*. Londres e Nova York: Routledge.

Yoshikawa, M. (2014). "The shadow of modernization in Japan as seen in Natsume Soseki's *Ten Nights'Dreams*". In G. Gudaité e M. Stein (orgs.), *Confronting Cultural Trauma*. Nova Orleans, LA: Spring Journal Books.